Bloqueo

Bloqueo
El asedio económico más prolongado de la Historia

Andrés Zaldívar Diéguez

Editorial Capitán San Luis
La Habana, 2003

Edición: Ana María Caballero Labaut / Diseño interior: Osvaldo Valdés / Diseño de cubierta: Eugenio Sagués / Realización computarizada: Viviana Fernández Rubinos

ISBN: 959-211-254-1

Editorial Capitán San Luis, Ave. 25 No. 3406, entre 34 y 36, Playa, Ciudad de La Habana, Cuba.

A Gerardo Hernández Nordelo, Fernando González Llort, Ramón Labañino Salazar, Antonio Guerrero Rodríguez y René González Sehweret, cinco héroes que sufren injusta prisión en Estados Unidos por enfrentar el terrorismo contra Cuba, parte del cual se narra en este libro.

A mis hijos Aram y Abraham.
A la memoria de mis padres.

Difícilmente un libro puede ser obra de una sola persona. En él intervienen aquellos que ayudan a gestarlo; los que contribuyen de modo diverso en su elaboración; los que aportan una idea o un dato poco conocido; los que alientan y estimulan en el obsesivo y a veces doloroso proceso de investigación, valoración y redacción, o los que crean las mil y una condiciones necesarias para obra semejante. Por una, o más de una de estas causas, quiero dejar constancia de mi agradecimiento a Over Companioni, Manuel Hevia, Félix Batista, José M. Pérez, Manuel Fernández Crespo, Israel Behar, María Antonia Pantaleón, Mariano García; José Buajasán, Miguel Roque, Reycelda Rodríguez, Juana Fundora, Laraine Aguilar y Teté Ortega. A mis colegas Jacinto Valdés-Dapena, José Luis Méndez, María Antonia Román y Pedro Etcheverry, por darme la oportunidad de valerme de muchos de los resultados de sus propias investigaciones. Por su colaboración en todos los órdenes, incluida la búsqueda de cierta rareza bibliográfica (empresa en la que también fueron exitosos Isabel Jaramillo, Nuria Gregori y Daniel Salas), traducción de textos y revisión final del manuscrito, al fraterno Ricardo Sánchez Villaverde. Por su paciencia, comprensión y respaldo a Gabriela Báez, Aracelis Blanzaco, Dania Sao, Vania Silvera e Iris Calzadilla. En Chambas, a Rolando Fundora. Por su apoyo logístico a Lorenzo Timitol, Lucía Palacios, Silvia Prieto, Mauro Villar, Reynold Álvarez, Gonzalo Artidó, Jorge Castillo y Ana Elda Pérez, así como a Xiomara Quevedo, Celia Sánchez, Antonio Benítez y a todos aquellos que contribuyeron de diversa manera en su elaboración.

Mi agradecimiento especial, por su importante colaboración, a Pablo Verti. Por su generosidad y comprensión, a la Dra. Olga Miranda y al eminente economista Osvaldo Martínez; a mi editora, Ana María Caballero, al diseñador Eugenio Sagués así como a Viviana Fernández, y, en general, a los compañeros de la Editorial Capitán San Luis que lo han hecho posible.

Índice

Prólogo

Es frecuente escuchar en seminarios académicos, debates parlamentarios o en simples conversaciones en que aparece el tema del bloqueo económico a Cuba, una explicación sacada del arsenal de cinismos, que al bloqueo le llama embargo y lo reduce a una acción soberana del Gobierno de Estados Unidos, el que no desea comerciar con Cuba y por tanto, no lo hace. Se trata, según esta versión que ha sido planteada más de una vez por embajadores estadounidenses ante Naciones Unidas, de una acción estrictamente bilateral que en nada impide las relaciones económicas de Cuba con otros países.

Incluso amigos de la Revolución Cubana no tienen un conocimiento suficiente de la historia y el alcance de las acciones que desde 1959 comenzó a ejecutar aquel gobierno para asfixiar la economía cubana y llevar a la desesperación a su pueblo. Algunos creen que el "embargo" no afecta a Cuba más allá de privarla del mercado y del turismo estadounidense y que en el resto de la economía mundial Cuba puede operar al igual que cualquier otro país.

Para las ya varias generaciones de cubanos que nacieron y han crecido bajo el bloqueo, a veces éste tiende a aparecer como un dato más de la realidad y perder relieve y capacidad explicativa.

Sería un error si no hiciéramos el máximo esfuerzo por explicar a nuestros amigos del exterior o a muchos que les llama la atención estas prohibiciones que duran ya más de 40 años y a nuestros compatriotas más jóvenes, que una parte de la historia de la Revolución Cubana en el poder es la historia de una guerra económica intensa y extensa, minuciosa y cruel, ejecutada contra un país pequeño y pobre por la potencia económica y militar más formidable que jamás haya existido.

Esa historia de casi cuatro décadas y media en que el Gobierno de Estados Unidos ha recurrido a todo, excepto el bloqueo militar y la invasión del territorio cubano por sus Fuerzas Armadas y ha fracasado en todo, es un proceso multifacético y aún no totalmente conocido en su urdimbre interior y en los recovecos de su detallada ignominia. Algunos compañeros como Nicanor León Cotayo, Olga Miranda, Alejandro Aguilar han iluminado aspectos de ese proceso en marcha, pero no lo agotan porque algunos documentos probablemente muy descarnados no han sido desclasificados y aún más, porque la gama de acciones contra Cuba es tan amplia y abarcadora que no pueden ser aprehendidas del todo en un molde periodístico, jurídico, de costo financiero o de cualquier otra especialidad.

Es que contra Cuba se ha desplegado una completa guerra económica de exterminio que se encuentra en fase de máxima intensidad y en la cual la compleja maquinaria del gobierno estadounidense en interacción con el Congreso, ha ido tejiendo una tupida y elaborada red de prohibiciones, castigos, persecuciones, que forman una complicada trama.

El libro que presentamos al lector, escrito por el Dr. Andrés Zaldívar Diéguez es un valioso aporte en el imprescindible esfuerzo por explicar a cubanos y no cubanos esta infamia de cuatro décadas para quebrar la resistencia de nuestro pueblo.

La aplicación aquí del término terrorismo de Estado no es una licencia literaria con tinte de denuncia política, sino una verdad histórica comprobable y comprobada por Andrés Zaldívar con una efectiva utilización de documentos desclasificados procedentes de diversas agencias del gobierno estadounidense y por el registro de acciones ejecutadas contra Cuba, a veces exitosas para el enemigo, a veces frustradas por nuestra capacidad de resistencia y siempre fracasadas en su objetivo estratégico de exterminar a la Revolución Cubana.

La reunión del Consejo Nacional de Seguridad de Estados Unidos efectuada el 17 de marzo de 1960 es muy importante para caracterizar el sentido de la guerra económica y su papel como parte de un paquete de acciones que conducirían apenas un año después a la catástrofe de la invasión por Playa Girón, lo que en las obras de autores estadounidenses ha sentado categoría como "el fiasco de Bahía de Cochinos".

En esa reunión fueron aprobados tanto el Programa de Acción Encubierta contra Castro que llevaría al desastre de Girón y también el documento titulado Un Programa de Presiones Económicas contra Castro, que aún no ha sido desclasificado, pero de cuyo contenido es posible darnos cuenta por el acta de la reunión del Consejo y por la historia de acciones posteriores.

Allí, mezclados como parte del mismo paquete subversivo y terrorista, estaban el cierre del suministro de petróleo, el fin del comercio, la retirada de inversiones, la prohibición del turismo hacia Cuba, las maniobras utilizando a la dócil OEA, el despojo de la cuota azucarera.

Después del duro fracaso en Playa Girón la guerra económica se planeó y organizó mejor. Comenzó una gran maniobra en la que Estados Unidos puso en juego todo su poderío —excepto la acción militar directa— para someter a su pequeño vecino.

El Plan para liquidar la Revolución Cubana en pocos meses fue presentado a los Departamentos y Agencias gubernamentales el 18 de enero de 1962. Fue la Operación Mangosta que en sus 32 tareas contenía 13 que eran la planeación de la guerra económica ya en forma más estructurada y con parte importante de la codificación que hasta hoy conserva.

En ella aparecen ya las acciones para encarecer y dificultar el transporte marítimo hacia Cuba, para provocar fracasos en las cosechas de alimentos, para impedir las ventas de níquel y otros, pero también aparecen las acciones de sabotaje contra el país y contra la economía en particular.

Durante el período de vigencia del Plan Mangosta, en un lapso de unos 14 meses se registraron 5 780 acciones terroristas, de ellas 716 sabotajes de envergadura contra objetivos económicos.

Bloqueo, guerra económica, terrorismo de Estado contra la economía han sido integrantes de un paquete que está separado por mucha sangre y sufrimiento, imposibles de medir en términos de costo financiero, del suave "embargo" presentado por la propaganda anticubana. El costo financiero asciende ya a una cifra no inferior a 72 000 millones de dólares.

Andrés Zaldívar expone lo que podría llamarse el proceso de perfeccionamiento de la guerra económica hasta 1963 en que finaliza el ciclo inicial en la sistematización de la guerra económica, así como después de 1963, las más importantes decisiones que van agregando eslabones a esa guerra, incluidas las leyes Torricelli y Helms-Burton.

Especial interés tienen en este libro los capítulos IV y V que abordan el espionaje y su utilización para la planificación y ejecución del sabotaje a la economía cubana con la exposición de interesantes casos ocurridos en el petróleo, en la agroindustria azucarera, en el transporte marítimo y el terrorismo como arma en esa guerra.

La lectura del libro de Andrés Zaldívar es siempre amena y condensa una gran masa de información documental con la suficiente habilidad y organización que impiden aplastar al lector. De él extraemos una buena parte de la historia de esa acción genocida contra un pueblo y comprendemos mejor su hazaña de resistencia al bloqueo más extenso aplicado en las condiciones de más abrumadora desigualdad de fuerzas que jamás existió.

Esa resistencia es un canto a la vida frente al reclamo de muerte y terror de la guerra económica.

Cuarenta y cuatro años de terrorismo de Estado aplicado por el Imperio no han podido someter a nuestro pequeño país como no pueden someter a nuestros cinco compatriotas luchadores contra el terrorismo. Nuestro pueblo y ellos como parte de él, poseen un arma cuya tecnología es indescifrable para los terroristas: los valores morales creados por la Revolución.

Osvaldo Martínez
octubre, 2003

"Cuando regresamos del aeropuerto, vomitó el desayuno. Y al poco rato me dijo: ¡Ay, me caigo! a las diez de la noche de ese mismo día le repitió el mareo y regresamos al hospital. Decidieron ingresarla. A media noche le pedí que durmiera y me respondió que no porque se iba a morir. Antes de cerrar los ojos me dio un beso muy frío y me pidió que no le soltara la manito. Como a las dos de la madrugada su mano comenzó a perder fuerzas dentro de la mía. Cuando la miré estaba moradita. Poco después se me murió. A los seis meses, producto de eso, el padre se murió. A él le atacó mucho el corazón."

Silvia Torres,
madre de Ernestina Oñate de 12 años.

"Estuve al lado de ella el 13 cuando falleció, llevo ese dolor hace rato, todos esos momentos a su lado, hasta el 13 a las diez de la noche cuando falleció. Se luchó hasta el final, el director del hospital, los de terapia, médicos, hasta el final, **en los últimos días llegó el medicamento Interferón, famoso."**

Félix Mesa Deantes,
padre de Cintia Mesa Marrero
de 3 años y 4 meses.

Durante la epidemia del dengue hemorrágico en 1981, que cobró la vida a 158 ciudadanos, de ellos 101 niños y afectó a 344 203 personas, el Departamento del Tesoro de Estados Unidos, aplicando los preceptos del *bloqueo,* demoró la autorización para la venta y envío a Cuba de los insecticidas específicos para atacar el vector identificado de la enfermedad, así como los aspersores de fumigación que debían utilizarse. Cuba tuvo que adquirirlos en terceros países a un costo adicional de varios millones de dólares y con una crucial demora en su llegada al país, que sin duda, fue un factor importante en muchas de las muertes ocurridas.

CAPÍTULO I Las primeras acciones

Al sentir el ruido del avión que se aproximaba, Walter Sosillo alzó los ojos, hacia el Norte, tratando de adivinar el lugar exacto por donde lo vería aparecer. Hasta el 31 de diciembre de 1958 ese peculiar ronroneo se escuchaba por todos con preocupación y a veces no muy callada cólera, ya que era indicio seguro del bombardeo de zonas ocupadas por las fuerzas rebeldes que se enfrentaban a la tiranía batistiana, y que las más de las veces se cebaban en los humildes bohíos de los campesinos de las zonas en que se luchaba. Una de las más famosas cartas del joven comandante barbudo Fidel Castro durante la lucha en las montañas, dirigida a su cercana colaboradora Celia Sánchez, estuvo motivada precisamente por esos bombardeos a las viviendas de indefensos campesinos con pertrechos bélicos suministrados por el gobierno norteamericano.

Pero era enero de 1960, y ya había pasado poco más de un año del desplome de la tiranía. Ahora, cuando se escuchaba el ruido de un avión, se vinculaba con una palabra nueva, relacionada con el cambio positivo que se estaba operando en el campo cubano. Esa palabra era corta y sencilla: INRA.[1] *Los más entendidos decían que ni siquiera era una palabra, sino una sigla, pero ahí sí empezaban a enredarse las cosas para muchos, y lo mejor era dejarla como una*

[1] Sigla del Instituto Nacional de Reforma Agraria, creado por la ley homónima del 17 de mayo de 1959 que eliminó el latifundismo en Cuba.

palabra. Cada vez más el tránsito por el cielo e incluso el aterrizaje en los hasta entonces remotos parajes, que rápidamente comenzaban a transformarse, eran cosa de avionetas del INRA, y para los más devotos, que por la fuerza de la costumbre ya no esperaban nada de los poderes terrenales, la nueva palabra, o la nueva sigla, le traían reminiscencias de una buena nueva anunciada por otro barbudo que en una cruz legendariamente redentora tenía escrito algo similar.

Pero el joven obrero Walter Sosillo, antes de ver al avión y a pesar de que ese ruido había dejado de ser un presagio de lo malo, no pudo evitar que su rostro reflejara un gesto de inquietud. Walter y todos sus amigos y conocidos, al igual que sus padres y abuelos, para los que los campos cañeros eran como una prolongación de su propia vida, tenían clavados en su pecho los crecientes rumores de que aviones y avionetas desconocidas estaban bombardeando centrales azucareros e incendiando sin piedad las plantaciones de las que todos dependían. Por vez primera había oído decir hacía muy poco, desde antes de fin de año, la palabra ***pirata*** *cuando hablaban de un avión, y recordar ahora la palabra, relacionándola con las bombas arrojadas y los campos devastados, le provocó la misma preocupación que había asaltado a más de un antecesor suyo de casi exactamente tres siglos antes, cuando Henry Morgan había arrasado la villa de Puerto Príncipe. Un nuevo pensamiento lo asaltó, y no pudo dejar de sonreír. Cuando niño, en las costas de La Herradura, en más de una ocasión se imaginó enfrentando el ataque de los piratas de Morgan obligándolos a retirarse. De mayor, desde mucho antes de volver a escuchar la palabra, había decidido que ahora sí pelearía.*

El ronroneo inicial que había anunciado al avión ya era prácticamente un ruido ensordecedor, y repentinamente se percató de un nuevo sonido, ahora en forma de silbido, provocado por algo que bajaba cortando el aire velozmente, hasta terminar con un golpe seco al penetrar la tierra blanda poco más allá de donde se encontraba. Controlando a duras penas la contracción de espanto que sintió porque la bomba, milagrosamente, no había explotado, mientras el avión salía por el rumbo de la laguna de La Güira y se perdía hacia el Norte en mar abierto, Walter se dio cuenta que no debía dejarla donde habià caído. De estallar allí, nada podría salvar los mejores campos de la zona. Había escuchado que algo semejante había hecho pocos meses antes un combatiente del Ejército Rebelde en la zona del central Punta Alegre, por Chambas. Fue cuando pensó que aunque fuese una locura, Cabrera Estupiñán —aún recordaba sus apellidos, de tanto que se habían repetido—, había actuado como un hombre verdadero, y sin pensarlo, mas no sin trabajo, extrajo la bomba del boquete hecho al caer y la puso sobre sus hombros. Olvidándose de sí, comenzó a alejarse de la zona de mayor peligro. Después, para él, nada más sucedió.

Si bien en los poco más de doce meses transcurridos desde el triunfo rebelde, nuevos nombres habían engrosado la lista de los muertos de la Patria, todavía ninguno respondía directamente a una nueva modalidad de guerra, aquella que más tarde se identificaría como ***guerra económica.*** *Y fue así de sencillo, aunque quizás los historiadores todavía tengan que ponerse de acuerdo si efectivamente con la muerte del joven obrero de veinticuatro años Walter Sosillo el 29 de enero de 1960, cuando un* ***avión pirata*** *de la flotilla secreta de la CIA bombardeó las áreas del central Chaparra en el norte de la actual provincia de Las Tunas, la guerra económica de Estados Unidos contra la Revolución cubana cobraba su primera víctima humana.*

Hubo muchas cosas de las cuales no tuvo siquiera oportunidad de enterarse el joven obrero Walter Sosillo. Aunque fue uno de los protagonistas principales en el acto de aquel día, no tenía por qué saber que el gobierno norteamericano, a través de la Agencia Central de Inteligencia, había escogido los centrales azucareros y las plantaciones cañeras como primeros objetivos, a partir de octubre de 1959, de los sabotajes que enviaran una clara señal de intolerancia a quienes se habían atrevido a promulgar, aquel 17 de mayo que dio inicio a una nueva etapa en las relaciones entre Cuba y Estados Unidos, una ley de Reforma Agraria que tendría, entre otros aunque ni remotamente únicos afectados, a cierto número de empresas norteamericanas que eran dueñas de las mejores tierras. Probablemente empujados por un fatalista viejo slogan que rezaba que sin azúcar no hay país, entre octubre de 1959 y abril de 1961, víspera de la invasión por Playa Girón, se efectuaron más de medio centenar de bombardeos sobre industrias y campos cañeros, similares a aquel en que perdió la vida Walter Sosillo.

Otra cosa que Walter Sosillo, joven sencillo y humilde, no podía ni siquiera imaginar, era que entre otros actores participantes en la obra en que le correspondía perder la vida se encontraba incluso el Presidente de Estados Unidos, y nada menos que expresando que los bombardeos que se habían realizado hasta finales de diciembre de 1959 todavía no satisfacían sus expectativas. Eso fue lo que le respondió a Allen Dulles, el director de la Agencia Central de Inteligencia, cuando este fue a verlo en los primeros días del mes de enero de 1960, para hablarle acerca de las acciones de la CIA contra los centrales azucareros cubanos, como aquella en que murió nuestro protagonista. Eso fue lo que le dijo: que no estaba satisfecho con lo que se había hecho hasta ese momento, y despachó a Dulles diciéndole que regresase "con un programa más amplio".[2]

Otra cosa que Walter Sosillo nunca tuvo oportunidad ni de siquiera suponer, fue que acciones como aquellas en que desempeñó su importante papel no eran, ni remotamente, de las primeras que correspondían a esa modalidad de "guerra económica" en que perdió la vida, sino que esas habían comenzado menos de 24 horas después de que el tirano Batista había escapado del país, en la medianoche del 31 de diciembre de 1958, una semana antes de que el joven y barbudo jefe guerrillero Fidel Castro hiciera su entrada en la capital. Efectivamente, ¿qué otra cosa sino una manifestación de guerra económica era que se recibiera con los brazos abiertos en los muelles de Miami a los compinches de Batista, asesinos y malversadores, que se llevaron consigo nada más y nada menos que 424 millones de dólares del tesoro de la República,[3] que rápidamente se depositaron en bancos norteamericanos?[4]

En la Proclama de la Asamblea Nacional cubana antes citada se expresa: "El producto del descomunal robo fue a parar a los bancos de Estados Unidos. Ni un solo centavo fue devuelto a Cuba. La impunidad de los autores y el disfrute seguro de los fondos sustraídos no conocieron excepción alguna." Las autoridades cubanas solicitaron desde el 7 de enero de 1959 la retención y devolución de 17 millones de dólares robados por el asesino Rolando Masferrer Rojas, añadiéndose los nombres de otros 18 prófugos y las cifras robadas por ellos, en comunicaciones

[2] Testimonio de Gordon Gray, asistente especial del presidente Eisenhower para Asuntos de Seguridad Nacional. Ver Gray to Don Wilson —Assistant Director, Dwight D. Eisenhower Library—, Dec. 3, 1974, p. 1. Gray Paper, box 2, DDL. Tomado de Tomás Diez Acosta: *La guerra encubierta contra Cuba.* Editora Política, La Habana, 1997, p. 9.

[3] Banco Nacional de Cuba: Informe del 6 de febrero de 1959. Aparece en "Proclama de la Asamblea Nacional del Poder Popular de la República de Cuba", 13 de septiembre de 1999, periódico *Granma,* martes 14 de septiembre de 1999, tercera edición, p. 4.

[4] *The New York Times,* 19 de abril de 1959. Aparece en "Proclama de la Asamblea Nacional del Poder Popular de la República de Cuba", en *ob. cit.*

posteriores del 9, 12, 20 y 26 de enero. Poner oídos sordos fue la única respuesta de las autoridades norteamericanas, a pesar de que existía un tratado de extradición entre los dos países. Según el Presidente de la Asamblea Nacional: "Ese brutal saqueo fue uno de los golpes más severos contra la economía nacional, absolutamente inexcusable, ocurrido antes de que se hubiese instalado en La Habana el gobierno que remplazó a la tiranía y se produjo con la connivencia o la colaboración de las autoridades norteamericanas que facilitaron la fuga de los ladrones y los acogieron en su territorio."[5]

Obligada por la precaria situación financiera del país, agravada por el descomunal saqueo del erario público de que había sido objeto, una delegación del Banco Nacional de Cuba se vio en la necesidad de solicitar a las autoridades norteamericanas un modesto crédito, encaminado a estabilizar la moneda cubana. Fue esta la oportunidad de otra actuación protagónica del Presidente norteamericano, que mostró su negativa a tal solicitud en la reunión del Consejo Nacional de Seguridad del 12 de febrero de 1959, expresando que antes que la estabilización de las finanzas debía "estabilizarse" el gobierno revolucionario (seguir los cauces de los gobiernos al uso, a espaldas de las necesidades del pueblo).[6] Ricardo Alarcón se refiere a este tema en la intervención de noviembre del 2000 antes citada. Al respecto expresó: "En febrero de 1959 el Consejo de Seguridad Nacional de Estados Unidos examinó el asunto. El veredicto, muy sencillo: 'escuchar a los cubanos, pero no darles ni prometerles absolutamente nada'."[7]

Lo que sí había escuchado Walter Sosillo desde mucho antes de morir, desde los primeros días posteriores al triunfo, eran las amenazas que desde Estados Unidos se hacían contra la Revolución por el solo delito de enfrentar a los poderosos y ayudar a los pobres, aquellos mismos pobres que, según los devotos que ya no esperaban nada terrenal, serían bienaventurados porque de ellos sería el reino de los cielos. A decir verdad, muchas de aquellas amenazas fueron las que decidieron a Walter Sosillo a hacer cualquier cosa que se requiriese, lo que demostró

[5] Ricardo Alarcón de Quesada: "El embuste: arma inseparable de la agresión imperialista". Intervención realizada en el II Encuentro Mundial de Amistad y Solidaridad con Cuba, 10 de noviembre del 2000. Aparece en Ricardo Alarcón de Quesada y Miguel Álvarez Sánchez: *Guerra Económica de Estados Unidos contra Cuba*. Editora Política, 2001, p. 46.

[6] Department of State: *Foreign Relations of United States*, volume VI, documento 250, 1991, pp. 397-398.

[7] Ricardo Alarcón de Quesada y Miguel Álvarez Sánchez: ob. cit., p. 47.

al ofrendar su vida, para enfrentar a los que desde el principio imaginó muy parecidos a los piratas del Morgan de sus juegos infantiles. Pero nunca pensó que algunas de aquellas declaraciones amenazadoras de representantes autorizados de aquel país, acerca de la utilización del arma económica para enfrentar la Revolución triunfante, formaban parte de la misma guerra económica como resultado de la cual él sería el primero en morir. Había sido el 21 de enero de 1959 cuando el legislador Wayne Hays hizo la primera referencia a la posibilidad de que, como medida de respuesta al ajusticiamiento de los criminales de guerra de la tiranía batistiana, medida de elemental justicia, el gobierno norteamericano cortase la cuota azucarera y aplicase otras medidas económicas contra Cuba, lo que comenzó a repetirse a partir de entonces como letanía por muchos otros, amenazando con un garrote que poco tiempo más tarde blandirían concienzudamente.

En este punto exacto, antes de continuar nuestra narración, debemos puntualizar algunos aspectos, hacernos algunas preguntas y tratar de responderlas. El libro que el lector tiene en sus manos presenta como tema central, efectivamente, la guerra económica de Estados Unidos contra la Revolución cubana. Esa guerra económica tiene numerosos puntos comunes con otras manifestaciones de la animadversión norteamericana hacia el nuevo régimen instaurado en Cuba tras la derrota de la tiranía batistiana, pero al mismo tiempo tiene muchos rasgos propios que posibilitan que se estudie por sí sola. No tiene vida propia, sino que es parte indisoluble de un proyecto político más amplio: derrotar la Revolución. Otro aspecto que queremos puntualizar es que no haremos ninguna afirmación infundada, lo que nos obligará, en muchos casos, a abusar un tanto de las referencias bibliográficas, por lo que pedimos excusas, aunque sabemos que muchos lectores interesados las agradecerán, en función de pesquisas ulteriores.

Las preguntas que podemos hacernos son numerosas. Para muchos lectores, que con frecuencia escuchan hablar de guerra económica y sobre su utilización contra Cuba, pero no conocen cómo se fue elaborando en las grandes potencias una doctrina de guerra económica, una pregunta en esta dirección puede resultar muy útil. Para otros, puede resultar en extremo importante conocer la imbricación de las medidas económicas abiertas con otras de carácter subversivo, de las que caracterizan la labor de la Agencia Central de Inteligencia de Estados Unidos. Otro grupo de lectores seguramente se interesará en conocer el proceso inicial, posterior al triunfo de la Revolución y más exactamente a la aprobación en Cuba de la Ley de Reforma Agraria, en que se comenzó a elaborar el sistema de medidas contra la economía cubana.

A todas estas preguntas daremos respuesta a continuación. En capítulos posteriores, apreciaremos la evolución de este proceso hasta nuestros días.

Los antecedentes. La evolución de una "doctrina" de guerra económica

Las acciones que configuran lo que hoy conocemos como guerra económica, aquellas realizadas por Estados poderosos encaminadas a dañar las condiciones económicas internas de Estados adversarios para lograr un ulterior interés social y político, y dentro de este último frecuentemente militar, es una historia de larga data.

A pesar de su utilización desde la antigüedad clásica,[8] fue la experiencia europea en los últimos siglos la que conformó una doctrina de guerra económica, emergida de los muy frecuentes conflictos bélicos en esos territorios y de la necesidad de las potencias navales, con Inglaterra a la cabeza, de limitar en tiempo de guerra el comercio de sus adversarios con los países neutrales. Desde el siglo XVII, y principalmente a partir de las guerras napoleónicas, el concepto y la práctica de la neutralidad por países interesados en no verse envueltos en conflictos bélicos fue cobrando fuerzas, y desembocó en la codificación de los deberes y derechos de los países con status de neutralidad permanente por parte del Instituto de Derecho Internacional, de La Haya, en 1875. Se refiere esencialmente a la condición jurídica de los Estados no participantes por su libre albedrío en contiendas bélicas surgidas y llevadas a vías de hecho entre otros Estados.

Los aspectos básicos en la evolución de esta doctrina de guerra económica transitó por los siguientes estadios:

1. Desde tres o cuatro siglos atrás, la utilización en tiempo de guerra del bloqueo naval sobre los puertos y costas de sus adversarios como

[8] Roma prohibió a sus aliados comerciar directamente entre sí, a partir de la creación de la Confederación Itálica en el 272 a.n.e., para asegurar a los mercaderes romanos el monopolio del comercio intermediario. Después de derrotar a Macedonia en el 167 a.n.e. le prohibió explotar sus minas de oro y plata, en aras de impedir el renacimiento de su poderío. V. Diakov y S. Kovalov: *Historia de la antigüedad. Roma.* Instituto Cubano del Libro, La Habana, 1966, pp. 97-124.

arma básica para impedir que obtuviesen los suministros externos que necesitaban para desarrollar la contienda e impedir sus exportaciones. Estas medidas afectaban tanto al Estado objeto de la medida como a los países neutrales que con él comerciaban.[9]

La naturaleza esencial y propósitos del bloqueo como arma de guerra, para la obstaculización del comercio del enemigo y para presionar a los neutrales que con él comerciaran, se ha mantenido a lo largo de los siglos. En una proclama de la reina Isabel I de Inglaterra, en 1601, después de hacer referencia a las "perfidias" del monarca español Felipe II y puntualizar la dependencia española de los suministros que recibiese de ultramar, indicó que "la detención, impedimento y acusación de todo comercio y *tráfico* con él en sus territorios de España y Portugal sea rápidamente realizada [...] para lograr paz y quietud en esa parte de la cristiandad"[10] (la cursiva de la palabra es nuestra).

2. Movimiento contra los excesos del bloqueo por parte de los países neutrales desde fines del siglo XVIII, con la creación de las Ligas de Neutralidad Armada por parte de los gobernantes rusos Catalina II (1780) y Pablo I (1800) para proteger el comercio de los países que la integraban de los frecuentes ataques ingleses, dando origen a reglas del Derecho Internacional encaminadas a salvaguardar sus intereses.

Entre estas reglas resultaron relevantes la establecida en la Declaración de París de 1856, posterior a la guerra de Crimea, según la cual, para que un bloqueo fuese legal debía ser efectivo,[11] así como las reco-

[9] David L. Gordon and Royden Dangerfield: *The Hidden Weapon. The Story of Economic Warfare*. Harper & Brothers Publishers, New York, 1947, pp. 16-17. Los autores de esta obra, funcionarios del Buró de Guerra Económica, adscrito al Departamento de Estado de Estados Unidos durante la Segunda Guerra Mundial, y, como tales, actores de primera línea en la guerra económica contra el Eje nazi-fascista, lograron con este libro una obra, a nuestro juicio, clásica sobre el tema, a la que recurriremos con frecuencia.

[10] Ibid. Subrayamos *tráfico* al resultarnos en elevada medida significativo que una de las palabras-clave en el engendro de la Helms-Burton, con la que pretenden calificar toda acción con o sobre una propiedad norteamericana nacionalizada por las leyes revolucionarias, tenga tan lejano y cuestionable antecedente.

[11] Las medidas represivas que se aplicasen debían dirigirse contra embarcaciones enemigas o aquellas que violasen el bloqueo y no contra navíos neutrales que transportasen productos y cantidades autorizadas. Ver David L. Gordon and Royden Dangerfield: ob. cit., p. 17. La extraterritorialidad de las medidas norteamericanas de bloqueo contra Cuba encuentran en terceros países estos mismos cuestionamientos.

gidas en la Declaración de Londres de 1909, según las cuales un bloqueo debía ser formalmente declarado; adecuadamente notificado entre los adversarios y los países neutrales; *no podía extenderse más allá de los puertos y mares costeros pertenecientes u ocupados por el enemigo* y, repitiendo el pensar de la Declaración de París, debía ser efectivo.[12]

3. Importancia dada y evolución del concepto de *contrabando*, tipificando como tal las violaciones del bloqueo, asumiendo la potencia bloqueadora la potestad de detener y registrar las embarcaciones en tránsito hacia el área bloqueada ("visit and reach") y confiscar los artículos que se encontrasen en las categorías de "contrabando absoluto" (pertrechos de guerra) o "contrabando condicional" (artículos de uso común cuyo destino fuesen las fuerzas armadas del país bloqueado). Hasta inicios de la Primera Guerra Mundial ni los alimentos, bienes de consumo, materias primas ni productos industriales que no se enviaran a las fuerzas armadas se consideraban contrabando, ni el contrabando condicional podía ser decomisado en mar abierto.[13]

La Primera Guerra Mundial tuvo gran importancia en la evolución de los preceptos anteriormente mencionados y en la relación bloqueo-contrabando.

En un sentido estrecho, el bloqueo se entendía hasta entonces como un "cerco cerrado de puertos y áreas costeras enemigas, un piquete o cordón de navíos de guerra a intervalos cerrados, para prevenir el tránsito a través suyo".[14]

Pero, en 1914 el poderío naval inglés tenía la posibilidad de minar los puertos y costas enemigos, y para evitar el ataque de los submarinos enemigos en alta mar podía transferir la revisión de las embarcaciones sospechosas a **puntos de control** en la propia Inglaterra o los puntos de embarque en otros países, cobrando fuerzas el concepto de **bloqueo a larga distancia,** objetado por la Declaración de Londres. Otra nueva realidad para la Inglaterra del momento era la necesidad, puesta en práctica

[12] Idem.

[13] Ibid., p. 18. Al historiar la guerra económica, el concepto de contrabando es importante, y la evolución del contenido que se le confería dio nuevas formas al bloqueo, hasta alcanzar el estadio logrado en la Segunda Guerra Mundial, principal referente tomado por Estados Unidos para el bloqueo aplicado contra Cuba en tiempos de paz a partir de 1959.

[14] Ibid., pp. 18-19.

por el Decreto Real del 20 de agosto de 1914, de impedir en su totalidad la entrada a Alemania, de forma directa o a través de los neutrales europeos, lo que antes era **contrabando condicional** de mineral de hierro y de carbón, bajo el argumento de que las modernas máquinas de guerra estaban hechas de hierro y utilizaban carbón como combustible.

La oposición norteamericana a tal decreto, en su carácter de país neutral hasta 1917 y además de ello hipócrita defensor de la "libertad de los mares" mientras fue en su beneficio, obligó a Inglaterra a variarlo, dictando otro en su lugar el 29 de octubre del propio año 1914, de acuerdo con el cual el contrabando condicional solo podía decomisarse si era dirigido a nacionales enemigos, pero ampliando los listados del contrabando absoluto.

La situación varió dramáticamente en el primer trimestre de 1915, cuando las acciones de los submarinos alemanes contra naves mercantes e incluso de pasajeros, impactaron tanto en la opinión pública norteamericana que recibieron sin gran oposición el Decreto Real de Represalia del 11 de marzo de ese año, según el cual se detendrían por Gran Bretaña todos los bienes dirigidos, originados o pertenecientes a los países con los que se encontraban en pugna, sin tener en cuenta si se trataba de "contrabando", según el contenido dado a dicho término hasta ese momento. De esta forma, la transición fue completada: las reglas del bloqueo restringido fueron extendidas al bloqueo a larga distancia y no tenían que depender de las inestables bases de las leyes del contrabando.

La extensión del concepto de contrabando y el bloqueo a larga distancia instaurado por Inglaterra facilitó impedir la entrada directa de bienes de ultramar a Alemania, y su tránsito indirecto a través de los países neutrales europeos se resolvió impidiendo la entrada en estos últimos de artículos que sobrepasasen su nivel comercial normal de la pre-guerra, mediante un sistema de *racionamiento por acuerdo* que establecía las cuotas aprobadas, y extendiendo un permiso **(navicert),** en el puerto de embarque, a los buques que los transportaban. Los que intentaban evadir los **navicert** se incorporaban en "listas negras", y sus patrones y armadores se veían imposibilitados de mantener un comercio normal con puertos e intereses ingleses.

Así, en dos cortos años (1914-1916), el antiguo bloqueo inglés se transformó en una nueva realidad más compleja de guerra económica con prácticas como la prohibición de comercio absoluto con el exterior para el país bloqueado; racionamiento por acuerdos con los neutrales para impedir la reexportación de mercancías; el control en los puertos de origen; la extensión de permisos para la transportación de cargas o **navicerts,** así como, finalmente, la creación y aplicación de "listas negras".

La incorporación de Estados Unidos a la Primera Guerra Mundial en 1917 trajo consigo un importante efecto en la teoría y la práctica del bloqueo y el recién emergido concepto de guerra económica: el más importante de los países hasta entonces neutrales y, asimismo, tenaz defensor de la "libertad de los mares", a partir de entonces adoptó como suyas las restricciones impuestas unilateralmente por Inglaterra y, debido a la superioridad de su poderío naval, comenzó a desplazar a esta última como principal potencia bloqueadora. Para adecuarse a esas circunstancias, Estados Unidos dictó en el propio año 1917 la *Ley de Comercio con el Enemigo,* aplicada durante la primera y segunda guerras mundiales y sobre la que, apenas tres lustros después de concluida esta última, erigió las acciones públicas de guerra económica contra la Revolución cubana, sobre cuyas bases aún hoy se mantiene.

En el período comprendido entre las guerras mundiales, las presiones económicas se utilizaron como arma contra el nuevo gobierno de la antigua Rusia de los zares. No otra cosa se desprende de documentos internacionales del momento. En un proyecto de protocolo contra la agresión económica, presentado en la Comisión Europea de la Sociedad de Naciones en mayo de 1931 por la delegación soviética, se expresaba: "La atenuación de la crisis que padece la economía nacional de la mayoría de los países necesita, además de la renuncia a la guerra como medio de resolver los conflictos internacionales, *el cese completo de todas las formas de agresión económica, tanto abiertas como encubiertas, de unos países o grupos de países contra otros países o grupos de países.*"[15] Ello también se percibe en el texto del Pacto de No Agresión entre la URSS y Francia, de noviembre de 1932, que expresaba en su artículo 4: "[...] cada una de las altas partes contratantes se comprometen [...] a no participar en ningún acuerdo internacional que tenga como consecuencia *la prohibición de comprar mercancías a la otra parte, o de vendérselas, o de concederles créditos, y a no adoptar ninguna medida que tenga como consecuencia la exclusión de la otra parte de toda participación en su comercio exterior*"[16] (las cursivas de los textos de ambas citas son nuestras).

Entre 1939 y 1941, antes de la entrada de Estados Unidos en la Segunda Guerra Mundial, Gran Bretaña por sí sola echó a andar el bloqueo

[15] *Documentos de política exterior de la URSS 1917-1967.* Editorial Progreso, Moscú, s/f, pp. 79-80.

[16] Ibidem, p. 81.

contra el Eje nazi-fascista. Con la creación del Ministerio de Guerra Económica (MGE) según la experiencia de 1914, prohibió la entrada a puertos alemanes de una prácticamente exhaustiva lista de productos, sin distinguir mucho entre contrabando absoluto y contrabando condicional, anunciando la confiscación de las naves que los transportasen, con puntos de control en Inglaterra, Gibraltar, Islas Shetland en el norte de Escocia y otros puntos estratégicos.

Para prevenir las evasiones del bloqueo a través de los países neutrales europeos (Suiza, Suecia, España, Portugal y Turquía), como potenciales intermediarios, se retomó la política del racionamiento de sus importaciones, según un análisis casuístico de las necesidades a partir de los niveles de pre-guerra, sin cuotas adicionales para reexportar, otorgando a esas cargas los **navicert** o permisos de transportación y certificados especiales a los buques que lo hacían, y sin los cuales no se recibían facilidades marítimas inglesas —y posteriormente norteamericanas— ni se podían asegurar las cargas, al ser las instituciones aseguradoras fundamentalmente de esas nacionalidades. Los buques e incluso los dueños, armadores y tripulaciones indeseables, engrosaban las "listas negras", y tratados como enemigos. Se prohibieron las exportaciones alemanas directas, y para evitar que se hiciesen a través de los neutrales europeos, se comenzó a controlar cuidadosamente su comercio. Ninguno podía exportar un producto que contase con más de la norma determinada de "contenido enemigo" dentro de las materias primas para su elaboración, usualmente el 5 %.

Salta a la vista la diferencia con el antiguo bloqueo de puertos y costas enemigas: no sin razón la nueva modalidad de guerra económica, que se fundamentaba más en una burocracia especializada dispersa por el mundo que en los buques de la marina de guerra, se denomina en la literatura sobre el tema como un "bloqueo de papel",[17] antecesor del impuesto a Cuba después de la Revolución de 1959. Es obvio que ese bloqueo resultaba mucho más férreo que aquellos de otras épocas.

Pero el Ministerio de Guerra Económica inglés no sólo se ocupaba de controles comerciales, sino que los complementaba evaluando los fundamentos económicos del potencial bélico enemigo, ayudando a la planificación de las operaciones militares e identificaba las industrias que debían ser objeto de bombardeos estratégicos: al afectarse una industria por los bombardeos, los especialistas de guerra económica dirigían sus acciones en impedir que obtuvieran en el exterior los medios

[17] Ibid., p. 28.

para echarla nuevamente a andar. Tal proceder se incorporó de inmediato a la teoría y la práctica norteamericanas de guerra económica, y, como veremos más adelante, se aplicó de esa manera contra Cuba a partir de 1959, *con la diferencia de que se programó y en muchas ocasiones se han destruido importantes objetivos económicos mediante procedimientos terroristas sin que mediara estado de guerra declarada,* impidiendo o dificultando luego su reconstrucción o reposición por las medidas de bloqueo. Más adelante veremos los ejemplos.

Varios meses antes de la entrada de Estados Unidos a la Segunda Guerra Mundial, se creó allí un Comité de Defensa Económica que dio los pasos iniciales en la coordinación para ese fin entre los Departamentos de Estado, del Tesoro, de Comercio, de Guerra y de Marina. Tras Pearl Harbor, este órgano consultivo se transformó en el Comité de Guerra Económica, posteriormente denominado Administración Económica Extranjera, que comenzó a trabajar en coordinación con el Ministerio de Guerra Económica británico. Una prolongación suya en la embajada norteamericana en Londres fue la División de Guerra Económica, que se integró al Comité de Bloqueo británico, formado por todos los órganos participantes, creándose en Washington y otras capitales órganos similares de cooperación.

Según especialistas, en este período los norteamericanos adquirieron rápidamente la experiencia inglesa, aplicada ya en los últimos dos años. Paralelamente, *en Washington se desarrollaba gradualmente una enriquecida concepción de objetivos de la guerra económica, su estrategia y táctica, que iba más allá de la concepción inglesa.*

Particularmente significativo fue el esfuerzo conjunto anglo-norteamericano para detectar las filtraciones del bloqueo, estableciendo operativos de inteligencia dentro del "contrabando" (entendiendo este como violaciones del bloqueo) y del mercado negro a partir del criterio de que todos los esfuerzos para eliminar esas actividades dependían básicamente de una buena inteligencia. Estados Unidos utilizó para ello a los agentes del FBI en América Latina y de la Oficina de Asuntos Estratégicos (OSS, antecesora de la CIA) en la Península Ibérica, así como también reportes de la Oficina de Inteligencia Naval, del G-2 del ejército y de funcionarios consulares.

La guerra financiera, como parte integrante de la guerra económica, fue otra modalidad donde la relación entre Estados Unidos y Gran Bretaña fue particularmente fructífera, al contar con dos armas inigualables: el dólar y la libra esterlina, con todos los recursos financieros y las instituciones que ellas simbolizan. Sus propósitos fueron:

1. Prevenir la utilización por sus adversarios de fondos financieros en terceros países.
2. Desmantelar el comercio exterior de sus enemigos, cortando los vínculos de las casas matrices de sus empresas con sus filiales en el extranjero y velando porque no se restableciesen a través de mantos o de forma indirecta, y no se obtuviesen nuevos fondos que oxigenasen su economía.
3. Hacer costosa la colaboración económica con el Eje nazi-fascista por parte de personas de terceros países, forzándolos a romper esos vínculos y atacando a aquellos que lo hacían, buscando ganancias, por donde más los afectaba: por la pérdida de sus recursos monetarios.
4. A fines de la guerra, impedir la salida de valores hacia el exterior para su utilización posterior por fuerzas fascistas.

Las medidas anglo-americanas en la guerra financiera transitaban desde el control de los fondos y propiedades del Eje en el exterior y de los intercambios comerciales que intentasen hacer bajo manto neutral, hasta la elaboración de "listas negras", y la aplicación de presiones económicas contra aquellos interesados en apoyarlos.

Tras la invasión nazi a Noruega y Dinamarca en abril de 1940, Estados Unidos congeló los fondos de esos países en bancos norteamericanos para evitar su utilización por los invasores, acción que repitió posteriormente con los de los Países Bajos, Francia, Estados del Báltico y los Balcanes y, a partir de julio de 1941, con los países del Eje, para que no se utilizasen las instituciones financieras norteamericanas en sus propósitos de guerra.

Paralelamente se censaron todas las propiedades enemigas en territorio norteamericano y se comenzó el análisis y el control de las firmas de países neutrales, intentando identificar las legítimas de aquellas que eran manto de intereses del Eje a través de testaferros, facilitado por prácticas financieras europeas, entre ellas: la preferencia de acciones al portador, así como las leyes de ciertos países, en especial Suiza, que se ofrecían a sí mismos como puertos seguros para el capital internacional.

Entre los métodos rastreados por el Departamento del Tesoro norteamericano, en Estados Unidos se encontraban: la transferencia del control nominal de las agencias alemanas en ese país a ciudadanos neutrales, manteniendo en secreto esos vínculos; la transferencia de propiedad, con una cláusula posibilitando su recompra posterior, una aparente venta legítima pero con ardides reteniendo derechos; el uso de seguros al portador a través de los cuales el verdadero dueño no podía ser identificado; o el intercambio de acciones comunes por otros intereses, haciendo un cambio en el propietario nominal pero preservando los intereses financieros alemanes y su influencia.

Al finalizar la guerra se calificó como "prominentemente exitoso" el descubrimiento de los mantos enemigos y la distinción de las transacciones "legítimas" de las que no lo eran por el Departamento de Control de Fondos Extranjeros del Departamento del Tesoro. Este órgano había delegado en los bancos y otras instituciones financieras la tarea de administrar y controlar lo establecido, aprovechando su experiencia y conocimiento de los negocios de sus clientes; estableció licencias generales para transacciones inocentes, así como mantuvo una estrecha interacción con otras agencias federales, entre ellas el Comité de Guerra Económica y el Buró Federal de Investigaciones (FBI).

Desde dos años antes de Pearl Harbor, Estados Unidos había iniciado la confección de expedientes de firmas y personas representadas allí y en países latinoamericanos, sospechosas de colaborar con los esfuerzos económicos y subversivos del Eje. El 17 de julio de 1941 se estableció la *Lista negra de personas naturales* (Proclaimed List of Certain Blocked Nationals), similar a la Lista Estatutaria Británica (British Statutory List), de 1939, que impedían el comercio con extranjeros en ellas incluidos, que eran tratados como enemigos, y con respecto a los cuales se establecieron prohibiciones a los bancos para que no les prestasen servicio alguno, no aceptasen nuevos depósitos, liquidar sus viejos fondos tan pronto fuese posible, así como no permitirles realizar transacciones en dólares o libras esterlinas si no contaban con licencia para ello. Ningún interés norteamericano o británico podía ser trasladado a personas que apareciesen en esas listas, así como no podían realizar compras, transportar sus bienes, utilizar sus depósitos, cargamentos o facilidades de seguros, anunciarse en sus periódicos, o alquilar espacio en edificios cuyos propietarios fuesen nacionales suyos.

Con anterioridad al ataque a Pearl Harbor existió una estrecha cooperación de Estados Unidos con Canadá y Gran Bretaña en el uso de las sanciones de las "listas negras"; existieron consultas regulares entre sus representantes; se intercambiaban los indicios que surgiesen de acciones tendentes a evadir las restricciones del bloqueo, y las firmas o personas que se incluían en la lista de un país, automáticamente se incorporaba en el otro, aunque correspondía a Estados Unidos rectorear la lista en América Latina, traspatio de sus intereses, y a Gran Bretaña en el

Hemisferio Oriental, donde había desarrollado una acción y una política coherentes desde mucho antes de la entrada de Estados Unidos en la guerra.

Un componente de la guerra económica poco conocido, inexistente en la Primera Guerra Mundial pero aplicado profusamente por Gran Bretaña y Estados Unidos en la Segunda, fue el de las denominadas "compras previas", encaminadas a impedir el acceso por sus enemigos a materias primas o productos terminados, escasos o muy valiosos, producidos por terceros países, mediante la previa adquisición de los mismos o de las firmas o empresas que los producían.

Con énfasis especial en España, Portugal y Turquía, esta modalidad alcanzó su más alta expresión con la denominada "Campaña del Wolframio". Este mineral, con un alto contenido de tungsteno, resultaba vital en la producción de aleaciones de acero con gran dureza para la fabricación de máquinas de corte de gran velocidad, blindados y proyectiles especialmente penetrantes. Con posterioridad a que fuesen cortadas las vías de comunicación con el Lejano Oriente, las necesidades alemanas sólo podían ser satisfechas con las extracciones de este mineral en la Península Ibérica, la totalidad de las cuales —o las minas de donde se extraerían— fueron paulatinamente adquiridas por los ingleses y norteamericanos, sobrepasando sus propias necesidades, en una guerra comercial que aún hoy día resulta antológica.[18]

Pero las acciones de guerra económica de los norteamericanos en la Segunda Guerra Mundial no se dirigieron solamente contra el Eje nazifascista, sino también contra sus entonces aliados soviéticos.

En la versión en lengua inglesa de la obra *Estrategias de Contención,* del politólogo norteamericano J. L. Gaddis,[19] se expresa que los especialistas de la Oficina de Asuntos Estratégicos encargados del análisis de la marcha de las relaciones entre Estados Unidos y la Unión Soviética durante la guerra, prestaban su atención mayor no tanto a las acciones contra Hitler como a las medidas de influencia sobre los dirigentes soviéticos de forma tal que estos actuasen según los intereses estratégicos norteamericanos.[20] En esos momentos de guerra contra el

[18] Ibid., p. 105.

[19] John Lewis Gaddis: *Strategy of Containment.* Nueva York, 1982. Citado por Nikolai Yaklovev: *La CIA contra la URSS.* Editorial Progreso, Moscú, 1983. Existe una versión en español: John Lewis Gaddis: *Estrategias de Contención.* Grupo Editor Latinoamericano, Colección Estudios Internacionales, Buenos Aires, 1989. No coincide exactamente con el original en idioma inglés.

[20] John Lewis Gaddis: *Strategy of Containment,* p. 18.

nazismo, en que el peso principal recaía en el frente Este, los servicios secretos norteamericanos no priorizaban cómo colaborar más eficientemente en la causa común antifascista, sino que, según Gaddis, "lo que se estudiaba era el problema de la «coordinación»," esto es, "cómo correlacionar las zanahorias y los garrotes para lograr concesiones por la URSS a cambio de la ayuda recibida".[21]

La experiencia norteamericana e inglesa de guerra económica, adquirida en la Primera Guerra Mundial y utilizada al máximo en la Segunda, se sintetiza en pocas palabras por sus más importantes especialistas: "las armas usadas en esta lucha son mayormente no militares [...] y envuelven negociaciones secretas, concesiones comerciales, presiones económicas y tretas financieras".[22] Está claro que estos autores sólo se refieren, en esa síntesis, a las manifestaciones más abiertas de tal guerra, escamoteando la destrucción de objetivos económicos en la que los estrategas de la guerra económica participaron —y participan— activamente por medio de operaciones militares, sabotajes u otras acciones terroristas con medios y métodos clandestinos.

Al culminar la Segunda Guerra Mundial, la sistematización de las experiencias obtenidas por Estados Unidos le posibilitó a sus estrategas políticos, militares y de Inteligencia, teorizar acerca de las particularidades de las diferentes formas de lucha aplicadas durante la contienda, y les permitió elaborar un cuerpo doctrinal que sirvió de base para sus acciones de postguerra. Gordon y Dangerfield, profusamente citados hasta ahora, evidentemente cumplieron tal cometido en lo que a la guerra económica se refiere.

Otro importante estratega emergido de la Segunda Guerra Mundial fue Sherman Kent, quien se convirtió en uno de los arquitectos de la comunidad de Inteligencia de Estados Unidos, devenido en uno de sus más importantes teóricos, el que fungió durante muchos años al frente de la Oficina de Estimados Nacionales de la CIA.[23]

Sherman Kent en su libro *Inteligencia Estratégica para la Política Mundial Norteamericana,* publicado en 1949, pero que aún se estudia en las universidades norteamericanas, y que Donald P. Steury califica como "el más lúcido de su tipo",[24] expresó: "La guerra no siempre es

[21] Ibid., pp. 19-20.
[22] David L. Gordon and Royden Dangerfield: ob. cit., p. 1.
[23] Donald P. Steury: *Sherman Kent.* Center for the Study of Intelligence. http://www.cia.gov/csi/books/shermankent/intro-html.
[24] Idem.

convencional: en efecto, una gran parte de la guerra, de las remotas y las más próximas, ha sido siempre realizada con armas no convencionales: [...] armas [...] políticas y económicas. La clase de guerra en que se emplean [...] (son la) guerra política y la guerra económica."[25]

Los fines de estos tipos de guerra fueron descritos por este autor de la siguiente manera: "en estas guerras no convencionales se trata de hacer dos cosas: *debilitar la voluntad y la capacidad de resistencia del enemigo* y fortalecer la propia voluntad y capacidad para vencer".[26] Más adelante añade que los instrumentos de la guerra económica "consisten en la zanahoria y el garrote": "el bloqueo, la congelación de fondos, el 'boicot', el embargo y la lista negra por un lado; los subsidios, los empréstitos, los tratados bilaterales, el trueque y los convenios comerciales por otro"[27] (la cursiva en el texto de la cita es nuestra).

Dos ejemplos de "zanahorias" como instrumentos de guerra económica recién finalizada la Segunda Guerra Mundial, hacen comprensible la cita de Kent: la subordinación de la ayuda económica norteamericana, para la reconstrucción del arruinado país soviético, a las concesiones políticas que hiciera la URSS,[28] así como las millonarias inversiones del Plan Marshall en Europa para contener la acrecentada influencia de los comunistas y otras fuerzas de izquierda, en los marcos del enfrentamiento del "expansionismo" soviético,[29] todo ello cali-

[25] Sherman Kent: *Inteligencia Estratégica para la Política Mundial Norteamericana*. Segunda edición. Princenton University Press, Ciencias Políticas y Sociales, 1950, p. 38.

[26] Idem.

[27] Ibid., p. 40.

[28] Terminada la guerra, "la nueva administracion creyó que tenía poder sobre los rusos en varios aspectos. El mismo Harriman acentuó la importancia de la ayuda de posguerra para la reconstrucción, que Estados Unidos estaría en situación de controlar, ya fuera por medio de préstamos para rehabilitación o embarques reparatorios desde su zona de ocupación en Alemania [...]. Truman rápidamente confirmó que la ayuda incondicional no se extendería más allá de finalizada la contienda. Se terminarían los préstamos, y los embarques reparatorios de posguerra estarían condicionados, al menos implícitamente, a la futura cooperación política". Ver John Lewis Gaddis: *Estrategias de Contención*, p. 31. En nota al pie sobre esos aspectos, Gaddis puntualizaba que el Protocolo de Postdam, por insistencia norteamericana, especificaba que la Unión Soviética recibiría el 10 % de equipamiento industrial que fuera "innecesario" para el funcionamiento de la economía alemana de posguerra, pero los poderes occidentales eran quienes determinarían lo que era necesario.

[29] El ideólogo norteamericano de la estrategia de contención, George F. Kennan, consideraba que para enfrentar el "desafío soviético" de posguerra, Estados Unidos debía restaurar "el equilibrio de poder por medio del estímulo de la

ficado por los teóricos norteamericanos como "los instrumentos económicos de la contención".[30]

Fue también una "zanahoria" el tratamiento económico diferenciado conferido por Estados Unidos a algunos de los países socialistas de Europa Oriental emergidos de la Segunda Guerra Mundial, como instrumento encaminado a debilitar sus vínculos con la Unión Soviética, lo que se inicio en 1948 en las relaciones norteamericanas con Yugoslavia al confirmarse la ruptura en esa fecha de Belgrado con Moscú,[31] y continuó posteriormente con respecto a los demás países aliados de la URSS.[32] Según el documento del Consejo Nacional de Seguridad (NSC) 58/2 de diciembre de 1949, esa ayuda económica o tratamiento diferenciado a los "regímenes comunistas cismáticos" no debía traerles consigo cargos de conciencia si el objetivo final era el de "producir la eliminación del poder soviético en los países satélites".

Antes de que culminara la primera mitad del siglo XX acaeció otro hecho que contribuyó de forma decisiva a conferir un matiz criminal y tenebroso a las acciones de guerra económica, que habían sido descritas un tanto asépticamente, en una definición estrecha, en la obra de

[30] Ibid., p. 77.

[31] Ante el cisma la Administración norteamericana respaldó la propuesta del Policy Planning Staff de que el carácter interno del régimen de Tito no afectara la ayuda económica que pudiera recibir, con el objetivo de que "el titoísmo siguiera existiendo como fuerza erosiva y desintegradora dentro de la esfera del soviet". John Lewis Gaddis: ob. cit., pp. 80-82.

[32] "A pesar de los signos de que los rusos estaban estrechando su control allí, la Administración dedicó mucho tiempo y pensamiento durante 1949 a las maneras de estimular mayor disidencia entre los satélites, por medios que oscilaban desde las emisiones de La Voz de América y las campañas de derechos humanos en las Naciones Unidas hasta presiones económicas y acciones encubiertas." Ibid., p. 83

[33] Idem.

autoconfianza de las naciones amenazadas", y que para ello los mejores medios eran "el fortalecimiento de las fuerzas naturales de resistencia dentro de los países que los comunistas están atacando", para lo que desde el anuncio público del programa de asistencia económica ya se estaría haciendo mucho para restaurar esa autoconfianza. Ver John Lewis Gaddis: ob. cit., p. 51. Más adelante añade: "Lo que Estados Unidos sí podía hacer [...] era lograr que la rehabilitación económica de Europa Occidental fuera exitosa. Ello tendría la ventaja no sólo de restaurar el equilibrio de poder, sino también de eliminar o al menos mitigar las condiciones que habían hecho popular, en primer lugar, al comunismo local. Lo que es más, el ejemplo tensionaría severamente el control de Moscú sobre Europa Oriental, ya que la Unión Soviética estaba mucho menos equipada que Estados Unidos como para tener oportunidad de emularlo" (p. 59).

Gordon y Dangerfield: la creación en 1947 de la Agencia Central de Inteligencia (CIA).

Si en el período de 1941-1945, Estados Unidos desplazó a Gran Bretaña en la utilización de los instrumentos públicos de la guerra económica, la CIA representó la acrecentada oportunidad de llevar a vías de hecho otras acciones encaminadas a dañar la economía de sus adversarios de forma clandestina. Surgida como resultado de la Ley de Seguridad Nacional, promulgada ese año, además de la obtención y procesamiento de información, asesoramiento y labor coordinadora, en el quinto de sus deberes se plasmaba elípticamente el amplio e indefinido campo de "acciones encubiertas" en que podía intervenir: "realizar *aquellas otras funciones y deberes relacionados con la inteligencia que afecten la seguridad nacional,* según pueda ordenar de cuando en cuando el Consejo Nacional de Seguridad"[34] (la cursiva en el texto de la cita es nuestra).

Precisiones realizadas por ese organismo en 1948 hacían explícita *la ejecución de acciones de guerra económica* por la CIA como parte de sus operaciones encubiertas,[35] incorporándola explícitamente junto a otras acciones como "la subversión contra Estados hostiles, la ayuda al movimiento clandestino de resistencia, apoyo a los grupos anticomunistas en los países del mundo libre amenazados" y otras.[36] En esa oportunidad se incorporaba a la doctrina de inteligencia un nuevo concepto, que no han abandonado: el de *la negación plausible,* según el cual, las acciones criminales que la CIA estaba autorizada a ejecutar contra estados extranjeros no gratos a los ojos de Washington *debían hacerse de forma tal que nadie pudiera culpar por ellas al Gobierno de Estados Unidos,* lo que se hacía para enmascarar y proteger las decisiones de alto riesgo tomadas por el Presidente y otros altos funcionarios. En la revisión y la actualización de los documentos rectores de la actividad de los servicios secretos norteamericanos, efectuadas treinta y cinco años después, durante la Administración Reagan, plasmadas en la Orden

34 The National Security Act of 1947, Public Law 253, July 26, 1947. Aparece en Scott D. Breckinridge: *The CIA and the U.S. Intelligence System*. Westview Press/Boulder and London, 1986, p. 328.

35 Se definía "operaciones encubiertas" por el National Security Council de Estados Unidos en 1954 como "todas las actividades [...] planificadas y ejecutadas de tal modo que cualquier responsabilidad que el Gobierno de Estados Unidos pudiera tener por ellas no sea evidente para las personas no autorizadas y que, si son descubiertas, permitan al Gobierno de Estados Unidos alegar no tener responsabilidad por ellas" Ver John Lewis Gaddis: ob. cit., p. 176.

36 Directiva 10/2 del Consejo Nacional de Seguridad de Estados Unidos, del 18 de junio de 1948.

Ejecutiva 12333 de 4 de diciembre de 1981, así como en documentos posteriores, este concepto se mantiene inalterable.[37]

En su libro-denuncia *Diario de la CIA*, el antiguo oficial de esa agencia, Philip Agee, hace referencia al órgano creado en esa institución para llevar a vías de hecho sus acciones en el terreno de la economía. Según sus propias palabras, al pasar revista a la estructura interna de la CIA durante el tiempo en que permaneció en la agencia, "la Sección de Guerra Económica del Equipo PP es una subsección de las Operaciones Paramilitares, porque entre sus misiones se incluye el sabotaje de ciertas actividades económicas clave en determinado país-objetivo y la denegación de importaciones esenciales como, por ejemplo, petróleo".[38]

La década anterior al triunfo de la Revolución, aquella matizada en Cuba por las expectativas de solución electoral a los graves males de fines de los años 40 e inicios de los 50; por el zarpazo del 10 de marzo; por la gesta de la Generación del Centenario en el Moncada, el Granma y la Sierra Maestra, fue también testigo de las más importantes "operaciones encubiertas" de la CIA que, en medio de la histeria anticomunista del momento, caracterizaron las más agudas confrontaciones de la Guerra Fría, a su vez heredera de la última conflagración.

Entre otras numerosas acciones, ocupan lugar relevante el golpe de estado al premier Mohammed Mossadegh y el mantenimiento en el trono como Sha de Irán a Mohammed Reza Pahlevi, en 1953, así como el derrocamiento de Jacobo Arbenz en Guatemala, en 1954. No en balde la acción de Playa Girón se inspiró tanto en su homóloga contra Jacobo Árbenz en la Guatemala de 1954[39] como en una batalla en una cabeza de playa en el Pacífico durante la Segunda Guerra Mundial, en la que

[37] En el glosario de términos utilizados en esa orden aparece: "Actividades Especiales: actividades desarrolladas en apoyo a los objetivos exteriores de la política nacional extranjera los cuales son planeados y ejecutados de forma tal que el rol del Gobierno de Estados Unidos no se evidencia ni es objeto de conocimiento público [...]." Orden Ejecutiva 12333, 4 de diciembre de 1981. Aparece en Scott D. Breckinridge: ob. cit., p. 347.

[38] Philip Agee: *Inside the Company: CIA Diary*. Penguin Books, 1975, p. 84.

[39] El *task force* de la CIA que organizó el derrocamiento de Arbenz en Guatemala en 1954 fue prácticamente el mismo que participó en el planeamiento y ejecución de las acciones que culminaron en Girón. Además de Richard Bissell, subdirector de planes de la CIA, se encontraban allí Tracy Barnes y personajes que según Fabián Escalante (*La guerra secreta*. Editorial de Ciencias Sociales, La Habana, 2002, p. 10) "harían historia" en Girón, entre otros: David Atlee Phillips, Howard Hunt, David Morales y Frank Bender. Se confirmó una vez más cierta expresión de Carlos Marx *(El Dieciocho Brumario de Luis Bonaparte)* en el sentido de que ciertas repitencias históricas se manifiestan una vez como tragedia y otra como comedia.

uno de los héroes fue el oficial del ejército norteamericano que luego, bajo contrato de la CIA, dirigió la preparación de los integrantes de la brigada invasora que atacaron a Cuba en 1961.[40]

Fue el momento también en que, en sustitución de las doctrinas político-militares de la "represalia masiva" y otras semejantes, cobró fuerzas la de la "reacción flexible", más afín para la respuesta a los movimientos de liberación nacional y propenso a las acciones de guerra psicológica y subversión político-ideológica, momentos en que cobraron renovadas fuerzas los estudios regionales ("area studies"), en cuyo contexto posteriormente se desarrollan los estudios sobre Cuba, y en los que los referidos a la economía cubana contribuyen al abastecimiento informativo requerido para la elaboración de las estrategias subversivas de guerra económica.

Todo este aberrante arsenal, heredado de la Guerra Fría y llevado a su punto culminante a través de las "acciones especiales" de la CIA a lo largo de los años 50, fueron las armas del Imperio contra la triunfante Revolución cubana de enero de 1959.

La situación económica heredada por la Revolución. Las acciones norteamericanas para impedir el triunfo rebelde

Para una comprensión más acabada de lo que ha significado y significa para el pueblo cubano la guerra económica desatada en su contra por el gobierno norteamericano, es conveniente apreciar la situación heredada por la Revolución, tras su triunfo del 1° de enero de 1959, toda vez que sobre aquella depauperada situación fue que recayeron, con furia irracional, las acciones encaminadas a impedir los aires de cambio por los que se había luchado en la Sierra Maestra.

Según los más calificados especialistas, los rasgos que caracterizaban la situación existente eran tres: una economía pobre, subdesarrollada y altamente dependiente.[41]

La estructura económica existente era esencialmente agrícola, de carácter extensivo, con un elevado índice de latifundismo, y con una gran masa campesina que vivía en condiciones de pobreza y de miseria.

40 Juan Carlos Rodríguez: *La batalla inevitable.* Editorial Capitán San Luis, La Habana, 1996, pp. 16-17.

41 Osvaldo Martínez: Tabloide Especial N° 18. Mesa Redonda Instructiva de la Televisión cubana del 5 de julio del 2000.

La industria azucarera era la única verdaderamente importante, siendo inexistente un desarrollo industrial en el que se destacaren con fuerza otros rubros. La dependencia hacia Estados Unidos se manifestaba en varios aspectos esenciales: controlaban la exportación y los diferentes canales de comercialización azucarera; empresas de ese país poseían alrededor de un millón doscientas mil hectáreas de las mejores tierras del país, así como controlaban directamente los servicios de electricidad y telefónicos, el abastecimiento de combustible, el crédito bancario, y parte importante de las pocas pequeñas industrias existentes, entre ellas la láctea, de la goma y del níquel.

El comercio cubano era controlado por Estados Unidos, hacia cuyo mercado se dirigía el 60 % de las exportaciones, y de donde provenía entre el 75 y el 80 % de las importaciones del momento, con un marcado desbalance comercial.

El desempleo y el subempleo eran azotes que marcaban la situación económica interna, afectando de forma conjunta a una masa calculada entre un cuarto y un tercio de la fuerza laboral entonces existente.

En el terreno social existía una tasa de analfabetismo de alrededor del 23 % de la población, que alcanzaba poco menos del doble de ese porcentaje en las zonas rurales del país, las más preteridas y olvidadas, con cifras absolutas de cerca de un millón de analfabetos y cifra semejante de semianalfabetos, en una población entonces existente de alrededor de 6 millones de personas. Existían 600 000 niños sin escuela y, contradictoriamente, no tenían trabajo 10 000 maestros, y sólo el 55 % de los niños de edad escolar estaba matriculado. El nivel medio de escolaridad de la población en su conjunto era de un segundo grado de la enseñanza primaria.

Existía solamente un médico por cada 1 076 habitantes, aunque esta cifra es engañosa: la distribución de los médicos en las grandes ciudades provocaba que grandes capas de la población no tuviesen acceso a sus servicios. En la capital del país, con sólo el 22 % de la población, se concentraba el 61 % de las camas de hospital disponibles, siendo inexistente la medicina rural. Según encuestas del momento,[42] en esas zonas el 14 % de los trabajadores padecían o habían padecido tuberculosis; el 13 % padecía de fiebre tifoidea, el 36 % de parasitismo intestinal y el 31 % de paludismo. La mortalidad infantil era superior a 60 por cada 1 000 nacidos vivos, y la esperanza de vida no alcanzaba los 65 años.

[42] La más importante de las cuales fue realizada por la Agrupación Católica Universitaria.

Sólo la tercera parte de las viviendas entonces existentes eran de mampostería, y en las zonas rurales el 78 % de ellas eran bohíos, de tablas de palma y piso de tierra. El 30 % de la población de menores ingresos recibía solamente el 4 % de los ingresos totales que se distribuían en el país. La seguridad social sólo cubría al 53 % de los trabajadores.

En su intervención televisiva, Osvaldo Martínez concluyó: "Es sobre esta economía pobre, subdesarrollada y dependiente, que se va a ejercer, desde el primer instante, la política agresiva, en lo económico, del Gobierno de Estados Unidos."[43]

La lucha en la Sierra Maestra contra ese estado de cosas encontró la oposición del gobierno norteamericano, a medida que la tiranía batistiana era apuntalada y respaldada económica y militarmente.

En el bien documentado libro *Crónica de un fracaso imperial,* de Carlos Alzugaray,[44] se argumenta hasta la saciedad los esfuerzos desplegados en ambas direcciones y, cuando ya era inminente el triunfo revolucionario, los pasos encaminados a lograr que a la tiranía le sucediese un gobierno afín a sus intereses que lo frustrara. Allí podemos encontrar que "Durante el período de Batista, el Pentágono suministró equipos militares y armamentos sofisticados por un valor de más de $16 millones a las Fuerzas Armadas cubanas y organizó entrenamiento práctico para más de 500 oficiales cubanos en instalaciones del servicio en la Zona del Canal de Panamá y en bases militares en Estados Unidos".[45]

Para inicios de 1958, las pretensiones norteamericanas eran las de frustrar el triunfo de la Revolución a través de elecciones que garantizasen la transición a un nuevo gobierno que quitase legitimidad a la lucha armada,[46] lo que no pudieron lograr dada la obcecación batistiana, y comenzaron a barajar posteriormente la posibilidad de un golpe militar.[47]

A finales del año, la situación se tornaba cada vez más favorable para las fuerzas rebeldes. Según Alzugaray:

[43] Osvaldo Martínez: ob. cit.

[44] Carlos Alzugaray: *Crónica de un fracaso imperial.* Editorial de Ciencias Sociales, La Habana, 2000.

[45] Ibid., p. 99. Este autor lo toma de Morris H. Morley: *Imperial State and Revolution. The United States and Cuba, 1952-1986,* Cambridge University Press, Gran Bretaña, Cambridge, 1987, que a su vez lo había tomado de Michael T. Klare: *War Without End: American Planning for the Next Vietnams.* Vintage Books, Nueva York, 1972, p. 278.

[46] Ibid., pp. 94-119.

[47] Ibid., p. 120.

Muchos de los documentos reflejan la frustración y el desconcierto de (los) funcionarios norteamericanos ante el fracaso de la política del Gobierno de los Estados Unidos hacia Cuba en sus intentos por impedir el triunfo de la Revolución. En los primeros días después de la farsa electoral[48] hubo un intento por estructurar una estrategia similar a la seguida durante el año [...]. Esta alternativa demostró ser inoperante en breve tiempo. A continuación, se pretendió en vano acelerar la salida de Batista y su sustitución por una Junta Cívico-Militar, lo que también resultó un fracaso, en un período aún más corto. De ahí en adelante, el Gobierno norteamericano intentó identificar una "tercera fuerza" u "hombre fuerte" que bloqueara la llegada al poder del Movimiento 26 de Julio dirigido por Fidel Castro, gestión esta que también se malogró.[49]

Fue en estos momentos de finales de 1958 que, en reunión del Consejo Nacional de Seguridad en la que el Director de la CIA reiteraba la crítica situación existente en Cuba, el presidente Eisenhower volvió a argumentar la conveniencia de "inducir a Batista para que dejara el poder a su sucesor", a lo que el Director de la CIA señaló que la "[...] maniobra debía hacerse de forma tal que pareciera un golpe de Estado, con lo que el presidente estuvo de acuerdo".[50]

Unos días más tarde, el 23 de diciembre, en momentos que la exitosa lucha en las montañas y llanos anunciaba la cercana debacle de la tiranía, y con mayor profundidad se analizó en el Consejo Nacional de Seguridad la situación cubana, el Director de la CIA expresó: "Debemos evitar la victoria de Castro."[51] El 26 de diciembre, muy disgustado, el presidente Eisenhower argumentó que "[...] por una razón u otra, los elementos fundamentales de la situación en Cuba no se le habían presentado", y que "se requería una mayor contribución"[52] en aras de impedir el triunfo rebelde. Fue en esa última ocasión en que el Presidente le indicó a Allen Dulles, director de la CIA, que no deseaba que "[...] los detalles de las operaciones encubiertas fueran presentadas al Consejo Nacional de Seguridad".[53]

[48] De inicios de noviembre de 1958.

[49] Carlos Alzugaray: ob. cit., p. 164.

[50] Department of State: ob. cit., volume VI, 1991, doc. 186, p. 300. También en Carlos Alzugaray: ob. cit., pp. 182-183.

[51] Department of State: ob. cit., pp. 302-303.

[52] Ibid., p. 311.

[53] Idem.

No tenemos dudas sobre lo macabro de tal indicación, en aras de esconder las acciones más reprobables, entre ellas los más tempranos intentos de asesinar a Fidel Castro. No en balde los más calificados estudiosos acerca de los dos períodos presidenciales de Eisenhower, al referirse a su manera de conducir la política exterior, han expresado: "Las acciones encubiertas eran un elemento esencial de esa política [...]. La parte más solapada de las acciones encubiertas de Eisenhower era su propia responsabilidad en ellas. Aunque las discutía en privado con los hermanos Dulles, por lo general era muy cauteloso en asegurarse de que, si algo salía mal, ningún documento comprometedor apareciera en la Oficina Oval."[54]

Este crucial momento de las relaciones entre Cuba y Estados Unidos ha sido descrito también por otros autores. Jacinto Valdés-Dapena destaca los comentarios del que a la sazón era el jefe de la División del Hemisferio Occidental de la Agencia Central de Inteligencia, coronel King, con ocasión del análisis de las causas del fracaso en Girón:

> El coronel King [...] explicó que a finales de 1958, la CIA realizó dos intentos por impedir que las fuerzas revolucionarias encabezadas por Fidel Castro tomaran el poder político en Cuba. El primero de ellos en noviembre de 1958 cuando contactaron a Justo Carrillo, del Grupo Montecristi, para forjar un plan que impidiera la victoria del Ejército Rebelde y desplazara a Fidel Castro como el principal dirigente del movimiento revolucionario que se enfrentaba a la tiranía. El segundo intento se produciría en diciembre de ese mismo año cuando el ex embajador de los Estados Unidos en Brasil y Perú, William Pawley, con el apoyo del Jefe del Centro CIA en La Habana, se acercaron a Batista y le propusieron la creación de una junta de gobierno a la que éste le entregaría el poder.[55]

Fue en medio de este contaminado ambiente en el poderoso vecino del Norte, cargado de animadversión hacia la joven Revolución, que se produjo el triunfo del 1° de enero de 1959. Ello es lo que explica la favorable acogida brindada a los asesinos y malversadores a su arribo a las costas norteamericanas llevando a cuestas el tesoro robado; las declara-

[54] Christopher Andrew: *For the President's Eyes Only: Secret Intelligence and the American Presidency from Wahington to Bush*. Herper Collins Publishers, New York, 1995. Citado por Carlos Alzugaray: ob. cit., p. 55.

[55] Jacinto Valdés-Dapena: *Operación Mangosta: preludio de la invasión directa a Cuba*. Editorial Capitán San Luis, La Habana, 2002, pp. 10-11.

ciones amenazantes y las negativas de préstamos imprenscindibles al país.

La gestación de los planes que culminaron en la invasión por Playa Girón. Las agresiones contra la economía como una vía para enajenar el apoyo popular a la Revolución

La Ley de Reforma Agraria en Cuba, necesidad urgente e impostergable para el desarrollo económico y social de la nación, trajo consigo la decisión gubernamental norteamericana de acabar con la Revolución. Documentos oficiales norteamericanos así lo confirman. Esto se desprende de las declaraciones del Subsecretario de Estado para Asuntos Interamericanos del Departamento de Estado, Roy Rubboton, en reunión del Consejo Nacional de Seguridad del 14 de enero de 1960: "El período de enero a marzo (de 1959) puede ser caracterizado como la luna de miel con el gobierno de Castro. En abril se hizo evidente un giro descendente en esas relaciones [...]. En junio habíamos tomado la decisión de que no era posible alcanzar nuestros objetivos con Castro en el poder, y acordamos acometer el programa referido por Mr. Marchant"[56] para eliminar la Revolución a través de medidas subversivas. A partir de entonces se comenzaría a gestar lo que luego fue el primer gran fracaso norteamericano en América Latina: la invasión por Playa Girón.

La Ley de Reforma Agraria afectaba fundamentalmente "[...] a grandes propietarios nacionales y extranjeros que poseían latifundios de hasta 150 000 hectáreas de tierra, explotadas extensivamente o no cultivadas en absoluto. La legislación establecía una indemnización diferida en tiempo y plazos razonables y posibles. No existía un solo centavo para hacerlo de otra forma. La ley cubana, en un país no industrializado, era mucho menos radical y más generosa que la impuesta a Japón por el general norteamericano Douglas MacArthur al finalizar la Segunda Guerra Mundial. En el caso de Cuba, Estados Unidos exigió lo imposible: el pago inmediato, completo y efectivo".[57]

[56] Department of State: ob. cit., volume VI, p. 742.

[57] Proclama de la Asamblea Nacional del Poder Popular de la República de Cuba, 13 de septiembre de 1999, periódico *Granma,* martes 14 de septiembre de 1999, tercera edición, p. 4.

El presidente de la Asamblea Nacional del Poder Popular también se expresa al respecto: "La eliminación del latifundio y la entrega de la tierra a los campesinos fue la causa que condujo al despliegue de la agresión económica y a la decisión de Washington de atacar también en el plano militar."[58]

El 11 de junio de 1959, en nota diplomática del gobierno norteamericano firmada por el Secretario de Estado, Christian Herter, se expresaba: "El texto de la Ley Agraria de Cuba causa grave preocupación al Gobierno de Estados Unidos con respecto a la suficiencia de las disposiciones sobre compensación a sus ciudadanos cuya propiedad puede ser objeto de expropiación [...]." La propia nota expresaba más adelante: "Los Estados Unidos reconocen que, según el Derecho Internacional, un Estado tiene la facultad de expropiar dentro de su jurisdicción para propósitos públicos y en ausencia de disposiciones contractuales o cualquier otro acuerdo en sentido contrario; sin embargo, este derecho debe ir acompañado de la obligación correspondiente por parte de un Estado en el sentido de que esa expropiación llevará consigo el pago de una pronta, adecuada y efectiva compensación."[59]

Según se valora en la *Demanda del pueblo cubano al Gobierno de Estados Unidos por los daños económicos ocasionados a Cuba:* "Las condiciones de indemnización resumidas en las palabras 'pronta, adecuada y efectiva' resultaban ser a todas luces una exigencia injusta e imposible de cumplir por un país pobre, históricamente explotado y saqueado precisamente por los que ahora reclamaban, y que acababa de pasar por una intensa guerra de liberación, y expresaba la arrogante negativa de aceptar la fórmula racional de compensación establecida en la propia Ley de Reforma Agraria."[60]

Una curiosa reunión sostenida por el Secretario de Estado norteamericano, Christian Herter, el 24 de junio de 1959 con Robert Klieberg, propietario del emporio ganadero King Ranch, de Texas, acompañado del administrador de sus propiedades en la provincia cubana de Camagüey (valoradas en tres millones de dólares), amenazadas de expropiación

[58] Ricardo Alarcón y Miguel Álvarez: ob. cit., p. 47.

[59] Nicanor León Cotayo: *El Bloqueo a Cuba*. Editorial de Ciencias Sociales, La Habana, 1983, pp. 41-42.

[60] Oficina de Publicaciones del Consejo de Estado: *Demanda del pueblo cubano al Gobierno de Estados Unidos por los daños económicos ocasionados a Cuba,* presentada al Tribunal Provincial Popular de Ciudad de La Habana el 3 de enero del 2000, La Habana, 2000, pp. 17-18.

como resultado de la Ley de Reforma Agraria, resulta sumamente aleccionadora con respecto a cómo la reacción gubernamental de aquel país ante la Ley cubana no hizo más que respaldar al gran capital, así como a que su política a partir de entonces fue guiada por esos intereses económicos y no por consideraciones derivadas del Derecho Internacional y del respeto a la independencia y soberanía de las naciones para disponer de los recursos propios.

El señor Klieberg expresó al secretario Herter su convicción de que el gobierno norteamericano debía adoptar una firme posición contra la Ley (calificada como "de inspiración comunista"), y que "la mejor manera de alcanzar el necesario resultado era la presión económica", lo que no resultaría difícil dada la fuerte dependencia cubana con respecto a la exportación de azúcar y su lugar privilegiado en el sistema de cuotas del mercado norteamericano. Según Klieberg, la supresión de esa cuota cubana provocaría que "la industria azucarera sufriera una abrupta e inmediata caída, ocasionando la generalización de un mayor desempleo. Grandes cantidades de personas quedarían sin trabajo y comenzarían a pasar hambre", lo que según este representante del gran capital, evidenciaría "la catastrófica naturaleza del programa de Castro", sin percatarse de que lo que realmente evidenciaría era la naturaleza genocida de esa política norteamericana.

La importancia que concedemos a tal reunión, a la cual calificamos como metodológicamente aleccionadora, se deriva de que a pesar de que el secretario Herter calificó las medidas propuestas como "de guerra económica", y comentó que una cosa era ejecutarlas en tiempo de guerra y otra diferente hacerlo en tiempo de paz, desde pocos días después, esa fue la línea seguida por el gobierno norteamericano hacia Cuba.[61]

Aquellos fueron momentos cruciales. Un análisis pormenorizado de lo acontecido en los meses siguientes demuestra que el gobierno norteamericano estaba desde inicios del segundo semestre de 1959 planeando y ejecutando las acciones que culminarían en abril de 1961 en Girón. Entre esas acciones se encontraban las medidas económicas abiertas; las acciones terroristas y sabotajes contra la industria azucarera, encaminadas a atemorizar al pueblo y junto a ello afectar a su economía, así como la creación en el seno de la CIA del *task force* que reeditase el

[61] Department of State: ob. cit., volume VI, 1991, pp. 539-541. Se cita en la Proclama de la Asamblea Nacional del Poder Popular de la República de Cuba, 13 de septiembre de 1999, periódico *Granma,* martes 14 de septiembre de 1999, tercera edición, pp. 4-5, de donde tomamos parte de la traducción al español.

golpe contra el gobierno de Jacobo Arbenz en Guatemala y acabase de una vez por todas con la Revolución.

En el terreno de las medidas abiertas de guerra económica, un documento del 1º de julio de 1959 ya nos dice lo que se comenzaba a gestar. Se trató de un memorándum del director de la Oficina de Asuntos Económicos Regionales del Departamento de Estado norteamericano, enviado al Subsecretario de Estado para Asuntos Interamericanos, evidentemente en respuesta a la solicitud de que se comenzasen a elaborar los planes para acabar con la Revolución. En ese memorándum se mencionaban como armas las medidas de guerra económica públicas ("economic warfare") heredadas de la Segunda Guerra Mundial. Sus recomendaciones eran:

— No otorgar empréstitos para estabilizar la balanza de pagos cubana. Si en los seis meses transcurridos desde el triunfo de Fidel Castro en Cuba la posición norteamericana era la de "[...] fortalecer los moderados [...] con la esperanza de que la extrema izquierda pueda ser desacreditada o empujada a un lado [...]", "con la firma de la Ley de Reforma Agraria él [Castro] mostró claramente que nuestra esperanza original era vana: el gobierno de Castro no es del tipo que merezca salvarse".
— Se recordaba que existían "[...] otras armas en el arsenal de la guerra económica: prohibición a préstamos públicos o privados, el tratamiento comercial discriminatorio, el desaliento a la inversión y el impedimento a transacciones financieras [...]".
— La disminución o suspensión de la cuota azucarera "uniría estrechamente a los cubanos contra Castro", y tal decisión debía tomarse de producirse "una mayor influencia comunista o de posiciones antinorteamericanas" y con ello "el deterioro de la situación política". Para este autor "cortar la cuota azucarera es la última arma en relación con Cuba [...]".[62]

El hecho de que esta propuesta fuese aprobada por el Subsecretario del Departamento de Estado para Asuntos Interamericanos, Roy

[62] Ver *Cuban economic prospects, 1959 and proposed U.S. action*, memorandum del director de la Oficina de Asuntos Económicos Regionales del Departamento de Estado, del 1º de julio de 1959, enviado para su consideración al Subsecretario de Estado para Asuntos Interamericanos. Department of State: ob. cit., volume VI, pp. 546-551.

Rubbotom,[63] refuerza las palabras de este propio funcionario, del 14 de enero de 1960, citadas más atrás, en el sentido de que los planes para derrocar la Revolución se iniciaron a mediados de 1959, después de la aprobación de la Ley de Reforma Agraria.

Otra medida de este tipo tenía una gran trascendencia. El 8 de julio de 1959 se hizo pública la respuesta congresional a la Ley de Reforma Agraria cubana: otorgamiento al Presidente de mayores facultades para suspender la ayuda a todo país que "confiscara propiedades norteamericanas sin justa compensación", medida que, sin aludir directamente a la Reforma Agraria cubana, pretendía ser empleada como arma para presionar y chantajear a Cuba. Se enarbolaba así el garrote como paso previo a su utilización.

Se debatió con fuerza en esos momentos, tanto en el ejecutivo como en el aparato congresional, lo que se muestra en la documentación desclasificada de la época, si la medida de represalia más adecuada sería la suspensión de la cuota azucarera cubana en el mercado norteamericano, y optaron por no tomar aún una medida como esa debido a su irreversibilidad. Otra medida pública de guerra económica que se realizó fue la cancelación, el 27 de agosto de 1959, por la American Foreign Power Company, subsidiaria de Electric Bond and Share, del financiamiento por 15 millones de dólares para su filial en Cuba de la Compañía Cubana de Electricidad, cuyos bonos había suscrito la semana anterior.[64]

El 9 de septiembre de 1959, el director para la zona del Caribe de la Oficina de Comercio Exterior del Departamento de Comercio norteamericano, Al Powell, reafirmó que se preparaban medidas anticubanas, diciendo que en aquel país comenzaba "[...] a tomar cuerpo la fórmula de darle a Castro en la cabeza".[65]

En la última semana de octubre de 1959 se precisaron los planes para la reducción de la cuota azucarera cubana, en la reunión de representantes de los productores de azúcar de remolacha y de caña de Estados Unidos, Puerto Rico y Hawai con los Subsecretarios de Estado Thomas Mann y Roy Rubottom. Según el cable de una agencia noticiosa que recogió las impresiones de los reunidos, "[...] las críticas que ha dirigido contra los Estados Unidos el jefe revolucionario han dado

[63] Al margen del memorándum, Rubbotom estampó esta lacónica respuesta: "Yes". Proclama de la Asamblea Nacional del Poder Popular de la República de Cuba, p. 5.

[64] Nicanor León Cotayo: *El Bloqueo a Cuba,* p. 58.

[65] Ibid., p. 59. También, del propio autor: *Sitiada la esperanza,* pp. 32-33.

apoyo a la idea de reducir los contingentes de azúcar importados de Cuba".[66]

El gobierno cubano percibía claramente la guerra económica que el gobierno norteamericano realizaba como represalia ante las acciones cubanas para lograr su independencia política y económica y la justicia social.

En su intervención del 21 de octubre de 1959 Fidel Castro expresaba: "[...] a nosotros prácticamente nos dicen que si se hace la Reforma Agraria, te estrangulamos económicamente [...]. Es decir, que encima de tener 600 mil desempleados, encima de tener una producción per capita de 300 pesos, encima de tener la quinta parte de los hospitales que necesitamos, de las escuelas que necesitamos y las cosas más elementales que necesitamos, encima de todo eso, si vamos a hacer algo para liberarnos de todo eso, nos amenazan con matarnos de hambre".

Una segunda dirección de las medidas encaminadas a derrocar la Revolución fueron las acciones terroristas y sabotajes contra la industria azucarera, columna vertebral de la economía del país.

La finalidad de las agresiones y la interacción entre las medidas públicas y las acciones subversivas, fueron desenmascaradas por el Jefe de la Revolución en la intervención del 26 de octubre, después del bombardeo realizado a la capital del país por dos aviones procedentes de Estados Unidos, que provocó 2 muertos y 45 heridos: "Es decir, que están amenazando al pueblo de Cuba por un lado con el estrangulamiento económico, quitándole su cuota azucarera, y por otro lado sometiéndolo al terror para que hostigado, de un lado por los problemas económicos y del otro lado por el terror, el pueblo cubano renuncie a su magnífico proceso revolucionario, renuncie a la aspiración de implantar la justicia en nuestro suelo."[67] Un papel destacado dentro de esta dirección fue el desempeñado por los bombardeos de centrales azucareros y plantaciones cañeras que reflejamos al inicio, en uno de los cuales resultó víctima fatal el joven trabajador Walter Sosillo. Para asegurar dichas agresiones, paralelamente se realizó una medida abierta de guerra económica: se presionó al Reino Unido para que cancelase la venta de 15 aviones de combate que se encontraban en proceso de negociación.

Es necesario entender la dinámica interna de las acciones subversivas del momento. Aunque aquí no se han reseñado —para no alejarnos de nuestro tema— las que fueron realizadas por la Estación Local de la

[66] Nicanor León Cotayo: *Sitiada la esperanza*, p. 34.
[67] Ibid., pp. 34-36.

CIA radicada en la embajada norteamericana, encaminadas a estimular y dirigir la oposición contrarrevolucionaria y la ejecución de otras acciones terroristas. Todas ellas, en las que se incluyen las que se continuaron realizando para asesinar al Jefe de la Revolución, se encontraban dentro del marco de atribuciones de la CIA establecidas desde su creación en 1947 y que formaban parte del trabajo normal de la Estación Local de la CIA con sede en la embajada norteamericana en la capital cubana y por quienes los dirigían desde el cuartel general. Por esta causa, no se requería esperar por la creación de un *task force* especial para realizar muchas de ellas.

Con un notable incremento durante los primeros meses de 1960 (10 en enero, 12 en febrero, 15 en marzo), las acciones terroristas por vía aérea contra las plantaciones cañeras e industrias cubanas caracterizaron esa temprana etapa de acciones provenientes del exterior, y de forma indudable representaban una grave amenaza para el sector determinante de la economía, y se unieron a otras numerosas acciones realizadas desde el interior del país con igual fin. Esas acciones, seguramente, se habían ya incorporado al plan general elaborado por el *task force* para derrocar la Revolución que, como veremos en breve, tomó cuerpo en marzo de 1960.

Una tercera dirección fue la creación de ese *task force,* al que correspondería elaborar y ejecutar los planes para, según los moldes aplicados en Guatemala, destruir la Revolución. Puede referirse a algunas de sus medidas iniciales la información que indica que parte de los planes de la CIA y del Departamento de Estado fueron aprobados por el presidente Eisenhower a fines de octubre. Lo cierto es que ese *task force* para fines de año ya se encontraba organizado pero oficialmente fue creado en enero. Para dirigirlo se había hecho venir desde Caracas, durante el mismo año 1959, a Jack Esterline, jefe de la Estación CIA en Venezuela.

La reunión del Consejo Nacional de Seguridad del 17 de marzo de 1960. El *Programa de Presiones Económicas contra el Régimen de Castro*

Un momento decisivo en la implementación de la guerra económica contra Cuba, fue la reunión en que se aprobó por el gobierno norteamericano eliminar la Revolución a través de los planes que desembocaron en Girón, en cuya elaboración habían trabajado a fondo los mismos funcionarios que habían dirigido el golpe contra Arbenz en Guatemala pocos años antes. Para complementar los planes bélicos, se aprobó el mismo día el primer plan subversivo contra la economía cubana, que combinaba las presiones abiertas con las medidas encubiertas.

Según las actas de la reunión del Consejo Nacional de Seguridad de Estados Unidos del 17 de marzo de 1960, en esa fecha se aprobó tanto el *Programa de Acción Encubierta contra Castro,* que contemplaba las medidas militares, propagandísticas y la creación de la oposición contrarrevolucionaria en Cuba, como otro documento titulado *Programa de Presiones Económicas contra el Régimen de Castro,* con las medidas de guerra económica tendentes a crear tal estado de insatisfacción en las necesidades básicas del pueblo cubano, que no le quedase otra opción que apoyar a las fuerzas que de inmediato comenzaron a entrenarse en el exterior para derrocar a la Revolución. A pesar de que no ha sido desclasificado, los siguientes aspectos formaban parte del mismo, según el acta de la reunión en que se aprobó:[68]

1. Conveniencia de cortar el suministro de petróleo a Cuba. Al argumentar la conveniencia de esta medida, el entonces Secretario del Tesoro, Robert Anderson, explicó que ella provocaría en la economía cubana "su efecto devastador en un período de un mes o seis semanas".
2. Pasos para suspender toda relación entre ambos países, dejando sin efecto los acuerdos comerciales de 1903 y 1934.
3. Posibilidades de influir sobre los empresarios norteamericanos establecidos en el país para que se retiraran y contribuyeran al caos económico, así como la suspensión de nuevas inversiones.
4. Reducción del turismo norteamericano para menguar las entradas de divisas a Cuba.

Hasta el momento, poco se ha enfatizado en el origen común de las medidas económicas anticubanas de más largo alcance y la elaboración de los planes para acabar por la fuerza con la Revolución, lo que hace más aguda la esencia criminal y subversiva de la guerra económica contra Cuba. También, poco se ha puntualizado en un aspecto metodológicamente importante, relacionado con ese origen común: la guerra económica comenzó a sistematizarse como parte consustancial de la invasión

[68] Department of State: ob. cit., volume VI, 1991, pp. 958-968. Aparece traducido en Tomás Diez Acosta: *La guerra encubierta*. Editora Política, La Habana, 1997, documento 3, pp. 21-23.

por Playa Girón, lo que le confiere desde sus inicios un agudo carácter subversivo, y que ha continuado en idéntica forma, aunque en contextos diferentes, por más de cuarenta años.

Esto significa que la guerra económica contra Cuba siempre ha formado parte de un sistema más amplio de acciones cuyo objetivo ha sido la destrucción de la Revolución. El encargo conferido a la guerra económica ha sido el de crear condiciones internas tanto de hambre como de enfermedades, para que al pueblo no le quedase otra opción que rendirse ante sus enemigos. Ello no tiene otro nombre que genocidio, y así está reconocido en documentos jurídicos internacionales.

Un informe del 6 de abril de 1960 del funcionario del Departamento de Estado I. D. Mallory, desclasificado en 1991, parece reflejar cierto debate con respecto a cómo lograr un mayor apoyo interno en Cuba a la operación subversiva que se organizaba, y destacaba la finalidad perseguida con las presiones económicas que se gestaban, al expresar: *"El único medio previsible para enajenar el apoyo interno es a través del desencanto y el desaliento basados en la insatisfacción y las dificultades económicas* [...]. Debe utilizarse prontamente cualquier medio concebible para debilitar la vida económica de Cuba [...]. Una línea de acción que tuviera el mayor impacto es negarle dinero y suministros a Cuba, para disminuir los salarios reales y monetarios a fin de causar hambre, desesperación *y el derrocamiento del gobierno"* (la cursiva en el texto de la cita es nuestra).[69]

El 27 de junio de 1960 se realizó en el Departamento de Estado norteamericano una de las más importantes valoraciones para desencadenar las medidas públicas de guerra económica, con la participación de los Secretarios de Estado, del Tesoro y de Defensa, y altos representantes del staff de la Casa Blanca, la CIA, el Departamento de Agricultura y el propio Departamento de Estado, en la que a partir de un amplio listado de aspectos que se debían esclarecer, elaborado por los representantes de la Casa Blanca, se debatió acerca de:

1. Los procedimientos para dejar establecidas las medidas económicas contra Cuba, en particular la necesidad o no de invocar la *Ley de Comercio con el Enemigo* de 1917 o el alcance legal de la aprobación presidencial del 17 de marzo del *Programa de Presiones Económicas contra el Régimen de Castro.*

[69] Department of State: ob. cit., volume VI, 1991, p. 886. Se cita en la Proclama de la Asamblea Nacional del Poder Popular de la República de Cuba del 13 de septiembre de 1999; periódico *Granma*, 14 de septiembre de 1999, tercera edición, p. 5.

2. El alcance de las medidas económicas que se debatían. En este aspecto el tema era hasta dónde llegar con esas medidas, arribándose al consenso de que se debían adoptar severas medidas económicas contra Cuba, existiendo la disposición y las posibilidades norteamericanas de llevar las medidas económicas contra Cuba hasta sus últimas consecuencias. Según el Secretario de Estado: "[...] o se realizaban acciones que hicieran daño o dejamos las cosas como están"; según el Secretario del Tesoro, la aplicación de algunas medidas "serían erróneas si ellos no estaban preparados para llevar esa guerra hasta el final", así como que "[...] le parecía que el grupo estaba de acuerdo en sentido general, y que debíamos tomarlo todo o nada, y mientras más rápido mejor".
3. La cuantía en la reducción de la cuota azucarera. El mismo día de esta reunión, en el Congreso se aprobaba la legislación azucarera que daba autoridad al Presidente para reducir la cuota cubana en el mercado norteamericano en la cuantía que estimase conveniente.
4. Crítica situación que se presentaba con respecto al petróleo en Cuba. Posibilidades de que el gobierno interviniese las empresas petroleras.
5. La política del gobierno hacia las compañías norteamericanas que comerciaban hasta ese momento con Cuba.
6. Acerca del potencial respaldo o rechazo en América Latina y en Europa a las medidas económicas diseñadas. Medidas para atraer a los países miembros de la OEA a la posición norteamericana. Respaldo europeo, principalmente inglés, a esa posición. "Nuestros aliados europeos están muy convencidos de la pertinencia de la posición de Estados Unidos", que se había manifestado ya con respecto a su "política armada", así como que "[...] los británicos han cooperado muy bien con la situación actual".
7. Similitudes con las medidas aplicadas contra Mossadegh en Irán en 1953.
8. Papel de las presiones económicas en el contexto del programa subversivo más amplio aprobado.

Es incuestionable que de esa reunión deben haberse derivado los lineamientos básicos del desencadenamiento de las acciones de guerra económica realizados a partir de entonces, tendentes a crear una tirante situación interna, y cuyas manifestaciones más importantes fueron:

1. Reducción de la cuota azucarera cubana correspondiente a 1960 en 700 000 toneladas, decisión tomada por el Presidente el 3 de julio

de ese año, haciendo uso de la prerrogativa otorgada por el Congreso siete días antes. Había sido tal la dependencia de Cuba con respecto al mercado azucarero norteamericano durante toda la etapa de vida republicana, que no podemos acusar de ingenuidad al jefe del ejecutivo ni a sus asesores por suponer que esa medida desestabilizaría totalmente la economía y provocaría la confusión y el caos y, con ello, una oposición mayoritaria a la Revolución.

2. Suspensión, el 29 de septiembre, de las operaciones de la planta de concentrado de níquel de Nicaro, en Oriente.[70]
   Vale la pena señalar que el día anterior a esta medida se había realizado el primer abastecimiento aéreo realizado a las "fuerzas insurgentes" que ya operaban en el Escambray, así como la primera introducción de armas por vía marítima,[71] todo ello como parte del paralelo *Programa de Acción Encubierta contra el Régimen de Castro*. Esa noche, sacudida La Habana por el estallido de varios artefactos explosivos, en medio de una manifestación popular, el Jefe de la Revolución anunció la creación de los Comités de Defensa de la Revolución.
3. El 30 de septiembre, el Departamento de Estado anunció haber recomendado a los ciudadanos norteamericanos "abstenerse" de viajar a Cuba a no ser que existiesen "razones apremiantes" para ello.
4. En el propio mes comenzaron las presiones gubernamentales para suprimir créditos concedidos anteriormente por instituciones bancarias privadas.
5. El 19 de octubre, el Departamento de Estado dio lo que luego se ha denominado como el segundo paso definitorio hacia el bloqueo, con el anuncio de "medidas generales de control a fin de prohibir las exportaciones norteamericanas a Cuba"; la prohibición para la venta, transferencia o contratación de cualquier barco norteamericano al Gobierno de Cuba o a ciudadanos cubanos; así como anunciaba acerca de las presiones al gobierno canadiense para que se uniese a las medidas económicas contra Cuba.
   Al ser presentada tal medida al Presidente en la reunión del 13 de octubre por los subsecretarios de Estado y de Comercio, se auguraba que ella "Tendrá muy buen efecto [...] *incluyendo el estímulo a*

[70] Colectivo de Autores: *Agresiones de Estados Unidos a Cuba revolucionaria*. Sociedad Cubana de Derecho Internacional, Editorial de Ciencias Sociales, La Habana, 1989, p. 240.

[71] *Informe del Inspector General de la CIA sobre la Operación de Bahía de Cochinos*, inciso B, punto 41.

los grupos disidentes que ahora se están volviendo activos en Cuba" (la cursiva del texto de la cita es nuestra). En la nota al respecto del Subsecretario de Estado para Asuntos Interamericanos, dirigida al Secretario, Christian Herter, del 19 de octubre, decía que esas medidas *"contribuirán al creciente descontento y malestar en la Isla [...] apoyarán a los grupos de oposición que ahora están activos en Cuba y en otros lugares".*[72] No debemos pasar por alto ninguna de esas valoraciones, ya que se trata de los primeros reconocimientos, por los más altos funcionarios norteamericanos, del fin perseguido con las medidas económicas.

6. Decisión gubernamental norteamericana declarando ilegal la venta, transferencia o contratación de cualquier barco norteamericano al Gobierno de Cuba o a ciudadano cubano, a partir de las 12:00 p.m. del 20 de octubre de 1960.[73]
7. El propio 20 de octubre de 1960 el primer ministro canadiense John Diefenbaker reveló en conferencia de prensa la petición de la Administración Eisenhower para imponer un embargo al comercio canadiense con Cuba.[74]
8. En diciembre, por decisión presidencial, se suprimió la totalidad de la cuota azucarera en el mercado norteamericano para los tres primeros meses de 1961. Estas supresiones escalonadas reflejan, en primera instancia, la finalidad de hacer patente que eran decisiones transitorias, válidas solamente mientras existiese el gobierno revolucionario que se compelía a derrocar; y por otra parte la brevedad del plazo en que se creía que, con la operación que ejecutaba, ello se podía lograr.
9. El 10 de marzo de 1961, el Departamento de Comercio emite un boletín de exportaciones que incorporó 16 artículos a la lista de productos alimenticios y medicinas que no podían ser embarcadas para Cuba sin licencia especial. Por entonces, el Consejo de Cámaras de Comercio de Estados Unidos aprobó una resolución en la que pedían "un inmediato y completo embargo en las exportaciones cubanas a Estados Unidos". En ese entorno cronológico, previo a la invasión por Girón, el representante republicano por California, Craighoesmer, propuso una enmienda según la cual los barcos y aviones norteamericanos podrían detener cualquier navío que se aproximara a Cuba. Algunos, al comentar tal propuesta, recordaron

[72] Department of State: ob. cit., volume VI, 1991, pp. 1084 y 1091.
[73] Colectivo de Autores: *Agresiones de Estados Unidos a Cuba revolucionaria,* p. 240.
[74] Idem.

el incidente acaecido a inicios de mes, cuando el carguero estadounidense *Janet Quinn* chocó en el Estrecho de Gibraltar contra el buque tanque soviético *Trud,* que navegaba hacia La Habana, afirmando los soviéticos que el carguero había embestido deliberadamente al tanquero soviético para afectar el traslado de combustible a Cuba.[75]

10. El 13 de marzo de 1961, un mes antes del ataque por Playa Girón, una lancha pirata artillada atacó la refinería de petróleo "Hermanos Díaz", en Santiago de Cuba, causando daños a la instalación tecnológica y a varios tanques, así como víctimas humanas.
11. El 31 de marzo, prácticamente en vísperas del ataque, el presidente Kennedy suprimió totalmente la cuota azucarera cubana en el mercado norteamericano, lo que, sin exagerar, podemos considerar como una especie de ultimátum económico tendente a sumar adeptos a los que pensaban que sólo eliminando a la Revolución podría la economía cubana retornar a la normalidad.

[75] Ibid., p. 242.

CAPÍTULO II La Operación Mangosta y los avances en la planificación de la guerra económica contra Cuba

El 27 de abril de 1961, a escasos siete días de la debacle en las arenas cubanas, el recién creado Centro de Operaciones del Departamento de Estado remitió al Consejo Nacional de Seguridad un denominado *Plan para Cuba,* con las medidas abiertas y encubiertas que debían aplicarse contra la Mayor de las Antillas después del fracaso de Girón.

Debe recordarse la reticencia mostrada un año antes, en la reunión del 27 de junio de 1960, en la aplicación de la Ley de Comercio con el Enemigo hacia Cuba. Tal medida era algo realmente excepcional y todavía para aquel momento, mediados de 1960, su invocación se creyó innecesaria, considerándose que la aplicación de un plan similar al dirigido contra Arbenz en Guatemala, sin muchos afeites, resolvería la situación cubana. Adicionalmente a ello, la aprobación presidencial del *Programa de Presiones Económicas contra el Régimen de Castro,* del 17 de marzo de 1960, suplía en gran medida a aquella Ley, y bajo su manto se realizaron tanto las medidas subversivas ya apreciadas como las regulaciones del Departamento de Estado del 19 de octubre de 1960 que en la práctica iniciaron el bloqueo económico de la Isla. Evidentemente, como resultado del impacto sufrido pocos días antes en Girón, se varió dramáticamente tal criterio.

Los autores norteamericanos Warren Hinckle y William Turner, en su libro *El Pez es Rojo,*[1] describen magistralmente el estado anímico del

[1] Warren Hinckle y William Turner: *El Pez es Rojo. La historia de la guerra secreta contra Castro.* Harper & Row, Publishers, New York, 1981.

presidente Kennedy que, a escasos tres meses de su arribo a la Casa Blanca, debía reconocer ante el mundo la paternidad de la derrota a ellos inflijida en Girón. Tal estado anímico era compartido por la Administración en su conjunto, lo que se percibe rápidamente en las medidas económicas que en el *Plan para Cuba* se propusieron, que pocos meses después serían ya una realidad: la aplicación a Cuba de la Ley de Comercio con el Enemigo; la reducción, a través de enmiendas o regulaciones, de las exportaciones de alimentos y medicinas hacia Cuba, así como la intensificación de los sabotajes en la economía, de tal forma que la tierra arrasada, como en su momento había hecho Roma en Cartago, fuese lo que quedase del pequeño caimán que había desafiado al Imperio.

Otra idea estuvo presente en tales propuestas, y su manejo igualmente les sirvió de pretexto para la total ejecución de sus nuevos planes: presionar a los Estados miembros de la OEA para que aplicasen medidas económicas individuales y aprobasen una "cuarentena" colectiva, que hiciese total el aislamiento hemisférico de la joven Revolución.

En ese documento emergió abiertamente una línea de actividad que siempre ha acompañado a la guerra económica y en general a todas las acciones subversivas: el espionaje. Allí se decía: "Desarrollar la más completa y más precisa Inteligencia sobre las actitudes del pueblo cubano hacia Castro. Tal Inteligencia es esencial antes de decidir los cursos de acción." Se expresaba que si ese espionaje arrojaba que la mayoría del pueblo apoyaba a la Revolución, lo que debían hacer entonces era "hacer variar tal visión en el mayor número de cubanos", a través de "[...] métodos 'moderados' tales como una cuarentena y [otros] esfuerzos [...]".[2] Se continuaba —y continúa más de cuarenta años después— la política expresada por el funcionario del Departamento de Estado, el 6 de abril de 1960, ya citado: "[...] el único medio posible de enajenar el apoyo interno es a través del descontento y el desaliento basados en la insatisfacción y las dificultades económicas [...]".[3]

En la reunión del Consejo Nacional de Seguridad, del 27 de abril de 1961, el Presidente aún no adoptó una decisión con respecto a suprimir el comercio con Cuba, aspecto que se aplazaba "[...] pendiente del desarrollo en Cuba durante las siguientes semanas". Se inició así, a partir de entonces, un oscuro proceso de diseño de la política de tierra arrasada, ejecutado en el mayor de los secretos, que no emergería sino a finales del año con la Operación Mangosta.

2 Department of State: ob. cit., volume X, 1997, pp. 391-396.

3 Ver nota 69 del capítulo anterior.

Se aprobó a partir de esa fecha, y se notificó de inmediato a todas las embajadas de Estados Unidos en América Latina, comenzar a influir para adoptar una medida continental contra Cuba, que incluyese su aislamiento económico y político. La materialización de este proyecto, la 8va. Reunión de Consulta de la OEA, se realizaría también en enero de 1962 en los marcos de la Operación Mangosta, y fue el pretexto para el establecimiento del bloqueo económico de la Isla.

Una nueva valoración de la situación operativa: *Hechos, Estimados y Proyecciones*

El 2 de mayo de 1961 se elabora un análisis conjunto del grupo de trabajo del Buró de Inteligencia e Investigaciones del Departamento de Estado y la Oficina Nacional de Estimados de la CIA, titulado *Hechos, Estimados y Proyecciones,* que al creer identificar las que a su juicio eran las fortalezas, oportunidades y debilidades económicas de la Revolución, sentaron las bases de las medidas que se aplicarían para debilitar unas e incrementar otras. Entre las vulnerabilidades económicas incluían "[...] su posición de intercambio con el exterior, piezas de repuesto y carencias de materias primas, carencia de suficientes técnicos y personal de dirección, declinación de los ingresos per capita, carencia de artículos de consumo y el crecimiento del mercado negro", por lo que se repetía la propuesta de "[...] imposición de la Ley de Comercio con el Enemigo [...] y una campaña de sabotajes limitados contra las industrias y los servicios", agregando que "[...] un programa de sabotajes extensivo o un bloqueo completo puede ocasionar serios desbarajustes económicos, especialmente en sectores urbanos e industriales [...]".[4]

Ya en este documento se percibe la atmósfera que luego caracterizaría en lo económico a la Operación Mangosta y, a partir de entonces, la guerra económica contra Cuba.

También el 2 de mayo de 1961, en el contexto de reevaluación de planes contra Cuba, la CIA envía a Richard Goodwin, del staff de la Casa Blanca, sus nuevas propuestas acerca de las acciones encubiertas que podían ejecutarse para dañar la economía cubana. La CIA puntualizaba que en dichas acciones podían participar los agentes encubiertos de que disponían en las seis provincias cubanas entonces existentes ("[...] además de algunos otros que pueden ser infiltrados"), y que podrían

[4] Department of State: ob. cit., volume X, 1997, pp. 417-422.

"[...] realizar actos de sabotaje. Actos individuales de sabotaje son posibles con relativamente pocos hombres y poca cantidad de medios [...]", además de que existía una capacidad para acciones marítimas,[5] que podía desembarcar y enterrar armas y realizar "[...] sabotajes sub-acuáticos de embarcaciones y otras operaciones [...]". Se agregaba que la CIA disponía de una rama aérea (bombarderos B-26 y aeroplanos de transporte C-46 y C-54) que podía utilizarse en golpes contra "objetivos escogidos", citando entre ellos "[...] refinerías, plantas eléctricas y plantas de neumáticos [...]", que si resultaban exitosos, podían hacer el efecto de "sabotajes extensivos".[6]

Es poco el énfasis que se haga en el papel de las acciones encubiertas de la CIA contra la economía cubana a través de los agentes de que ha dispuesto en el país ("en todas las provincias", según el documento desclasificado), que sirvieron no sólo como medios para abastecer informativamente al gobierno norteamericano acerca del efecto de sus medidas en el desempeño económico y social en Cuba, posibilitando que las ajustaran y perfeccionaran, sino también como instrumentos para ejecutar sabotajes y acciones terroristas, las más de las veces de muy elevada peligrosidad.

Esta vertiente subversiva de la actividad del Gobierno de Estados Unidos generalmente no aparece en los trabajos investigativos y cronologías acerca de la guerra económica contra Cuba aparecidos tanto en Estados Unidos como en nuestro país, lo que oscurece la percepción de esa guerra como un complejo sistema de medidas en que ambas modalidades —abiertas y encubiertas— se relacionan estrechamente entre sí, y en el que las medidas encubiertas refuerzan y multiplican el efecto del bloqueo y otras medidas públicas.

Cuba y el comunismo en el Hemisferio

El 4 de mayo de 1961 se presentó al Consejo Nacional de Seguridad el documento titulado *Cuba y el comunismo en el Hemisferio,* elaborado por un Grupo de Trabajo Inter-agencia sobre Cuba dirigido por el Subsecretario de Estado para Asuntos Políticos, Paul Nitze, quien, luego de

[5] Los remanentes de los *teams* de infiltraciones creados en la etapa preparatoria del *Programa de Acción Encubierta contra el Régimen de Castro,* aprobado en marzo de 1960.

[6] Departament of State: ob. cit., volume X, 1997, pp. 428-430.

un análisis de la amenaza que representaba para los intereses norteamericanos la supervivencia de la Revolución cubana y del estado de la situación interna en el país, sus tendencias y vulnerabilidades, respaldaba las propuestas de pocos días antes para acabar con ella.

El punto VII del documento proponía las medidas para poner en cuarentena a la Isla y debilitar el gobierno, incluyendo, además del incremento del aislamiento continental y un plan de acciones a través de la OEA, la aplicación de la Ley de Comercio con el Enemigo para intensificar "[...] sus dificultades de intercambio con el exterior [...]".[7]

El 5 de mayo de 1961 se aprobó por el Consejo Nacional de Seguridad el documento *Cuba y el comunismo en el Hemisferio*. La decisión final para poner en cuarentena a la Isla e invocar la Ley de Comercio con el Enemigo aún no había sido adoptada: lo que se imponía entonces era crear las condiciones para poder hacerlo. En el acta se consignó la decisión del presidente Kennedy: "Conforme en no imponer un inmediato embargo comercial a Cuba."

El debate interno para adoptar las medidas más adecuadas contra Cuba se aprecia en los acuerdos. El Secretario de Estado debía elaborar un análisis de los efectos de un "embargo" del comercio de Estados Unidos con Cuba, y hubo consenso en que cuando el mismo se impusiera, debía ser tan completo como fuese posible.

Con respecto a América Latina, emergió de esa reunión la necesidad de profundizar las presiones para lograr el rompimiento de relaciones diplomáticas y, entre otros aspectos, "limitar las relaciones económicas con Cuba".[8]

Previo a esta reunión, el Asesor Especial del presidente Kennedy le había recomendado que aún no tomara la decisión acerca de la invocación de la Ley de Comercio con el Enemigo o alguna otra legislación. Textualmente, le había expresado: "Las posibles sanciones económicas contra Cuba deben ser cuidadosamente revisadas, no está claro cuál puede ser su efecto, o si deben ser aplicadas bajo la Ley de Comercio con el Enemigo, la Ley Battle, o un 'embargo' directo."[9] No tenemos duda alguna que la calificación como "embargo" de la principal medida económica contra Cuba adoptada pocos meses después fue resultante de esa "cuidadosa revisión", que afectó incluso el verdadero significado de las palabras.

[7] Ibid, pp. 459-475.

[8] Department of State: ob. cit., documento 205, pp. 481-483.

[9] Ibid., documento 203, pp. 476-479.

La nota de otro de los participantes en esta misma reunión del Consejo Nacional de Seguridad del 5 de mayo de 1961, es muy elocuente y refleja fielmente el espíritu reinante, que fue materializándose paulatinamente en los meses siguientes hasta la aplicación del bloqueo en febrero del año siguiente y el despliegue contra la economía cubana de una guerra secreta sin precedentes: "Se decidió que si invocamos restricciones comerciales lo haremos en su totalidad. Podemos en un inicio invocar las restricciones, podemos dejarlas colgando. Podría ser necesario inducir una situación a partir de la cual Castro cree la situación por sí mismo."[10]

Primer plan subversivo de la CIA contra la economía cubana después de Girón: *Programa de acciones encubiertas para debilitar el régimen de Castro,* un adelanto de lo que se concretaría, en el campo de la subversión directa, en la Operación Mangosta

Del 19 de mayo de 1961 es el documento de la CIA titulado *Programa de acciones encubiertas para debilitar el régimen de Castro,* que había sido incluido como uno de los anexos de *Cuba y el comunismo en el Hemisferio* elaborado por el Grupo de Trabajo Inter-agencia presidido por el Subsecretario Nitze, y en el que se incluyeron las propuestas de la CIA enviadas a la Casa Blanca a inicios de mes. Además del espionaje, el fortalecimiento del bandidismo en las montañas de Cuba, propaganda y otras acciones subversivas, se refería a operaciones de sabotaje contra objetivos seleccionados, mencionando entre las priorizadas las refinerías, plantas de generación eléctrica, estaciones de onda corta, instalaciones de radio y TV, puentes de autopistas estratégicas y medios ferrocarrileros, instalaciones y equipamientos militares y navales, plantas industriales y refinerías azucareras, expresando que "[...] el primer requerimiento será el incremento de las capacidades existentes a través del reclutamiento, entrenamiento e infiltración de *teams* de sabotaje [...]".[11]

A estos planes son a los que se refiere Jacinto Valdés-Dapena cuando expresa: "En julio de 1961 se conoce de un plan de la Agencia Cen-

[10] Ibid., documento 206, pp. 484-488.
[11] Ibid., documento 223, pp. 554-560.

tral de Inteligencia de los Estados Unidos cuyos propósitos apuntaban a profundizar las acciones subversivas contra Cuba." Enfatizando en otros de sus componentes subversivos, además de los de guerra económica descritos más atrás, continuaba: "Este plan orientaba a la creación de una amplia organización de resistencia que estuviera sujeta al control de la CIA, [...] apoyar a las organizaciones contrarrevolucionarias en el interior del país que fueran capaces de generar operaciones clandestinas; y crear bases de operaciones primarias en los Estados Unidos."[12]

Tales medidas se encontraban ya en aplicación, al encontrarse dentro de las funciones inherentes a la CIA y otros componentes de la comunidad de Inteligencia, y no requerían aprobación presidencial explícita. Posteriormente fueron incluidas en la Operación Mangosta, en una concepción más amplia de subversión anticubana en la que, siguiendo las recomendaciones de la comisión Taylor, la Administración en su conjunto se tornó el sujeto de las acciones que se realizarían, rebasando mucho más el rol desempeñado por la CIA en las acciones previas del *Programa de Acción Encubierta contra el Régimen de Castro* que desembocó en Girón.

El 13 de junio de 1961 se presentaron al presidente Kennedy los resultados del estudio de las causas del fracaso en Girón, realizado por la comisión presidida por el general Maxwell Taylor. Su conclusión de que operaciones como la que concluyó en Girón "[...] deben planificarse mediante un mecanismo gubernamental capaz de poner en juego, además de las técnicas de protección y militares, todas las fuerzas políticas, económicas, ideológicas y de Inteligencia que puedan contribuir a su éxito [...] tales mecanismos no existen pero deben crearse [...]", influyó significativamente en las medidas ulteriores adoptadas contra Cuba, entre ellas las de guerra económica.

Cobraba cuerpo el terrorismo de Estado contra Cuba. Caso particular de ello, el terrorismo de Estado contra la economía cubana.

El informe concluía con la recomendación de que las medidas contra Cuba fuesen revaloradas "[...] a la luz de todos los factores conocidos", y que se ofreciese "[...] una nueva guía para la acción propagandística, *económica*, militar y política"[13] (la cursiva de la palabra en la cita es nuestra).

[12] Jacinto Valdés-Dapena Vivanco: *La CIA contra Cuba. La actividad subversiva de la CIA y la contrarrevolución (1961-1968).* Editorial Capitán San Luis, La Habana, 2002, p. 45.

[13] Tomado de *The Bay of Pigs: New Evidence from Documents and Testimony of the Kennedy Administration, the Anti-Castro Resistance, and Brigade 2506,* Parte 7: Los

El 22 de agosto de 1961, a su regreso de las sesiones del Consejo Inter-Americano Económico y Social realizadas en Punta del Este, Uruguay, en que se estableció la Alianza para el Progreso, el designado jefe del Grupo de Tarea sobre Cuba en la Casa Blanca, Richard Goodwin, envió un memorandum al presidente Kennedy en que sugería: "Silenciosamente intensificar [...] la presión económica. Estos mecanismos selectivamente desalentarán el comercio con Castro, encaminando actividades de sabotaje a sectores industriales clave como refinerías; la invocación de la Ley de Comercio con el Enemigo con la primera provocación evidente y focalizando una atención experta a lo relacionado con la guerra económica." Más adelante agregaba: "Continuar y ampliar actividades encubiertas, encaminadas en primera instancia a la destrucción de unidades económicas; desviación de recursos hacia actividades anti-subversivas. Esto puede hacerse a través de cubanos integrantes de grupos bajo nuestra dirección política e ideológica [...]."[14]

Dejamos al lector la calificación que merecen tales propuestas, valoradas al más alto nivel estatal. En ellas aflora la guerra económica como sistema, con medidas públicas y secretas, lo que ha continuado de esa forma ininterrumpidamente desde entonces.

El 30 de agosto de 1961, en una reunión en la Casa Blanca del Grupo de Tarea sobre Cuba dirigido por Richard Goodwin, entre otras medidas contra Cuba se planteó: "Nuestras acciones encubiertas deberán ahora ser dirigidas hacia la destrucción de importantes objetivos de la economía tales como refinerías e industrias con equipamiento de Estados Unidos. Eso será hecho bajo el manto general de las operaciones encubiertas, basado en el principio de que las actividades paramilitares se realicen a través de grupos revolucionarios cubanos[15] con potencial para establecer una efectiva oposición política a Castro dentro de Cuba. Dentro de este principio, haremos todo lo que podamos para identificar y sugerir objetivos cuya destrucción implique el máximo impacto económico." Otro de los aspectos allí tratados, recogidos en un memorandum

[14] Department of State: ob. cit., volume X, 1997, documento 256, pp. 640-641.

[15] Debe apreciarse la manipulación gubernamental norteamericana de la emigración contrarrevolucionaria en su guerra sucia contra Cuba.

---

resultados post-morten, documento 6, Memorandum para el Presidente del Grupo de Estudio sobre Cuba, Causas inmediatas del fracaso de la Operación Zapata. El Informe Taylor se encuentra en Department of State: ob. cit., vol X, pp. 576-606. Aparece traducido en *Playa Girón: la gran conjura.* Editorial Capitán San Luis, La Habana, 1991, pp. 38-108.

dirigido al presidente Kennedy por Richard Goodwin, expresaba: "Debemos intensificar nuestra vigilancia del comercio cubano con otros países y especialmente subsidiarias norteamericanas en terceros países; para emplear métodos informales que se ocupen de la desviación de este comercio, privando a Cuba de mercados y fuentes de abastecimiento." El efecto que esa última faceta de la guerra económica había tenido hasta ese momento se evidencia en la frase con que se terminaba el párrafo anterior: "Ya hemos tenido éxitos en estos esfuerzos [...]."[16]

¿A qué vigilancia se referían? ¿Qué métodos informales se empleaban? El espionaje sobre todas y cada una de las acciones cubanas para fortalecer su economía y ampliar su comercio es la respuesta a la primera de estas interrogantes, tanto entonces como ahora. Los "métodos informales", las presiones y chantajes de todo tipo sobre terceros. Como una letanía podemos nuevamente expresar: tanto entonces como ahora.

El aseguramiento legislativo a la más importante de las medidas económicas de carácter público que se gestaban

El 4 de septiembre de 1961 el Congreso norteamericano, con ocasión de discutirse la Ley de Ayuda Externa de 1961, prohibió todo tipo de asistencia al gobierno cubano y como medio para lograrlo autorizó al Presidente a establecer y mantener un "embargo" total sobre todo el comercio entre Estados Unidos y Cuba. Este acto legislativo es el más importante antecedente en el establecimiento del bloqueo a inicios de febrero de 1962, al ofrecer basamento legal para ello, y se realizó como medida congresional, pero en total consonancia con los apresurados pasos que el Ejecutivo realizaba en la sombra como parte de la Operación Mangosta. No ha sido hasta ahora sindicado como una medida más de esa operación: no es necesario.

Lo cierto es que tal autorización se requería para poder aplicarla cabalmente, y no podría comprenderse exactamente su alcance ignorando el contexto tremendamente subversivo contra la economía cubana del cual formaba parte. He aquí otro resultado de la "cuidadosa revisión" que de la invocación a la Ley de Comercio con el Enemigo se recomendaba al presidente Kennedy al presentarle el 5 de mayo de ese año el documento *Cuba y el comunismo en el Hemisferio*.

[16] Department of State: ob. cit., volume X, 1997, pp. 645-646.

Dicha autorización se requería, además, en el contexto de las acciones que se preparaban, para poder llevar las acciones económicas contra Cuba "hasta sus últimas consecuencias", como había sido acordado en las reuniones del Consejo Nacional de Seguridad. La atribución allí conferida al Presidente en todo lo relacionado con el bloqueo hacia Cuba fue a la que renunció el Ejecutivo al aprobar, en 1996, la Ley Helms-Burton y codificar todas las medidas relacionadas con el mismo.

Se inicia la Operación Mangosta

El 3 de noviembre de 1961 hace irrupción la Operación Mangosta.

El presidente Kennedy autorizó, en esta fecha, lo que fue de conocimiento solo del reducidísimo círculo de funcionarios implicados en su ejecución: el desarrollo de un nuevo programa subversivo contra Cuba, bajo ese nombre, que incluiría las diversas opciones agresivas que se habían estado manejando, integradas bajo los principios enunciados por la comisión Taylor.[17] En esa reunión el Fiscal General, Robert Kennedy, expresó: "Mi idea es aguijonear sobre la Isla con espionaje, sabotajes, desórdenes generales, empujando a los cubanos[...]."[18]

El 6 de noviembre de 1961, el Jefe del Grupo de Tarea en la Casa Blanca sobre Cuba, Richard Goodwin, puntualiza en conversación con un subsecretario de Estado un aspecto de importancia en la nueva Operación Mangosta que se iniciaba: ella contemplaría las medidas económicas encubiertas y las no encubiertas. Para la comprensión del verdadero alcance de la Operación, tal diferenciación tiene importancia capital, ya que ambos tipos de acciones se combinaron en un sistema, destruyendo por medios encubiertos objetivos o sectores económicos difícilmente sustituibles por la persecución "legal" a que los sometían en todo el mundo.[19]

Es conveniente percibir la atmósfera de persecución sobre las relaciones económicas externas de Cuba que se enfatiza en los últimos documentos expuestos, caracterizando la guerra económica contra Cuba en el nuevo período que se iniciaba, y que no quedó sólo en el papel, sino que fue escrupulosa y minuciosamente ejecutada. No en balde el primero de los cinco puntos expuestos por Cuba para la solución de la

[17] Un análisis a profundidad de este proceso se realiza por Jacinto Valdés-Dapena: *Operación Mangosta.*

[18] Department of State: ob. cit., volume X, 1997, documento 270, pp. 666-667.

[19] Ibid., pp. 666-667.

Crisis de Octubre, un año después, era precisamente que cesara esa persecución del comercio cubano en todo el mundo.

El 30 de noviembre de 1961, el presidente Kennedy firmó el memorandum que aprueba la Operación Mangosta. El general Edward G. Lansdale es designado para dirigir el equipo de operaciones, y se circulan las propuestas de acciones recibidas de los Departamentos y Agencias gubernamentales participantes, con el embrión de lo que serán luego las medidas de la Operación, entre ellas las de tipo económico. Las acciones se realizarían bajo la supervisión del Grupo Especial (Ampliado), presidido por el general Maxwell Taylor, y el Fiscal General, Robert Kennedy.[20]

Las medidas de guerra económica de la Operación Mangosta

El 18 de enero de 1962 se presentó a los Departamentos y Agencias gubernamentales afectados, por el general Lansdale, el documento titulado The Cuba Project *(Proyecto Cuba - Operación Mangosta),* que pretendía acabar con la Revolución en pocos meses. Contenía 13 medidas de tipo económico, que complementaban y desarrollaban los planes y acciones anteriores de ese tipo, sentando las bases de lo que sería la guerra económica de Estados Unidos contra la Revolución cubana en toda su etapa ulterior. Tenía, además, 4 tareas de inteligencia, 6 de tipo político, 4 psicológicas (propagandísticas) y 5 de tipo militar.[21]

En el apartado de medidas económicas se encontraban las siguientes:

"Tarea 11: El Departamento de Estado debe preparar para el Presidente recomendaciones sobre el comercio de Estados Unidos con Cuba, como una secuela de la reunión de la OEA. (Si el resultado mínimo de la reunión es condenar a Cuba como cómplice del bloque chino-soviético, y la adopción de una declaración general de que Cuba representa una amenaza para la paz y la seguridad en el Hemisferio, el Departamento de Estado está preparado para recomendarle al Presidente que el intercambio comercial remanente entre Estados Unidos y Cuba sea prohibido.)

"Tarea 12: El Departamento de Estado, junto con el de Comercio y otras agencias gubernamentales de Estados Unidos debe planear cómo detener el *comercio clandestino* de *elementos vitales* en el comercio

20 Ibid., documento 278.

21 Department of State: ob. cit., volume X, documento The Cuba Project, pp. 713 y ss. También ver Jacinto Valdés-Dapena: *Operación Mangosta,* pp. 34-54.

exterior de Cuba. Para el 15 de febrero debe ser explorada por el Departamento de Estado la cooperación de otras naciones de la OEA, en particular Canadá y México.

"Tarea 13: El Departamento de Estado, junto con el de Comercio y otros involucrados debe planear cómo hacer una "lista positiva" de elementos sujetos en América Latina a los mismos procedimientos de licencia como los que se aplican a tales embarques a otras partes del mundo libre. Para el 15 de febrero.

"Tarea 14: El Departamento de Estado debe conseguir con el Departamento de Comercio una propuesta para enmendar los controles de exportación actuales para la información tecnológica (equipos petroquímicos, de comunicaciones) de manera tal que Cuba reciba el mismo trato que el bloque chino-soviético. Para el 15 de febrero.

"Tarea 15: El Departamento de Estado para el 15 de febrero debe entregar las recomendaciones sobre la expedición de las órdenes de transportación (T-3) en correspondencia con la Ley de Producción para la Defensa de 1950 (aprobada el 8 de septiembre de 1950) prohibiendo a las embarcaciones propiedad de norteamericanos participar en el comercio con Cuba.

"Tarea 16: El Departamento de Estado debe planear para el 15 de febrero la posible extensión del tratamiento portuario que se le da actualmente a las embarcaciones del Bloque y cubanas hacia las embarcaciones *fletadas [charter]* por el Bloque y por Cuba (el Departamento del Tesoro debe asesorar al respecto).

"Tarea 17: El Departamento de Estado debe informar para el 15 de febrero la posibilidad de hostigar las embarcaciones del Bloque rehusándoles la entrada a los puertos norteamericanos (supuestamente por razones de seguridad), si las embarcaciones han tocado o tocarán puertos cubanos.

"Tarea 18: *Dos renglones y medio del texto fuente no desclasificados.*

"Tarea 19: El Departamento de Estado debe informar para el 15 de febrero sobre las posibilidades de obtener la colaboración discreta del Consejo Nacional para el Comercio Exterior para presionar a los armadores estadounidenses a fin de que rehúsen operar con las embarcaciones que tocan en puertos cubanos (el Departamento de Comercio debe ayudar al respecto).

"Tarea 20: El Departamento de Estado debe informar para el 15 de febrero sobre las posibilidades de obtener la colaboración discreta de la Cámara de Comercio de los EE. UU. y la Asociación Nacional de Fabricantes para influir en las empresas norteamericanas que tienen filiales en el extranjero para que se adhieran al espíritu de las sanciones económicas de los EE. UU. (el Departamento de Comercio debe ayudar al respecto).

"Tarea 21: La CIA debe entregar un plan para el 15 de febrero para provocar fracasos en las cosechas de alimentos en Cuba *(le sigue un párrafo no desclasificado).*

"Tarea 22: El Departamento de Estado debe informar para el 15 de febrero sobre la situación de los planes para obtener la cooperación de los aliados de la OTAN (bilateralmente y en el foro de la OTAN, según sea apropiado). El objetivo es persuadir a estas naciones para que aíslen a Cuba del Occidente.

"Tarea 23: El Departamento de Estado debe informar para el 15 de febrero sobre la situación de las acciones emprendidas con Japón, que tiene un comercio comparativamente significativo con Cuba, según lineamientos similares a los de las naciones de la OTAN.

"Tarea 24: La CIA debe presentar para febrero un plan para cortar el suministro de níquel cubano a la Unión Soviética *(tres renglones del texto fuente no desclasificados).*

Pero las medidas contra la economía cubana dentro de la Operación Mangosta no se referían únicamente a acciones públicas de política económica, comercial o financiera, o de guerra biológica, como se expresa en la Tarea 21.

La Tarea 30, del inciso referido a las acciones militares, expresaba: "La CIA debe entregar para el 15 de febrero su plan operativo para las acciones de sabotaje dentro de Cuba, incluyendo los plazos propuestos para las acciones y cómo ellas coadyuvan al surgimiento y apoyo de un movimiento popular, para alcanzar los objetivos del Proyecto."

Al respecto se expresa en un autorizado análisis sobre el tema: "Durante el período de vigencia oficial de la Operación, es decir, en un lapso de unos catorce meses, se registraron 5 780 acciones terroristas contra nuestro país, de ellas 716 sabotajes de envergadura contra objetivos económicos."[22]

En la reunión del 19 de enero de 1962 del Fiscal General, Robert Kennedy, con altos funcionarios gubernamentales participantes en la Operación Mangosta, en que se exigió el cumplimiento estricto de las 32 tareas entregadas por el general Lansdale, se explicó por Robert Kennedy que luego de encomendársele a Lansdale la tarea de revisar "el problema cubano", para fines de noviembre de 1961 ya éste había

[22] Oficina de Publicaciones del Consejo de Estado: ob. cit., Hecho Decimocuarto, pp. 76-77.

llegado a tres conclusiones: primero, que era posible derrocar la Revolución; segundo, que debía atacarse a la zafra azucarera de inmediato y, tercero, que debían realizarse acciones suficientes "para mantener a Castro tan ocupado con los problemas internos (económicos, políticos y sociales) que no tuviese tiempo para entrometerse en el exterior, especialmente en América Latina".

El gran fracaso de los estrategas del Imperio como analistas de la Revolución cubana, se aprecia nítidamente en la primera de las conclusiones expuestas. Lo realmente trágico no es que en su momento Edward Lansdale creyese en la factibilidad de la destrucción de la Revolución cubana, sino en la pervivencia del tal criterio durante más de cuarenta años.

En la propia reunión, Robert Kennedy se interesó por el progreso en la organización de un centro de interrogatorios a refugiados cubanos que arribasen a Miami, con el objetivo de obtener una información actualizada de la situación interna en Cuba. El espionaje en función de la guerra económica —y en las restantes modalidades de actividad subversiva anticubana— cobró renovados bríos a partir de entonces.

Como se aprecia, desde la gestación de la Operación Mangosta la concepción de dañar la economía en su más sensible eslabón (la zafra azucarera) se encontraba presente, aunque en la propia reunión se esclareció que ya era demasiado tarde para Estados Unidos destruir la zafra azucarera que se estaba realizando, a pesar de que sobre ella y otros sectores económicos se volcaron fundamentalmente las acciones terroristas para "mantener ocupadas a las autoridades"; así como los temas económicos fueron requerimientos destacados dentro de la labor de espionaje que se comenzó a realizar para asegurar las tareas de la Operación.

Con fecha 2 de febrero, el representante del Departamento de Defensa ante la Operación Mangosta, Brigadier General, William H. Craig, le hace llegar al general Lansdale diferentes propuestas para provocar, hostigar o neutralizar las acciones cubanas. Aunque en sentido general las acciones propuestas se dirigían hacia objetivos militares cubanos, algunas eran directamente agresiones contra sectores económicos, entre ellos:

1. Operación "No Love Lost" ("Ningún amor perdido"), para distraer y confundir a los pilotos cubanos por medio de conversaciones radiales de pilotos refugiados en vuelos en áreas cercanas al territorio nacional, manteniendo controladas las frecuencias de las comunicaciones cubanas aire/tierra utilizadas para el control de los aeropuertos.

2. Operación “Smasher” (“Golpe Aplastante”), para desorganizar o neutralizar las instalaciones de comunicaciones militares y comerciales en Cuba, mediante la introducción de repuestos de equipos de comunicaciones modificados técnicamente (tubos al vacío con carburo de silicona en su base, que al calentarse se convierten en conductores) de forma tal que provocasen cortos circuitos no detectables. Se consideraban objetivos que debían afectarse: la Compañía Cubana de Teléfonos, la Radio Corporación de Cuba de la Avenida Carlos III, la Cuban American Telephone and Telegraph Company, que operaba 6 cables submarinos que enlazaban a Cuba con Estados Unidos; estaciones comerciales de radio y televisión y, a través de ellas, las comunicaciones de radio militares y de línea terrestre que reciben servicios de las líneas comerciales. Recuérdese que desde el Programa de Acciones Encubiertas para debilitar el régimen de Castro, de la CIA, de fecha 19 de mayo de 1961, se habían considerado estos objetivos los priorizados para destruir. Para cumplir estos propósitos utilizaron varias redes de agentes de la CIA en el sector de las comunicaciones que fueron oportunamente desmanteladas por los Órganos de la Seguridad del Estado.
3. Operación “Break-Up” (“Rotura”), a través de la cual se introduciría clandestinamente en Cuba materiales corrosivos para provocar accidentes en aviones, vehículos terrestres o barcos, lo que se cumplió escrupulosamente a través de sus agentes que reclutaron con tal fin.
4. Operación “Full-Up” (“Lleno hasta el tope”), para destruir la confianza en el combustible suministrado por el campo socialista haciendo ver que estaba contaminado. Ello se lograría introduciendo un agente biológico en las instalaciones de combustibles de aviones, el cual florecería y ocuparía todo el espacio dentro del tanque.

Oficialización del bloqueo como parte de la Operación Mangosta

El 3 de febrero de 1962 fue firmada por el presidente Kennedy la Orden Ejecutiva Presidencial 3447, Resolución Federal No. 1085 del 6 del mismo mes, que entró en vigor al día siguiente, bajo la autoridad legal de la sección 620 (a) de la Ley de Asistencia Extranjera del 4 de septiembre de 1961, estableciendo el bloqueo económico, comercial y financiero de Cuba.

La pauta establecida en la Operación Mangosta se cumplía, al justificarse tal medida en su preámbulo de la forma siguiente: "Considerando: que la Octava Reunión de los Ministros de Relaciones Exteriores, sirviendo como Órgano de Consulta en la aplicación del Tratado Interamericano de Asistencia Recíproca (TIAR), en su declaración final resuelve que el actual Gobierno de Cuba es incompatible con los principios y objetivos del Sistema Interamericano [...]."

El autor cubano Nicanor León Cotayo recrea magistralmente aquel momento, con la profundidad de quien tiene toda la información disponible sobre dicho proceso.[23]

Las propias agencias de prensa norteamericanas resaltaron profusamente el recibimiento como héroe, en los jardines de la Casa Blanca por el presidente Kennedy, del entonces Secretario de Estado, Dean Rusk, que regresaba de la Octava Reunión de los Ministros de Relaciones Exteriores de la OEA con la declaración anticubana allí adoptada. Lo que no se dijo entonces fue la relación de la Operación Mangosta con la reunión de la OEA y su declaración anticubana, cabildeada trabajosamente en los últimos meses, y la subsiguiente aprobación presidencial de la Orden Ejecutiva Presidencial 3447, debido a que era, a la sazón, uno de los secretos mejor protegidos por el gobierno norteamericano.

Puntualización de las medidas de Mangosta

El 20 de febrero de 1962 se presentó una nueva versión de la Operación, elaborada con las respuestas ofrecidas por los Departamentos y Agencias gubernamentales a la que les había sido entregada el 18 de enero por el Jefe de Operaciones de la Operación, general Lansdale, en pos de "un curso realista de acciones".

El Plan de Acción Básica constaba de un plan básico dentro de Cuba (dividido en 6 fases, entre marzo y octubre en que supuestamente se realizaría el levantamiento general de la población) y 6 planes de apoyo en las esferas políticas, económicas, psicológicas, militares, de sabotaje y de inteligencia.[24]

23 Nicanor León Cotayo: *El Bloqueo a Cuba*, pp. 1-2.

24 Tomado de *The Bay of Pigs: New Evidence from Documents and Testimony of the Kennedy Administration, the Anti-Castro Resistance, and Brigade 2506*. Parte 6: La Operación Mangosta y la reanimación de los esfuerzos encubiertos, documento 13. Ver también Jacinto Valdés-Dapena: *Operación Mangosta*.

El plan de apoyo económico contenía las siguientes tareas:

1. Persuadir a los países miembros de la OEA, la OTAN y otros países "amigos de la libertad" para que desistan del comercio con La Habana, con el declarado propósito de crear un sentimiento "anti-régimen" en el pueblo cubano *como resultado del aprieto económico* (la cursiva es nuestra). Se expresaba que la Revolución podía ser debilitada si el flujo de dólares hacia el país se eliminaba a través de la pérdida de las líneas de crédito, para lo que se requería la cooperación total de países aliados y amigos. Se responsabilizaba con esta tarea al Departamento de Estado, con la participación del Departamento de Comercio y de la CIA, que la han seguido cumpliendo durante más de cuarenta años.

El documento contentivo de esta tarea se circuló secretamente entre los funcionarios autorizados a conocerlo precisamente al día siguiente de haber partido hacia Europa, con ese mismo objetivo, dos altos funcionarios gubernamentales (Walt W. Rostow y Richard Goodwin). La extraterritorialidad en las medidas económicas anticubanas tiene en ese viaje, al igual que en otras acciones ya abordadas, un importante antecedente.

2. Paralizar la transportación de productos norteamericanos a Cuba por terceros países, especialmente a través de México y Canadá, con el propósito de reducir el suministro de artículos y componentes críticos requeridos en los programas económicos cubanos, especialmente en la producción azucarera, termoeléctricas, comunicaciones y el transporte. Se responsabilizaba con su cumplimiento al Departamento de Estado, con la participación de la CIA y los Departamentos de Comercio y Justicia.
3. Elaboración de "lista positiva" ("lista negra") de productos latinoamericanos, sujetos a procedimientos de licencias para otras partes del "mundo libre", para reducir el suministro de artículos de interés especial para Cuba. Sería responsabilidad del Departamento de Estado, con la participación del Departamento de Comercio y de la CIA.
4. Hostigamiento del transporte marítimo destinado a/o proveniente de Cuba, para demorar y reducir los suministros requeridos en la economía.

Curiosamente, se mantiene aún clasificado el comentario de los autores de este plan acerca de esta medida y los órganos participantes.

5. Obtener para mediados de marzo la cooperación del Consejo Nacional de Comercio exterior para demorar o impedir los contratos de barcos que navegasen a puertos cubanos, lo que redundaría en la reducción de suministros a Cuba. Se responsabilizaba con su cumplimiento al Departamento de Estado, con la participación del Departamento de Comercio y de la CIA.
6. Obtener para mediados de marzo la cooperación de la Cámara de Comercio y la Asociación Nacional de Industriales para influir en firmas norteamericanas con filiales en otros países a fin de que se adhiriesen al espíritu del boicot económico de Estados Unidos al Gobierno de Cuba, con el propósito de hostigar la economía cubana. Sería responsabilidad del Departamento de Estado, con la participación de los Departamentos de Comercio y de la CIA.
7. Para el mes de junio, se programó una campaña de rumores contra productos cubanos en mercados del "mundo libre", para desalentar las ventas de los mismos y disminuir las entradas de divisas al país. Se considerarían objetivos priorizados de tales rumores las frutas, el azúcar y el tabaco, y sería responsable en primer orden la CIA, con la participación de los Departamentos de Estado y de la Agencia de Información de Estados Unidos (USIA).

Los planes de apoyo en otras esferas también perseguían, en oportunidades, un propósito de guerra económica. Entre ellos se encontraban los siguientes:

En el plan de apoyo militar:

1. Violaciones del espacio aéreo y marítimo cubanos, con los propósitos tanto de desviar la atención de las autoridades como también para "ayudar a impedir el transporte de suministros para necesidades del régimen", lo que sería responsabilidad del Departamento de Defensa y el apoyo de la CIA.
2. Con el mismo responsable y participante (Departamento de Defensa y la CIA) y para retrasar, trastornar o impedir el transporte y sus comunicaciones, hostigar a la aviación civil y buques cubanos.
3. Interferir las comunicaciones cubanas para confundirlas y bloquearlas. Esta tarea sería responsabilidad del Departamento de Defensa, con la participación de la CIA y la Agencia de Información de Estados Unidos.

En el plan de apoyo a los sabotajes:

Obviamente, el plan de apoyo a los sabotajes —manifestación de la guerra económica por medios encubiertos— tendría una incidencia directa sobre los objetivos económicos contra los que se realizasen. Entre ellos se encontraban:

1. Sabotear el suministro de níquel cubano a la Unión Soviética, lo que perseguía tanto impedir el suministro de ese estratégico material a la URSS como limitar las posibilidades de pago por parte de Cuba de las importaciones provenientes de aquel país. No se desclasificó quiénes serían los responsables de tales acciones ni comentario alguno al respecto.
2. Sabotajes a los suministros de petróleo para paralizar el transporte. No se desclasificó quiénes lo realizarían ni la forma en que se lograrían. Debe recordarse que ya desde mayo-junio de 1960 encubiertamente se había influido sobre las empresas petroleras para que redujesen y posteriormente eliminasen la importación de crudos al país, y estas empresas sirvieron como manto para un boicot en el suministro de este producto al país.

Resultaría poco lo que enfaticemos acerca del petróleo como objeto de los sabotajes enemigos a partir de entonces. ¿Resulta para alguien sólo casualidad que la primera medida de la fugaz camarilla golpista contra el presidente Chávez en Venezuela, en abril del 2002, fuese la suspensión del envío de crudos hacia Cuba?

3. Sabotajes a las comunicaciones, por parte de comandos entrenados en el exterior, con el supuesto propósito de alentar el "espíritu de resistencia al régimen". Se consideraban objetivos priorizados las transmisiones televisivas ("CMQ TV") y otras plantas radiales, así como las plantas transmisoras de los Órganos de la Seguridad del Estado, en los momentos que coincidieran con las "necesidades críticas" del levantamiento popular.
4. Sabotajes a las plantas de energía eléctrica "para incrementar la tensión sobre las autoridades y detener las actividades en dramáticas acciones percibidas por todos". Estas acciones se preveían realizar fundamentalmente en los meses de julio y agosto sobre plantas eléctricas de La Habana, Santiago de Cuba, Cienfuegos, Vicente, Santa Clara, Cuatro Caminos y Matanzas. En dependencia de los

requerimientos, estos sabotajes podían ser realizados por grupos comandos introducidos al país con tal fin.

En la reunión del 16 de marzo de 1962 del presidente Kennedy con los más altos funcionarios del gobierno participantes en la Operación Mangosta, en la que el Presidente se interesó por los resultados obtenidos, el Director de la CIA, John McCone, hizo referencia a que se estaban realizando los sabotajes previstos, expresando el general Lansdale que tenían en lista una cantidad de acciones de esa naturaleza, y se encontraban planificando otras más que resultaban necesarias, y puso como ejemplo las que tenían como objetivo las naves de patrullaje de las fronteras marítimas cubanas, las cuales fueron mandadas a sabotear, tanto por la CIA como por la Marina, a fin de que no interfiriesen los ataques terroristas sobre los restantes objetivos económicos o de otra naturaleza en el litoral costero. Al preguntar el presidente Kennedy cómo se realizarían, el general Lansdale respondió que eran objetivos potenciales el combustible, los lubricantes, las tripulaciones y las naves en su conjunto, a partir del criterio de que "un barco conducido a reparaciones era una nave que no estaba en su servicio de patrullaje en un momento crítico".[25] Este criterio lo aplicaron también a los buques destinados al transporte marítimo.

En el documento de la CIA del 7 de agosto, el representante de la CIA ante la Operación Mangosta, William Harvey, presentó, bajo el título de *Actividades Encubiertas,* la respuesta de la Agencia al requerimiento del Jefe de Operaciones de la Operación, de fecha 25 de julio de 1962, de presionar, en las diferentes esferas en que se dividían las acciones, para el derrocamiento de la Revolución.[26]

El inciso B de las Tareas Económicas, constaba de cuatro epígrafes:

1. Participar en la planificación y ejecución de las tareas económicas inter-agencia.
2. Realizar el máximo posible de sabotajes en las principales industrias cubanas y servicios públicos con atención priorizada a los transportes, las comunicaciones, plantas eléctricas y servicios públicos.

[25] Edward G. Landsdale: Memorandum for the Record. Meeting with President, 16 march 1962. Facsímil del documento original desclasificado por el Archivo Nacional de Seguridad de Estados Unidos.

[26] Tomado de *The Bay of Pigs [...].* Parte 6: Actividades encubiertas, documento 16.

Se señalaba, cual hoja de parra, que no se realizarían sabotajes contra suministros alimenticios, servicios médicos ni directamente contra la población. Las acciones realizadas es el principal desmentido de tal aseveración. Se planteaba que en esos momentos, y en el futuro predecible, esos sabotajes tenían mayores probabilidades de ejecución a través de grupos comandos que se infiltrasen con tal fin. A pesar de las fuerzas contrarrevolucionarias de que aún disponían en el interior del país, eso no era otra cosa que el reconocimiento de que no poseían una base operativa interna que garantizase sus expectativas. Para esta fecha, ya resultaba evidente que la fortaleza de la Revolución y el respaldo popular de que gozaba, derrotaban la Operación Mangosta.

3. A través de agresivas medidas activas y otras operaciones, dañar los recursos cubanos destinados a propósitos productivos.
4. Inducir a la población cubana (léase quinta columna interna) a continuar la realización de actos menores de sabotajes.

En el apartado dedicado a la ejecución de las tareas programadas, al hacerse referencia en el inciso C a las acciones paramilitares, se abordaba el sabotaje a objetivos económicos desde diferentes ángulos:

— Se reconocía que disponían de 10 a 15 grupos comandos *(teams* de infiltración) de alrededor de una docena de elementos cada uno, para realizar enterramientos de armas y sabotajes de envergadura *contra objetivos seleccionados,* solicitándose autorización para el reclutamiento de mercenarios no cubanos para fortalecer esos grupos.
— En el caso de las redes de espionaje en las ciudades, se exponían entre sus misiones tanto la recolección y obtención de la información de su interés como la selección de objetivos que se sabotearían por los miembros de las redes u otras personas.

El 31 de agosto, en comunicado del general Lansdale al Grupo Especial Ampliado, se expuso la segunda fase de la Operación, que debía comenzar el 6 de septiembre, en la cual debían incrementarse las tareas directamente vinculadas a las agresiones económicas, en el que se orienta "Dirigir operaciones de sabotajes de envergadura seleccionados contra industrias claves cubanas e instalaciones públicas, con atención priorizada al transporte, comunicaciones, plantas eléctricas y empresas de servicios públicos", con el propósito de "Reducir las posibilidades de las actividades económicas y de servicios". En las consideraciones de esa tarea se plantea: "En dependencia de las circunstancias, los sabotajes serán dirigidos por comandos cuidadosamente seleccionados y especialmente entrenados o los grupos de sabotaje infiltrados especialmente para la operación [...]. Los objetivos seleccionados fueron: Minas de Matahambre, en Santa Lucía; Refinería Texaco, Santiago de Cuba; Refinerías Shell/Esso, en La Habana; Planta eléctrica de Regla, en La Habana; Planta eléctrica de Matanzas; Planta de níquel de Moa; Papelera de Cárdenas, así como sobre las torres de microondas.[27]

En cumplimiento de las medidas del bloqueo, el 1º de octubre de 1962 se envió un memorandum del Departamento de Estado al presidente Kennedy, precisando las medidas que debía aprobar para fortalecer la guerra contra las transportaciones marítimas hacia Cuba. Allí se expresaba: "[...] deberá cerrar todos los puertos de Estados Unidos a cualquier barco que en la misma continuación de su viaje haya sido usado o esté siendo usado en el comercio de Cuba con el Bloque" (Comunista). También recomendaba que "[...] deberá instruir al Secretario de Estado para que explore las vías de obtención de cooperación de otros países para restringir el uso de sus barcos entre Cuba y el Bloque".

A partir de entonces, Estados Unidos solicitó a todos los gobiernos de América Latina y países de la OTAN trazar nuevas medidas para endurecer el bloqueo total contra Cuba, y les informan del cierre de sus puertos a todos los buques de cualquier país si al menos uno de los barcos bajo su bandera fuese descubierto llevando armas a Cuba; la no elegibilidad de buques involucrados en el comercio con Cuba para llevar cargas de ayuda exterior de Estados Unidos; la orden de no participar en el comercio con Cuba a todos los buques de bandera y/o propiedad de Estados Unidos, aunque operaran bajo registro externo; y la exclusión de los puertos estadounidenses para cualquier barco que en el mismo viaje fuera usado o estuviera siendo usado en el comercio con el "bloque chino-soviético".

La Casa Blanca ordenó a la Comisión Marítima de Estados Unidos establecer una "lista negra" de todos los buques activos en el comercio con Cuba a partir de la información de la CIA y de la Inteligencia Naval.

El 4 de octubre de 1962, en la reunión del Grupo Especial Ampliado para discutir la marcha de la Operación Mangosta, el Fiscal General, Robert Kennedy, trasladó el disgusto del presidente Kennedy con la marcha de la Operación, su insatisfacción con el estado de los sabotajes,

[27] Department of State: ob. cit., volume X, 1997, pp. 974-1000.

que no lograban el efecto devastador por ellos esperado,[28] requiriendo para ellos una prioridad mayor.

Ante los comentarios justificativos del Director de la CIA, los resultados de la discusión fue la clarificación y reafirmación de que debía marcharse adelante en el planeamiento y propuesta de sabotajes de envergadura contra la economía cubana, indicándosele al general Lansdale la elaboración de un plan para el minado de los puertos cubanos.[29]

El 8 de octubre de 1962, como respuesta a ese llamado para fortalecer los sabotajes, el representante de la CIA ante la Operación Mangosta, William Harvey, presenta en esta fecha un memorandum para el sabotaje a buques cubanos, aprovechando para ello su estadía en puertos de países capitalistas, solicitando aprobación general para ello y que no requiriese consultas en cada ocasión en que fuesen a hacerlo.[30]

No se desclasificaron los 13 párrafos, con 40 líneas de texto, en que aparecían los diferentes tipos de acciones que podían ejecutarse.

El 16 de octubre de 1962, en la reunión en la oficina del Fiscal General, Robert Kennedy, con altos funcionarios de la CIA y del Departamento de Defensa, éste transmitió nuevamente la "insatisfacción general" del Presidente con la Operación, que ya transitaba por un año de estarse ejecutando pero con resultados desalentadores, sin que hubiesen podido ejecutar los sabotajes de mayor impacto que debieron influir significativamente en la situación interna en Cuba, razón por la cual el propio Robert Kennedy asumiría la dirección de las acciones, lo que se discutiría a partir de entonces con él diariamente.

En la reunión el Fiscal General se refirió elogiosamente a un plan de sabotajes que había recibido en esa mañana del general Carter, subdirector de la CIA.[31]

En igual fecha, el Instituto de la Marina Mercante (Norte)Americana solicitó una reunión de emergencia a la Cámara Internacional de Barcos (International Chamber of Shippings) en Londres, para considerar un embargo oficial del comercio con Cuba.[32]

[28] Este posiblemente sea uno de los más sinceros reconocimientos a la efectividad de las medidas de respuesta cubanas frente a la bestialidad sin límites de que era objeto. Los bisoños Órganos de la Seguridad del Estado, en un íntimo y apretado haz con el pueblo todo, verdadero protagonista de ese enfrentamiento, hizo fracasar los planes elaborados en su contra.

[29] Department of State: ob. cit., volume XI, 1996, pp. 11-13.

[30] Ibid., p. 16.

[31] Ibid., pp. 46-47.

[32] Cronología en sitio *Cuba vs. Bloqueo* del MINREX, que a su vez lo tomó de Morris Morley: *Cuba vs. Bloqueo*. http://www.cubavsbloqueo.cu

La Crisis de Octubre

El 22 de octubre de 1962 Cuba se encontraba sufriendo los embates de esta guerra no declarada, que se ejecutaba en pos de un levantamiento popular generalizado planificado para el mes de octubre, el cual brindaría el pretexto para una directa intervención militar norteamericana, en los momentos en que se iniciaba la Crisis de Octubre, desencadenada como resultado de la posición de fuerza asumida por Estados Unidos ante la decisión cubana de contribuir en la defensa del campo socialista y coadyuvar a su propia defensa, frente a las amenazas interventoras norteamericanas.

El 28 de ese mes se hizo pública la declaración del gobierno cubano exponiendo cinco puntos para la solución de la crisis. La correcta percepción de la finalidad de las acciones de guerra económica, tendentes a provocar el levantamiento que diese pie a la intervención militar, se hace explícita en la primera de las exigencias cubanas: cese del bloqueo económico y de todas las medidas de presión comercial y económicas ejercidas por Estados Unidos contra Cuba en todas partes del mundo.

El segundo expresaba: "Cese de todas las actividades subversivas, lanzamientos y desembarcos de armas y explosivos por aire y mar, organización de invasiones mercenarias, filtración de espías y sabotajes, acciones todas que se llevan a cabo desde el territorio de Estados Unidos y de algunos países cómplices." El tercero de los puntos reclamaba el cese de los ataques piratas contra nuestros barcos y costas, acciones todas con graves efectos en la economía.

La prepotencia imperial impidió al gobierno norteamericano sacar las conclusiones más adecuadas y adoptar las decisiones más realistas, continuando con una acrecentada política agresiva durante más de cuarenta años.

Capítulo III Plenitud del Terrorismo de Estado contra la economía cubana

La *Política Futura hacia Cuba*

El 4 de diciembre de 1962, aunque aún formalmente no había sido cancelada la Operación Mangosta, en el Comité Ejecutivo del Consejo Nacional de Seguridad se discutió el documento titulado *Política Futura hacia Cuba,* tomando en cuenta la nueva situación derivada tras la Crisis de Octubre, y se llegó al consenso con respecto a que debía reorganizarse la maquinaria para las acciones anticubanas. En el memorandum del 6 de diciembre de McGeorge Bundy al Presidente, en que le presenta el documento discutido, se puntualiza que las acciones encubiertas solo aparecen en un sentido general, transmitiendo el criterio de que de inmediato debían concentrarse en el espionaje, de donde se infiere se derivaría la planificación de las acciones que se ejecutarían.

Debe recordarse que la atmósfera de la Operación Mangosta en los días previos a la Crisis de Octubre era la de un incremento de los sabotajes hasta niveles nunca antes alcanzados. El llamado a la cordura que significó la Crisis, obligaba al Imperio, si allí hubiese imperado el sentido común, a intentar reformular su política al respecto. Lamentablemente, ello no llegó a manifestarse de esta manera, y los sabotajes continuaron siendo uno de los pilares de la guerra económica contra Cuba, en un maridaje con el terrorismo que inhabilita al gobierno norteamericano para actuar como los árbitros que pretenden ser sobre estos temas.

En la *Política Futura hacia Cuba* se reiteraba que el objetivo final era el derrocamiento de la Revolución y su sustitución por un gobierno afín, y que los objetivos inmediatos eran debilitar al régimen; frustrar sus "intenciones subversivas"; reducir su influencia en el Hemisferio e incrementar los costos que para el campo socialista representaba apoyar a Cuba. Para ello, debían realizar una política de contención, de zapa, descrédito y aislamiento mediante presiones económicas, diplomáticas, psicológicas y "de otro tipo", en eufemística alusión a las acciones encubiertas que reseñaban más adelante, en el Anexo A del documento.

Las medidas económicas abiertas que se planearon fueron:

1. A través de la OEA extender el bloqueo económico hacia todos los artículos (se decía, falazmente, que con excepción de alimentos, medicinas y suministros médicos); una más amplia limitación de las comunicaciones aéreas y marítimas con Cuba por parte de los países del Hemisferio.
2. Aplicación contra Cuba de los cuatro puntos de restricciones marítimas, inaugurando un nuevo capítulo en esta esfera, como se verá más adelante.
3. Inclusión de Cuba, en la lista COCOM de la OTAN, que incluía países hacia los cuales no se podían embarcar artículos considerados estratégicos.
4. Discutir con naciones industrializadas para limitar el arribo a Cuba de piezas de repuesto y equipamientos, aunque no estuvieran incluidos en la lista COCOM de artículos considerados estratégicos.
5. Persuadir a los países que no fuesen del campo socialista para la limitación de los servicios aéreos a Cubana de Aviación, e impedir los derechos de tránsito de naves soviéticas que viajasen a Cuba.
6. Persuadir a los países latinoamericanos para que limitasen los viajes de sus ciudadanos a Cuba.

Las medidas de guerra económica que se incluyeron en el Anexo A de este documento, referido a las acciones encubiertas, eran las siguientes:

1. Asistencia a grupos seleccionados del exilio cubano para la estimulación de la población cubana en la ejecución de actos de sabotaje.
2. Utilizar a grupos seleccionados del exilio para sabotear instalaciones importantes, de forma tal que fuese plausible atribuirlas a cubanos residentes en el país.[1]

[1] Con lo que se iniciaba un nuevo capítulo en la utilización de las organizaciones terroristas de la emigración, con nefastas consecuencias.

3. Sabotear cargas y embarcaciones cubanas, así como cargas y embarcaciones de países del campo socialista dirigidas a Cuba.
4. Ayudar, incluso a través de subsidios, a países (excepto del campo socialista) compradores de azúcar cubano, a fin de que encontrasen otras fuentes de suministro.

En las acciones encubiertas contra la economía programadas en la nueva *Política Futura hacia Cuba* se percibe lo que caracterizará la nueva etapa que se inicia: una mayor utilización de la emigración contrarrevolucionaria, entrenada y abastecida, para la ejecución de acciones, de forma tal que se percibieran externamente como actividades independientes del gobierno norteamericano.[2]

Priorización del espionaje para diseñar las nuevas políticas subversivas

Fue del 4 de diciembre de 1962 el memorandum de Acción Nacional Nº 208, remitido el día 6 por el Asistente Especial del presidente Kennedy para asuntos de Seguridad Nacional, McGeorge Bundy, al Director de la CIA, con los requerimientos informativos que el gobierno norteamericano quería obtener a través de los vuelos, a baja o alta altura, de los aviones espías sobre el territorio cubano. Independientemente de que la principal prioridad era el referido a nuevas evidencias acerca del despliegue de "armas ofensivas" y, en general, la presencia de tropas soviéticas en Cuba, se incluía en estos requerimientos la información de tipo económico que como sub-producto de esos vuelos pudiese obtenerse.[3]

En respuesta a este memorando, el Director de la CIA expuso el 15 de diciembre que la CIA se encontraba incrementando sus esfuerzos en varias direcciones, entre ellas el incremento del uso de agentes, viajeros legales que visitasen el país, interrogatorios a "refugiados" que arribasen a Estados Unidos y otros países, y mediante la coordinación con los servicios especiales de terceros países.[4]

El estudio de los casos de espionaje trabajados y operados por los Órganos de la Seguridad cubanos en ese período, como veremos en el

[2] Department of State: ob. cit., volume XI, 1996, pp. 586-590.
[3] Ibid., pp. 590-591.
[4] Ibid., pp. 624-625.

siguiente capítulo, comprueba que paralelamente al interés conferido a la búsqueda de información acerca de la ayuda militar soviética a Cuba, las informaciones de tipo económico tuvieron siempre una prioridad destacada.

El 18 de enero de 1963, el presidente Kennedy, a través de McGeorge Bundy, insiste sobre el Director de la CIA para ampliar la obtención de información sobre Cuba, además de la que se obtenía mediante los reconocimientos aéreos. Se interesó en conocer todo lo que estaba haciendo la CIA para estimular visitas al país por conocedores y observadores amigos de otras nacionalidades; los mecanismos para obtener informaciones a través de las representaciones diplomáticas en Cuba de terceros países, y las medidas adicionales que pudiera adoptar la CIA. El Presidente expresó que si se estimulaba la visita de personas de alto rango que tuviesen acceso a las más altas autoridades del país, sus informes serían más valiosos.[5]

Tal interés tiene una directa relación con el incremento del espionaje acerca del estado y perspectivas de la economía cubana, elemento vital para la planificación y ejecución de la política de guerra económica contra la Revolución.

Las acciones de la CIA para hacer bajar los precios del azúcar en el mercado mundial

Coherentemente con las acciones subversivas incorporadas en la denominada *Política Futura hacia Cuba* del 4 de diciembre de 1962, encaminadas a enajenar clientes al mercado azucarero cubano para limitar sus entradas financieras en divisas, el 17 de diciembre el presidente Kennedy expresó su preocupación con respecto a los altos precios del azúcar en el mercado mundial, lo que había leído en un informe de la CIA del día anterior titulado "Incremento de los precios del azúcar en el mercado mundial y sus efectos sobre Cuba", inquiriendo qué medidas podían adoptar para variar tal situación.[6]

En la agenda de reunión del Grupo Permanente del Consejo Nacional de Seguridad, del 30 de abril de 1963, se expresaba que el Departamento de Estado estaba examinando el posible uso del mercado azucarero como un medio de complicar la vida del régimen cubano, y esperaba ofrecer ese estudio la siguiente semana.

[5] Ibid., p. 665.
[6] Ibid., p. 626.

El 3 de mayo de 1963, en un memorandum del Secretario Asistente de Estado, Edwin Martin, al Secretario Actuante, George Ball, motivado por la indicación dada en la reunión del Grupo Permanente del 30 de abril de que se valorasen las medidas que podían adoptarse para disminuir los ingresos cubanos derivados de las ventas de azúcar, se expresaba que los altos precios y mercados ajustados traían consigo un verdadero déficit de azúcar en el mercado mundial, no provocado artificialmente por la URSS, lo que se mantendría de esa forma probablemente hasta 1965, concluyendo que no encontraban medios para hacer disminuir las entradas que Cuba estaba recibiendo por tal causa, lo que continuaría así probablemente hasta 1965.[7]

Aguijoneados por tal realidad, el 15 de mayo de 1963, en el Memorandum de Acción de Seguridad Nacional N° 244, transmitido por el Asistente Especial del presidente Kennedy, McGeorge Bundy, al Secretario de Agricultura, se le encomendaba que dirigiera un estudio que tuviera en cuenta la situación existente y las probables alternativas para hacer disminuir los altos precios del azúcar en el mercado mundial y con ello, entre otros dos objetivos, limitar el efecto positivo que tal alza estaba teniendo sobre la economía cubana. Las propuestas que se hiciesen debían discutirse en la reunión del Grupo Permanente del Consejo Nacional de Seguridad del 28 de mayo. Se expresaba que tanto el Departamento de Estado como la CIA estaban interesados en ese estudio y con disposición favorable para cooperar.[8]

En la reunión del Grupo Especial del Consejo Nacional de Seguridad del 16 de julio de 1963, el Subsecretario Adjunto del Departamento de Agricultura, Sundquist, abordó lo relacionado con un plan elaborado por su departamento el 5 de julio, titulado *Plan de Contingencia para el incremento de la producción mundial de azúcar,* que se insertaba en el interés del presidente Kennedy por reducir las entradas de divisas en Cuba debido al alza de los precios de ese producto en el mercado mundial.[9]

Finalmente, en la reunión del 1° de octubre del Grupo Especial del Consejo Nacional de Seguridad,[10] se mostró complacencia acerca de la marcha del programa para rebajar en el mercado mundial los precios del azúcar, lo que privaría a Cuba de los beneficios financieros derivados del alza anunciados desde fines de 1962.

[7] Ibid., pp. 800-801.
[8] Ibid., pp. 817-818.
[9] Ibid., pp. 851-852.
[10] Ibid., pp. 871-872.

Sirva este ejemplo, presentado sintéticamente, sin afeites, para valorar hasta dónde ha llegado la guerra contra Cuba.

La reorganización, posterior a Mangosta, de los mecanismos para la toma de decisiones con respecto a Cuba. Su incidencia en la guerra económica

Del 4 de enero de 1963 fue el memorandum de McGeorge Bundy para el presidente Kennedy, respondiendo a su indicación de que se reorganizasen las estructuras del gobierno norteamericano encargadas de los asuntos cubanos. De ello emergió la creación de una Oficina de Asuntos Cubanos en el Departamento de Estado, cuyo Coordinador, además, presidiría el grupo inter-agencias sobre Cuba, subordinado al Secretario de Estado, en lo concerniente a las tareas diarias, y al Presidente, en la labor coordinadora interdepartamental, eliminándose las estructuras de la Operación Mangosta. En el texto se expresaba que tanto las órdenes de transportación como los más amplios aspectos de las presiones económicas sobre Cuba estaban aún por definir (en el nuevo contexto posterior a la Crisis de Octubre, se sobrentiende), requiriéndose discutirlo con los estados miembros de la OEA y otros aliados.[11]

Luego de aprobada por el Presidente, tal reorganización se hizo conocer al Secretario de Estado el 8 de enero, donde se explicaba también la existencia de un Comité de Coordinación Interdepartamental sobre asuntos cubanos, integrado por el Coordinador y los representantes del Departamento de Defensa (el Secretario Cyrus Vance) y de la CIA (el subdirector Richard Helms). Se puntualizaba que el Coordinador de asuntos cubanos asumía las mismas responsabilidades con respecto a las tareas abiertas y las encubiertas.[12]

El 19 de enero de 1963 se presentó una evaluación de la CIA acerca de la economía cubana en 1961 y 1962, así como pronósticos para los años 1963-1965 que auguraban un mejor desempeño empresarial y el incremento de las inversiones en la industria, y derivado de ello un crecimiento agrícola e industrial para el final de ese período.[13] Como se verá, ello trajo consigo un recrudecimiento de las acciones contra la economía cubana para impedirlo.

[11] Ibid., pp. 648-651.
[12] Ibid., pp. 656-657.
[13] Ibid., pp. 665-666.

Entre el 22 y el 25 de enero de 1963, las estructuras gubernamentales, con activa participación del nuevo Comité de Coordinación Interdepartamental sobre asuntos cubanos y los nuevos actores llamados a escena, se debaten con respecto a cuáles debían ser los objetivos finales de la política que se siguiera hacia Cuba y los pasos para lograrlo, en las condiciones derivadas de la Crisis de Octubre.

Un nivel superior en los planes: la *Política de Estados Unidos hacia Cuba*

Los aspectos relacionados con la guerra económica que se presentaron en el documento titulado *Política de Estados Unidos hacia Cuba,* discutido en la reunión del Comité Ejecutivo del Consejo Nacional de Seguridad del 25 de enero, eran, esencialmente, en la primera alternativa:

1. Los cuatro puntos de los "shipping orders", referidos al establecimiento de las "listas negras", eran: cerrar los puertos norteamericanos a todas las embarcaciones de países que trasladaran armas a Cuba; prohibir la entrada a puertos norteamericanos de todo buque que trasladara mercancías hacia Cuba, en un término de 120 días de haber visitado puerto cubano; prohibir a todo buque de bandera norteamericana o propiedad de ciudadanos norteamericanos o residentes en Estados Unidos, entrar en puerto cubano o trasladar productos hacia o desde puerto cubano, así como prohibir que cualquier carga pagada por departamentos gubernamentales norteamericanos se trasladara en embarcaciones cuyos dueños tuviesen embarcaciones que participaran en el comercio entre Cuba y el campo socialista.
2. Presionar a México, Chile y Brasil para que respaldasen que la OEA adoptase una resolución en que se recomendara ampliar las restricciones comerciales hacia Cuba no solo en armas, sino en todo artículo estratégico; prohibir la utilización de embarcaciones en el traslado de artículos prohibidos a Cuba e impedir el acceso a puertos de sus países de embarcaciones que participaran en el comercio entre Cuba y los países socialistas; negar los permisos de sobrevuelo del territorio y derecho de tránsito de aeronaves en viaje hacia Cuba, y llamar a otros países para que aplicaran medidas semejantes.

3. Una vez conseguido el apoyo de los tres países mencionados, en contacto con los restantes países de la OEA lograr en el término de diez días la adopción de la resolución mencionada.
4. En la primera reunión de la OTAN posterior a la resolución de la OEA, requerir de aquélla la inclusión de Cuba en la lista de países a los que se prohibía el traslado de artículos estratégicos (lista COCOM).
5. Después de ello, lograr el acuerdo de las naciones industrializadas para impedir las cargas de componentes críticos y equipamientos hacia Cuba, aunque no formasen parte de la lista COCOM.
6. Adicionalmente a lo expresado con anterioridad sobre las "listas negras", y actuando bajo la Sección 107 del Acta de Asistencia Externa, continuar presionando a los países del "mundo libre" para mantener a sus embarcaciones fuera del comercio de Cuba con los países socialistas.

Dentro de las acciones encubiertas en apoyo a esta alternativa, en esta *Política de Estados Unidos hacia Cuba,* se incluían:

— intensificar hasta el máximo grado posible las acciones de espionaje sobre Cuba, en pos del abastecimiento informativo de Inteligencia que les posibilitase el cumplimiento exitoso de sus pretensiones;
— "apoyar" (léase estimular, dirigir y controlar) las acciones de ciertas facciones del exilio contrarrevolucionario en Estados Unidos que actuaban en el derrocamiento del Gobierno Revolucionario y que pretendían fortalecer la quinta columna interna, así como apoyarse en ellos para la obtención de información de Inteligencia;
— estimular las acciones propagandísticas del exilio contrarrevolucionario. Como se abundará más adelante, este punto se refería a acciones de personal de origen cubano asalariados de la CIA que en su actividad propagandística fundamentalmente estimulasen los sabotajes contra la economía cubana.

La segunda alternativa de acciones que se exponía en la nueva *Política de Estados Unidos hacia Cuba,* tenía entre sus objetivos generales, la destrucción de la Revolución, y entre otras categorías de acciones incluía para ello las "presiones" económicas.

1. Dentro de los objetivos inmediatos, entre otras numerosas acciones, se incluía el debilitamiento de la economía cubana y la erosión del apoyo interno a la Revolución. Recordemos que en los esquemas político-subversivos existentes ello se lograba a través de la guerra económica.
2. Se incluía igualmente la adopción de medidas económicas y otras encubiertas, para aislar, socavar y desacreditar la Revolución, creando condiciones para su destrucción.
3. Intensificación de las acciones de espionaje.
4. Alcanzar el apoyo de los países latinoamericanos en estas acciones anticubanas.
5. Se prepararían anexos con las medidas abiertas y encubiertas que se ejecutarían para lograr los fines propuestos.

La continuidad de las medidas para eliminar las transportaciones marítimas hacia Cuba

En la reunión del Comité Ejecutivo del Consejo Nacional de Seguridad en que se debatió la nueva *Política de Estados Unidos hacia Cuba,* se discutió fuertemente alrededor de las implicaciones que tendría para los más amplios intereses norteamericanos la aplicación de los cuatro puntos de los "shipping orders", sobre todo en lo referido a las reacciones de la URSS y de otros países aliados, reconociendo que éstos estaban respaldando su política, lo que era evidente al apreciar que en los primeros diecinueve días de enero de ese año, el comercio de sus aliados con Cuba había prácticamente cesado. Se reconocía que aunque no se aprobaran las "listas negras" implícitas en los "shipping orders", las restantes "presiones" lograban aislar económicamente a Cuba, decidiéndose por el presidente Kennedy aplazar la decisión con respecto a la aprobación de los cuatro puntos de los "shipping orders", aunque de inmediato se indicaría al Departamento de Agricultura y otras agencias no transportar cargas en embarcaciones que participaran en el comercio con Cuba.

El presidente Kennedy se cuestionó el verdadero valor de la medida con los países latinoamericanos, explicándose por el Secretario de Estado que su resultado sería limitado dado el poco comercio existente entre estos países y Cuba, pero que serviría para apoyar la inclusión de ésta en la lista COCOM de la OTAN de productos estratégicos y así presionar a los países industrializados en la eliminación de todas las exportaciones de repuestos y maquinarias a la Isla, todo lo cual obtuvo la aprobación por parte del Presidente. El Secretario de Estado y el Director de la CIA reconocieron que la carencia de piezas de repuesto y equipamientos estaban ya afectando seriamente la economía cubana.

Expresando una idea que en su materialización influyó en el incremento ulterior de las acciones terroristas de grupos de exiliados contrarrevolucionarios, el Fiscal General, Robert Kennedy, llamó en esa reunión a apoyarse en ellos para las acciones anticubanas que se habían discutido.[14]

Poco después, se emite el Memorandum de Acción de Seguridad Nacional N° 220 prohibiendo embarques de cargas pagadas por el gobierno norteamericano (Departamentos de Estado, Defensa, Agricultura; Administración General de Servicios y Agencia para el Desarrollo Internacional) en barcos extranjeros que a partir del 1° de enero de 1963 hubieran tocado puerto cubano. Para ello se estableció una "lista negra" de buques que lo hubiesen hecho. Esta medida afectaba a Cuba de forma especial, al tratarse de una isla que dependía totalmente del transporte marítimo para mantener su comercio con el exterior.[15]

Lo agudo de esta medida se expresa a plenitud por Krinsky y Golove, cuando dicen: "Desde inicios de 1963 Estados Unidos intensificó las presiones sobre terceros países para aislar económicamente a Cuba [...] el memorándum 220 [...] instituyó las listas negras de todas las embarcaciones extranjeras que participaran en el comercio con Cuba, lo que fue vigorosamente hecho valer a través de la periódica publicación en el Registro Federal de los nombres de esas embarcaciones [...]."[16] Una medida posterior, del 16 de diciembre, hizo aún más agudo tal aislamiento.

En el primer trimestre de 1963 solamente 59 buques tocaron puertos cubanos, comparados con 352 en el mismo período de 1962. Entre junio de 1962 y junio de 1963, hubo una declinación del 60% en el número de los barcos de países capitalistas involucrados en el comercio con Cuba, de 932 en 1962 a 359 en 1963. Entre 1962 y 1963, el número cayó de 22 a 14.

En la reunión del 5 de febrero en que se aprobó el Memorandum de Acción Nacional Nº 220, se expresó que se realizaban acciones sobre la

[14] Ibid., pp. 681-687.

[15] Ibid., p. 693.

[16] Michael Krinsky and David Golove: *United States Economic Measures Against Cuba Proceedings in the United Nations and International Law Issues.* Aletheia Press, Northamptom, Massachusets, 1993, pp. 112-113.

Asociación Internacional de Estibadores para lograr el respaldo de los sindicatos asociados, y en general del movimiento sindical con estas medidas anticubanas.[17]

En la evaluación realizada el 14 de febrero de 1963 por el Consejo Nacional de Seguridad acerca de Cuba, se afirmaba que ésta se encontraba "sustancialmente aislada del «Mundo Libre»", lo cual estaba materializado en su aspecto económico con el descenso precipitado de las transportaciones provenientes de esos países en los meses recientes, lo cual se redujo en esos momentos a la mitad de la que existía en la etapa previa a la Crisis de Octubre, manifestándose una declinación significativa en el comercio en los últimos años. Los servicios aéreos también estaban muy limitados, y sólo México y España permitían viajes de sus líneas a Cuba. Se señalaba que ese aislamiento no era accidental, sino que había sido logrado activamente mediante medidas unilaterales norteamericanas (restricciones a los embarques); bilaterales (sobre las representaciones de "ciertos países" que comerciaban con Cuba); así como multilaterales (ejemplificándolo con las medidas en la OEA).

A pesar de lo anterior, y tomando en cuenta que los niveles de importación (los que provenían de los países socialistas) se mantenían en términos similares a los de otros períodos, se concluía que el verdadero reto que tenía Estados Unidos era aislar a Cuba del campo socialista.[18]

En la reunión del Consejo Nacional de Seguridad en que se analizaban las medidas norteamericanas hacia América Latina, el presidente Kennedy se interesó en conocer el estado de las medidas de aislamiento de Cuba, citando, en lo referido a la guerra económica, las medidas para evitar el comercio de los países aliados, y las que se habían adoptado sobre las embarcaciones que trasladaban cargas a Cuba, evidenciándose que era necesario puntualizar al respecto con Gran Bretaña, y que se habían realizado presiones sobre los países de la OTAN en fecha reciente. Asimismo se involucraría a la OEA en las futuras acciones que se realizasen sobre Cuba. Para concluir, el Presidente exigió continuar presionando sobre Cuba, dentro de las medidas económicas, en lo referido a su comercio exterior y las transportaciones, todo ello para incrementar su aislamiento.[19]

En marzo de 1963, en respuesta a ello, se perfeccionaron las medidas en el Departamento de Comercio, en estrecha relación con el De-

[17] Department of State: ob. cit., volume XI, 1996, p. 692.

[18] Ibid., pp. 699-700. Esto explica los intentos de conversaciones con los dirigentes cubanos, como se verá más adelante, para intentar lograr ese aislamiento.

[19] Ibid., pp. 713-718.

partamento de Estado, la CIA y otros órganos, para perseguir el comercio que con Cuba se realizase desde terceros países.

Refiriéndose a esto, Fabián Escalante expresó:

> No se trataba de abandonar las presiones de todo tipo sino, al contrario, de combinarlas. El bloqueo económico, informativo, cultural y político se incrementaría. Durante los primeros meses de 1963 se creó en el Departamento del Tesoro una policía especial para tales fines, conocida como "detectives globales", que tenían como misión recorrer todas las capitales de los países que comerciaban con Cuba, para presionar a gobiernos, empresarios e, incluso, informar a los operativos de la CIA de las cargas almacenadas en puertos con destino a la Isla, para que éstos las sabotearan.[20]

La gestación de las nuevas medidas subversivas contra la economía por parte del Comité Cottrell

El 1º de abril de 1963, en la reunión del Comité de Coordinación de Asuntos Cubanos (Comité Cottrell), con la participación de los más altos funcionarios del Departamento de Defensa y la CIA (Richard Helms y Desmond FitzGerald) y representantes del Departamento de Estado, para discutir las acciones subversivas que se planificaban contra Cuba, se discutieron las acciones subversivas las que se trasladaron para conocimiento del presidente Kennedy mediante un memorandum dirigido al Ayudante Especial para Asuntos de Seguridad Nacional, McGeorge Bundy. En documentos posteriores se aclara que esas propuestas debían valorarse y aprobarse o desestimarse en la reunión del Grupo Especial (5412) del 4 de abril.

De ellas, las que se referían a la guerra económica eran:

1. "Operación Aerostato" sobre La Habana, que trasladara y arrojara sobre la ciudad alrededor de medio millón de volantes, contentivos, entre otros aspectos propagandísticos, de caricaturas ilustrando técnicas de sabotaje.
2. Sabotaje a 19 embarcaciones cubanas, discutiéndose tres modalidades diferentes: minas en el casco de las embarcaciones, incendios en las cargas, y la introducción de sustancias abrasivas en las maquinarias.

[20] Fabián Escalante Font: ob. cit., p. 117.

A pesar de que se consideraba que la utilización de las minas podían hacer crecer "dramáticamente" la moral de los anticastristas, el Comité no lo respaldó porque podría argumentarse que la acción se había producido por un submarino, descartándose el hundimiento de buques por estas causas. La gravedad de los hechos que se discutieron aquí se evidencia en que parte de los razonamientos expuestos no fueron desclasificados. Entonces se acordó que los sabotajes que se propondrían al Grupo Especial serían mediante el empleo de sustancias incendiarias que pudieran regularse para que surtieran efecto en aguas internacionales, así como sustancias abrasivas en la maquinaria. En la reunión se señaló que esas acciones podían realizarse a través de cubanos reclutados por la CIA, o mediante los contactos con la organización terrorista anticubana Directorio Revolucionario Estudiantil (DRE), lo que evidenciaba el cercano conocimiento y monitoreo gubernamental norteamericano con respecto a sus actividades.

3. Redireccionar las acciones terroristas de los grupos de exiliados contrarrevolucionarios, manteniéndolas bajo control. Esto trajo consigo la nueva definición de supuestas "operaciones autónomas".

En los comentarios a estas propuestas, el Comité consideró la conveniencia de continuar profundizando en la utilización de las medidas encubiertas, y en una cuidadosa evaluación de costos-beneficios en aquellos que afectasen objetivos soviéticos, trasladando el sentimiento de que los riesgos no eran tan grandes como parecían.

Se abogaba por una activa utilización de las medidas encubiertas, entre ellos un buen programa de sabotajes como una de las mejores herramientas para dañar la economía cubana.[21]

En una nueva reunión del Comité Cottrell del 3 de abril de 1963 acerca de las acciones encubiertas contra Cuba, el Director de Planes de la CIA, Desmond FitzGerald abogó porque se reconsiderara la conveniencia de incluir la utilización de minas para sabotear los buques cubanos, desestimada en la reunión del día anterior, exponiendo que en una reunión que había tenido en esa mañana con el presidente Kennedy éste transmitió su opinión de que era conveniente elevar el "nivel de ruido" del programa de sabotajes por "propósitos morales", desestimando que esas minas pudiesen provocar el hundimiento de los buques. Se acordó no incluir ese aspecto en la propuesta de aspectos que se discutirían en la reunión del Grupo Especial del día siguiente, sino dentro de otra pro-

[21] Department of State: ob. cit., volume XI, 1996, pp. 748-750.

a, Honduras y Panamá habían establecido decretos
barcos de todo comercio con Cuba. Alemania Occi-
ió a barcos bajo su registro participar en el comercio
socialistas y Cuba. Grecia adoptaba igualmente mediano había ofrecido su cooperación y reformularía sus
timas en tres meses. Repetidos encuentros con las autori-
tánicas aún no habían surtido efecto, ya que ellas no ha-
contrado aún basamento legal para retirar sus embarcacio-
comercio con Cuba, aunque realizaban encuentros informales
s armadores con ese fin.
lograr tal efecto había sido muy útil la Sección 107(b) de la
de Ayuda Exterior de 1963 (Public Law 87-874; 76 Stat 1163-
70), que en esencia prohibía la asistencia económica norteameri-
ana a todo país que permitiera que embarcaciones bajo su bandera
rasladaran artículos de asistencia económica para Cuba. Se expresaba también que los propietarios de embarcaciones y agentes de
transportaciones temían que la Asociación Internacional de Estibadores no descargasen sus cargas en puertos norteamericanos si sus
buques participaban en el comercio con Cuba.

— Como resultado de todo ello, las embarcaciones (exceptuando el campo socialista) que visitaban puertos cubanos se habían reducido de 337 en los primeros tres meses de 1962 a 62 en igual período de 1963 (12 en enero, 22 en febrero, 28 en marzo). Con respecto a estas últimas cifras, los niveles de importación se mantuvieron semejantes en esos tres primeros meses, obedeciendo el incremento a buques que iban a retirar azúcar.
— De las 78 embarcaciones que habían tocado puerto cubano hasta el 17 de abril de 1963 (nota: hasta el día anterior a la elaboración de ese informe, lo que muestra el nivel del abastecimiento informativo de inteligencia sobre estos aspectos), 32 eran de bandera inglesa, 20 griega, 6 bajo la noruega y libanesa, respectivamente; 4 bajo la italiana y yugoslava; 2 bajo la española; uno bajo la de Alemania Occidental, Japón, Dinamarca y Marruecos, respectivamente.
— Se señalaba los serios problemas que traía para Estados Unidos la aplicación estricta de la Sección 107(b) señalada, en los términos de qué significaba "permitir" así como "asistencia económica", de donde podía derivarse incluso la necesidad de cortar la asistencia a posesiones británicas como Kenya o Guinea Británica, o a Grecia. Se esperaba que expiraran los fletamentos que posibilitaban el acceso a puerto cubano de la mayoría o totalidad de buques que nave-

puesta de actos importantes de sabotajes que debía hacerse llegar al Presidente en la próxima semana.[22]

El 9 de abril de 1963, el Asistente Especial, Joe Califano, envía un memorandum al Secretario Vance, trasladando la decisión presidencial sobre los aspectos sometidos a consideración del Grupo Especial por el Comité Cottrell:

— El presidente Kennedy aprobó el sabotaje de las cargas en buques cubanos (el sabotaje propuesto a las cargas era mediante mecanismos incendiarios, lo que evidentemente fue aprobado de esta forma) y la inutilización de sus motores a través de sustancias abrasivas.
— Rechazó la propuesta de utilización del aerostato con finalidades propagandísticas.

En esta reunión del Grupo Especial se aprobó el uso de instalaciones y personal del Departamento de Defensa para el entrenamiento de agentes de la CIA que debían operar dentro de Cuba.[23]

El 10 de abril de 1963, en la reunión del Comité de Coordinación Interdepartamental sobre asuntos cubanos para discutir las propuestas de acciones encubiertas contra Cuba que se valorarían en la reunión del siguiente día del Grupo Especial, se presentó la propuesta de operaciones de inteligencia que se realizarían y los sabotajes a tres objetivos económicos importantes (un puente ferroviario, medios de transporte de reservas petroleras y una embarcación de transporte de melaza). Sobre estos últimos, se expresó que debía cumplirse el deseo del presidente Kennedy de elevar el nivel de ruido y realizar acciones con rapidez, aunque no eran todo lo significativo que se deseaba, pero algunos más dañinos demorarían un mayor tiempo en su planificación y ejecución. Ninguno debía realizarse antes del 22 de abril, para no afectar las negociaciones que se realizaban por James Donovan para el canje de los invasores por Playa Girón.

Se profundizó con respecto a la conveniencia o no del minado de embarcaciones cubanas, y para evitar dificultades con terceros países, se precisó que su realización debía tener en cuenta el país de que se tratara. FitzGerald expresó las limitaciones existentes para hacerlo en el puerto de La Habana, y en general para realizar sabotajes en Cuba con agentes cubanos. No se desclasificó en este documento lo que él comentó como "el más importante objetivo que podía sabotearse", lo que da-

22 Ibid., pp. 750-751.
23 Ibid., pp. 754-755.

ñaría seriamente a Cuba, pero que por su grado de complejidad podía demorar ocho meses en llevarse a cabo, urgiendo a iniciar los planes para ello.

El planteamiento de Desmond FitzGerald puede referirse al sabotaje planificado por la CIA a la refinería "Ñico López", la más importante del país, donde contaban con un agente, reclutado en Estados Unidos en el segundo semestre de 1961 mientras culminaba sus estudios de ingeniería en la Universidad de Louisiana, y que luego de su regreso a Cuba como repatriado en 1962, había sido ubicado en aquella industria como jefe del Departamento de Mantenimiento. En el capítulo siguiente ampliaremos acerca de las indicaciones enviadas a este agente para destruir la refinería.

Con respecto a ataques desde el exterior, se puntualizó que los mismos debían aprobarse de forma individual cada uno de ellos, lo que seguramente se hacía debido a la gran repercusión que habían tenido los ataques contra embarcaciones soviéticas que se habían realizado poco antes.

Esta reunión concluyó con un razonamiento del Jefe de la Dirección de Planes de la CIA en el sentido de que él percibía que el presidente Kennedy quería más acciones, y que se encontraban trabajando en un plan en ese sentido, pero que debían comenzar con algunos sabotajes menos complejos porque requerían menos preparación, y que posteriormente podrían presentar objetivos más importantes.[24]

El 11 de abril de 1963, en la reunión del Grupo Especial encargado de la aprobación de las operaciones encubiertas, con la participación del Asesor Especial del Presidente, McGeorge Bundy, del Director de la CIA, McCone, el Jefe de la Dirección de Planes de la CIA, Desmond FitzGerald, y otros altos funcionarios, se presentaron por el Comité de Coordinación Interdepartamental sobre asuntos cubanos tres documentos contentivos de acciones que debían ser realizadas contra Cuba, los cuales fueron discutidos el día anterior en la reunión del Comité Cottrell de Coordinación de Asuntos Cubanos.

Uno de esos documentos proponía la realización de los tres sabotajes contra objetivos económicos, que se realizarían entre el 15 de abril y el 15 de mayo. El otro documento, más general, se titulaba *Un programa de sabotajes y hostigamientos contra Cuba.* El tercer documento, por su grado de sensibilidad, se indicó en la propia reunión que se destruyera para que no quedara evidencia sobre el mismo.

En la reunión se ofreció por Desmond FitzGerald un informe sobre los resultados recientes del programa de infiltración de agentes en Cuba

[24] Ibid., pp. 761-762.

y su comportamiento en los mese…
Grupo.

Según el acta descla… valoración acerca de la c… fuesen propuestos a ese grup… y específicos perseguidos por la … tentes para ejecutarlos; posibilida… los peligros derivados de su repercu… puesta del gobierno cubano.

Se reconoció que se encontraban en … acciones que debían ser realizadas por los … rios en el exilio, toda vez que dada la posició… tomar públicamente después de los ataques a los … drían muchas dificultades para una negación plausi… ponsabilidad gubernamental en esos hechos, o daría… inefectividad en su control.

Con los elementos expuestos en esta reunión del Gru… se elaboraría un documento por la CIA y el Departamento de … se presentaría para su aprobación al presidente Kennedy el 19 … Este documento debía tener un amplio programa de sabotajes y … plos de operaciones específicas; las acciones que se realizarían y … beneficios esperados; los resultados que podían obtenerse con los recursos internos disponibles; sus posibles repercusiones; así como la forma en que esos sabotajes se ajustaban a la política general hacia Cuba.[25]

El 15 de abril de 1963, en la reunión del Director de la CIA, John McCone, con el presidente Kennedy, abordaron los aspectos referidos a los sabotajes en Cuba. Se habló acerca de las dificultades que se les presentaba en los sabotajes de las organizaciones del exilio, discutiéndose si podían ofrecerse como ejecutados desde el interior del país, aunque los mismos se habían concebido inicialmente desde el mar. El director de la CIA expresó que estaba pensando en esos asuntos como parte de un programa integral para destruir a la Revolución.[26]

El 17 de abril de 1963, en un memorandum del Secretario de Estado, Dean Rusk, al presidente Kennedy, se ofrece una pormenorizada evaluación de los resultados obtenidos en las presiones sobre terceros países para limitar las transportaciones marítimas a Cuba. Los aspectos de mayor interés expuestos fueron:

[25] Ibid., pp. 757-758.
[26] Ibid., pp. 763-764.

gaban bajo bandera griega; uno italiano, y los que lo hacían bajo bandera italiana, japonesa, de Dinamarca y Alemania Occidental, por lo que el principal remanente eran los 32 buques ingleses y los 6 buques noruegos.

— La única medida pública que podían adoptar era la extensión de las disposiciones del Memoramdun de Acción Nacional Nº 220 del 5 de febrero para los dueños de esas embarcaciones, que traería problemas de no mucha gravedad en las relaciones con Marruecos, Yugoslavia y Polonia, pero que podría provocar un favorable efecto psicológico interno e internacional, por lo que se habían dado las instrucciones a la Administración Marítima para que precisase las medidas que se aplicarían y sus efectos, con respecto a los cuales, estudios preliminares indicaban que eran mínimos.

— A sugerencia del Director de la CIA, no era recomendable adoptar otras medidas públicas en la etapa en que se encontraban las negociaciones del abogado James Donovan con las autoridades cubanas para el canje de los prisioneros por el ataque a Playa Girón.

— Las recomendaciones que se hacían eran continuar presionando a las autoridades británicas, noruegas, italianas y españolas para la reducción de las visitas de barcos bajo su pabellón a puertos cubanos; preparar la documentación para hacer más restrictivas las medidas del Memorandum Nº 220 y dar un "período de gracia" de 45 días para eliminar ese comercio; así como presionar a norteamericanos dueños o en control de compañías petroleras para que se abstuviesen del suministro de petróleo a Cuba, lo que aún subsistía en algunos puertos centroamericanos.[27]

La *Propuesta de nueva política encubierta y programa hacia Cuba*

El 18 de abril de 1963 se presentó al Grupo Especial por el Comité de Coordinación Interdepartamental sobre asuntos cubanos (Comité Cottrell) el documento que se había encargado por el propio grupo al Departamento de Estado y la CIA como resultado de las discusiones sostenidas el día 11 acerca de las operaciones encubiertas que se realizarían contra Cuba.

[27] Ibid., pp. 766-769.

Titulado *Propuesta de nueva política encubierta y programa hacia Cuba,* el mismo contenía seis lineamientos para las acciones, tres de los cuales se referían de forma directa a temas de la guerra económica: actividad propagandística para estimular la resistencia pasiva y la ejecución de sabotajes de bajo nivel por la población; la colocación de medios incendiarios o explosivos en los cascos o en la carga de embarcaciones cubanas para dañarlas o hundirlas en alta mar; así como introducir materiales abrasivos u otros que dañaran los mecanismos de propulsión, comunicación u otros que inactivaran las embarcaciones. Otro lineamiento, el de la intensificación del espionaje, también afectaba con fuerza los aspectos de la economía cubana y los efectos sobre ella del bloqueo y otras acciones económicas.

Según el documento, Estados Unidos consideraba que la eliminación de la Revolución correspondía a los propios cubanos, pero no podían abstenerse de realizar acciones subversivas que evitasen su consolidación, así como debían de ofrecer asistencia a quienes en el país trabajasen en esa dirección, a pesar de que si fuesen capturados revelasen tal apoyo, cuya repercusión no sería de consideración.

Ampliando acerca de las acciones que se debían realizar, en el documento se puntualizaban los siguientes aspectos:

1. Colocar cargas explosivas con mecanismos de tiempo en los cascos de embarcaciones fondeadas en puertos cubanos o extranjeros. Dispondrían de grupos de demolición sub-acuática para el mes de junio y podrían realizar ataques a partir de julio, con una planificación mensual. Se suponía que estas medidas incrementarían la tirantez en el transporte marítimo cubano y desmoralizaría a sus tripulaciones. La reacción soviética sería propagandística y de mociones en la ONU. Represalias similares u otras reacciones de fuerza se consideraban improbables.
2. Ataques de lanchas artilladas contra embarcaciones cubanas en las aguas jurisdiccionales del país, en los puertos o cayos adyacentes. Se consideraba que estas acciones marítimas podían ser realizadas por fuerzas paramilitares cubanas de la emigración, con entrenamiento para ello, desde embarcaciones con fusiles y cañones de 20 mm. El primer ataque de embarcaciones que estuviesen navegando, podía realizarse en el mes de mayo, y continuaría en los meses subsiguientes. El primer ataque a las que estuviesen atracadas en los muelles, sería en el mes de junio.

Estas acciones desorganizarían el transporte de cabotaje. Estados Unidos sería culpado, y podían realizarse medidas cubanas de represalia. La URSS también culparía a Estados Unidos, aunque eran improbables medidas suyas de respuesta fuera de Cuba, y posiblemente ofreciera medios a Cuba para repeler este tipo de agresión.

3. Acciones por fuerzas provenientes desde el exterior contra objetivos terrestres tales como tanques de melaza, carros tanque petroleros, bases de combustible, refinerías y plantas eléctricas.
   Estas operaciones debían ser realizadas por grupos comandos entrenados. El primer ataque podía realizarse en el propio mes de abril, y continuar realizándose mensualmente. Se preveía que sus resultados incrementarían la moral del exilio, así como la desorganización de la economía. Estados Unidos podía ser culpado de patrocinarlos. También podía derivarse el incremento de las fuerzas de seguridad y protección cubanas. La reacción soviética podía ser propagandística y de mociones políticas, así como el apoyo al patrullaje cubano.
4. Respaldar a la contrarrevolución interna, abasteciéndola materialmente y asesorándola, poniéndola en capacidad de realizar sabotajes diversos y operaciones de hostigamiento.
   El abastecimiento de medios para estas acciones las introducirían en el país a través de infiltraciones marítimas o por el canal diplomático, o enmascaradas por el canal postal; también podían utilizarse medios obtenidos en el país, ofreciendo en esos casos las instrucciones. Los primeros sabotajes podían realizarse en 30 días, esperándose que este programa produjera los mayores daños y elevase la moral. Dentro de las repercusiones, se preveía el incremento de las medidas de seguridad, y la reacción soviética propagandística y de suministros.

En nota anexa se decía que el documento incluía planes de sabotaje que ya habían sido aprobados previamente, y otros nuevos. Que por sí solos no provocarían la destrucción de la Revolución, pero afectarían la consolidación de la Revolución y contribuirían en su desestabilización. Se esperaba que las acciones podían alcanzar un estadio superior en un término de seis meses.

Nada más revelador y comprometedor que el párrafo final: "Una fuente adicional de agentes será el personal cubano que se entrena por el Ejército de Estados Unidos conforme a los programas recientes, una vez liberados a la categoría de civiles."[28]

[28] Ibid., pp. 769-772.

Este documento se discutió en reunión del Grupo Especial del 25 de abril, en que se concluyó:

1. No presentar objeciones a la utilización de las minas, que debían mejorarse técnicamente, contra las embarcaciones cubanas.
2. No les resultaba particularmente atractivos los ataques desde lanchas contra embarcaciones, en navegación o en puerto.
3. Los ataques comando contra objetivos terrestres parecían dignos de atención, y podían realizarse en mayo, previa autorización del más alto nivel (el presidente Kennedy). Refinerías y plantas eléctricas eran particularmente buenos objetivos. Operaciones de este tipo eran particularmente valiosas, sobre todo, si se hacían conjuntamente con otras actividades de resistencia.

En la reunión del Grupo Especial (recién reorganizado como parte de las estructuras de gobierno) se discutió un documento elaborado por McGeorge Bundy, el Asistente Especial del presidente Kennedy, titulado *Un esquema de alternativas sobre Cuba,* en que se desarrollaban diferentes variantes para la destrucción de la Revolución. Dentro de las siete tareas que de esa discusión se derivaron, la cuarta era: "Medidas para desorganizar la economía de Cuba."[29]

El 30 de abril de 1963, para la reunión del Grupo Permanente del Consejo Nacional de Seguridad en esta fecha, se distribuyó la agenda por el Asistente Especial de Seguridad Nacional del Presidente, McGeorge Bundy, cuyo segundo punto se titulaba *Programas que podrían iniciarse con objetivos inmediatos o de largo plazo*.

El segundo de sus epígrafes se refería al recrudecimiento de las acciones económicas, entre ellas la ejecución de sabotajes en mucha más larga escala que lo que se había hecho hasta entonces. Se expresaba que resultaban de gran interés para el Presidente "las estratagemas que pudieran sugerirse". Según nota al pie, después de este párrafo, McGeorge Bundy escribió las palabras "azúcar, petróleo, aceites, lubricantes, dinero".[30]

Para la reunión la CIA preparó un documento sobre las posibles formas de interferencia efectiva en la vida económica de Cuba mediante sabotajes y otros medios. Se estaba prestando atención especial a los problemas con el petróleo, y el primer reporte de un estudio al respecto estaría disponible la próxima semana.

29 Ibid., pp. 780-782.
30 Ibid., pp. 794-795.

y su comportamiento en los meses siguientes, lo que fue aprobado por el Grupo.

Según el acta desclasificada, en esta reunión se realizó una larga valoración acerca de la claridad con que se requería que los sabotajes fuesen propuestos a ese grupo, que debía señalar los objetivos generales y específicos perseguidos por la CIA en su realización; capacidades existentes para ejecutarlos; posibilidades de éxito; beneficios esperados y los peligros derivados de su repercusión, y probables medidas de respuesta del gobierno cubano.

Se reconoció que se encontraban en un dilema con respecto a las acciones que debían ser realizadas por los grupos contrarrevolucionarios en el exilio, toda vez que dada la posición que habían tenido que tomar públicamente después de los ataques a los buques soviéticos, tendrían muchas dificultades para una negación plausible acerca de la responsabilidad gubernamental en esos hechos, o darían una muestra de inefectividad en su control.

Con los elementos expuestos en esta reunión del Grupo Especial, se elaboraría un documento por la CIA y el Departamento de Estado que se presentaría para su aprobación al presidente Kennedy el 19 de abril. Este documento debía tener un amplio programa de sabotajes y ejemplos de operaciones específicas; las acciones que se realizarían y los beneficios esperados; los resultados que podían obtenerse con los recursos internos disponibles; sus posibles repercusiones; así como la forma en que esos sabotajes se ajustaban a la política general hacia Cuba.[25]

El 15 de abril de 1963, en la reunión del Director de la CIA, John McCone, con el presidente Kennedy, abordaron los aspectos referidos a los sabotajes en Cuba. Se habló acerca de las dificultades que se les presentaba en los sabotajes de las organizaciones del exilio, discutiéndose si podían ofrecerse como ejecutados desde el interior del país, aunque los mismos se habían concebido inicialmente desde el mar. El director de la CIA expresó que estaba pensando en esos asuntos como parte de un programa integral para destruir a la Revolución.[26]

El 17 de abril de 1963, en un memorandum del Secretario de Estado, Dean Rusk, al presidente Kennedy, se ofrece una pormenorizada evaluación de los resultados obtenidos en las presiones sobre terceros países para limitar las transportaciones marítimas a Cuba. Los aspectos de mayor interés expuestos fueron:

[25] Ibid., pp. 757-758.
[26] Ibid., pp. 763-764.

— Liberia, Turquía, Honduras y Panamá habían establecido decretos quitando a sus barcos de todo comercio con Cuba. Alemania Occidental prohibió a barcos bajo su registro participar en el comercio entre países socialistas y Cuba. Grecia adoptaba igualmente medidas. El Líbano había ofrecido su cooperación y reformularía sus leyes marítimas en tres meses. Repetidos encuentros con las autoridades británicas aún no habían surtido efecto, ya que ellas no habían encontrado aún basamento legal para retirar sus embarcaciones del comercio con Cuba, aunque realizaban encuentros informales con los armadores con ese fin.

— Para lograr tal efecto había sido muy útil la Sección 107(b) de la Ley de Ayuda Exterior de 1963 (Public Law 87-874; 76 Stat 1163-1170), que en esencia prohibía la asistencia económica norteamericana a todo país que permitiera que embarcaciones bajo su bandera trasladaran artículos de asistencia económica para Cuba. Se expresaba también que los propietarios de embarcaciones y agentes de transportaciones temían que la Asociación Internacional de Estibadores no descargasen sus cargas en puertos norteamericanos si sus buques participaban en el comercio con Cuba.

— Como resultado de todo ello, las embarcaciones (exceptuando el campo socialista) que visitaban puertos cubanos se habían reducido de 337 en los primeros tres meses de 1962 a 62 en igual período de 1963 (12 en enero, 22 en febrero, 28 en marzo). Con respecto a estas últimas cifras, los niveles de importación se mantuvieron semejantes en esos tres primeros meses, obedeciendo el incremento a buques que iban a retirar azúcar.

— De las 78 embarcaciones que habían tocado puerto cubano hasta el 17 de abril de 1963 (nota: hasta el día anterior a la elaboración de ese informe, lo que muestra el nivel del abastecimiento informativo de inteligencia sobre estos aspectos), 32 eran de bandera inglesa, 20 griega, 6 bajo la noruega y libanesa, respectivamente; 4 bajo la italiana y yugoslava; 2 bajo la española; uno bajo la de Alemania Occidental, Japón, Dinamarca y Marruecos, respectivamente.

— Se señalaba los serios problemas que traía para Estados Unidos la aplicación estricta de la Sección 107(b) señalada, en los términos de qué significaba "permitir" así como "asistencia económica", de donde podía derivarse incluso la necesidad de cortar la asistencia a posesiones británicas como Kenya o Guinea Británica, o a Grecia. Se esperaba que expiraran los fletamentos que posibilitaban el acceso a puerto cubano de la mayoría o totalidad de buques que nave-

ñaría seriamente a Cuba, pero que por su grado de complejidad podía demorar ocho meses en llevarse a cabo, urgiendo a iniciar los planes para ello.

El planteamiento de Desmond FitzGerald puede referirse al sabotaje planificado por la CIA a la refinería "Ñico López", la más importante del país, donde contaban con un agente, reclutado en Estados Unidos en el segundo semestre de 1961 mientras culminaba sus estudios de ingeniería en la Universidad de Louisiana, y que luego de su regreso a Cuba como repatriado en 1962, había sido ubicado en aquella industria como jefe del Departamento de Mantenimiento. En el capítulo siguiente ampliaremos acerca de las indicaciones enviadas a este agente para destruir la refinería.

Con respecto a ataques desde el exterior, se puntualizó que los mismos debían aprobarse de forma individual cada uno de ellos, lo que seguramente se hacía debido a la gran repercusión que habían tenido los ataques contra embarcaciones soviéticas que se habían realizado poco antes.

Esta reunión concluyó con un razonamiento del Jefe de la Dirección de Planes de la CIA en el sentido de que él percibía que el presidente Kennedy quería más acciones, y que se encontraban trabajando en un plan en ese sentido, pero que debían comenzar con algunos sabotajes menos complejos porque requerían menos preparación, y que posteriormente podrían presentar objetivos más importantes.[24]

El 11 de abril de 1963, en la reunión del Grupo Especial encargado de la aprobación de las operaciones encubiertas, con la participación del Asesor Especial del Presidente, McGeorge Bundy, del Director de la CIA, McCone, el Jefe de la Dirección de Planes de la CIA, Desmond FitzGerald, y otros altos funcionarios, se presentaron por el Comité de Coordinación Interdepartamental sobre asuntos cubanos tres documentos contentivos de acciones que debían ser realizadas contra Cuba, los cuales fueron discutidos el día anterior en la reunión del Comité Cottrell de Coordinación de Asuntos Cubanos.

Uno de esos documentos proponía la realización de los tres sabotajes contra objetivos económicos, que se realizarían entre el 15 de abril y el 15 de mayo. El otro documento, más general, se titulaba *Un programa de sabotajes y hostigamientos contra Cuba.* El tercer documento, por su grado de sensibilidad, se indicó en la propia reunión que se destruyera para que no quedara evidencia sobre el mismo.

En la reunión se ofreció por Desmond FitzGerald un informe sobre los resultados recientes del programa de infiltración de agentes en Cuba

[24] Ibid., pp. 761-762.

puesta de actos importantes de sabotajes que debía hacerse llegar al Presidente en la próxima semana.[22]

El 9 de abril de 1963, el Asistente Especial, Joe Califano, envía un memorandum al Secretario Vance, trasladando la decisión presidencial sobre los aspectos sometidos a consideración del Grupo Especial por el Comité Cottrell:

— El presidente Kennedy aprobó el sabotaje de las cargas en buques cubanos (el sabotaje propuesto a las cargas era mediante mecanismos incendiarios, lo que evidentemente fue aprobado de esta forma) y la inutilización de sus motores a través de sustancias abrasivas.
— Rechazó la propuesta de utilización del aerostato con finalidades propagandísticas.

En esta reunión del Grupo Especial se aprobó el uso de instalaciones y personal del Departamento de Defensa para el entrenamiento de agentes de la CIA que debían operar dentro de Cuba.[23]

El 10 de abril de 1963, en la reunión del Comité de Coordinación Interdepartamental sobre asuntos cubanos para discutir las propuestas de acciones encubiertas contra Cuba que se valorarían en la reunión del siguiente día del Grupo Especial, se presentó la propuesta de operaciones de inteligencia que se realizarían y los sabotajes a tres objetivos económicos importantes (un puente ferroviario, medios de transporte de reservas petroleras y una embarcación de transporte de melaza). Sobre estos últimos, se expresó que debía cumplirse el deseo del presidente Kennedy de elevar el nivel de ruido y realizar acciones con rapidez, aunque no eran todo lo significativo que se deseaba, pero algunos más dañinos demorarían un mayor tiempo en su planificación y ejecución. Ninguno debía realizarse antes del 22 de abril, para no afectar las negociaciones que se realizaban por James Donovan para el canje de los invasores por Playa Girón.

Se profundizó con respecto a la conveniencia o no del minado de embarcaciones cubanas, y para evitar dificultades con terceros países, se precisó que su realización debía tener en cuenta el país de que se tratara. FitzGerald expresó las limitaciones existentes para hacerlo en el puerto de La Habana, y en general para realizar sabotajes en Cuba con agentes cubanos. No se desclasificó en este documento lo que él comentó como "el más importante objetivo que podía sabotearse", lo que da-

22 Ibid., pp. 750-751.
23 Ibid., pp. 754-755.

La aprobación de la *Propuesta de Política Encubierta y Programa Integrado de Acción hacia Cuba*

El 8 de junio de 1963 el documento *Propuesta de Política Encubierta y Programa Integrado de Acción hacia Cuba,* fue presentado por la CIA al Grupo Especial del Consejo Nacional de Seguridad,[31] y fue aprobado por el presidente Kennedy en la reunión del Consejo Nacional de Seguridad del 19 de junio.[32]

Constaba de tres puntos y un anexo particularizando en los sabotajes.

En el primero de los puntos se expresaba que ésa era la propuesta de acciones encubiertas que la CIA tenía capacidades para llevar a vías de hecho, algunas de las cuales ya habían sido aprobadas previamente.

Se enfatizaba en la estrecha relación entre las seis medidas que se proponían, cuyo impacto se acrecentaría al realizarse combinadamente, citando como ejemplo que los resultados del espionaje debían permitir planificar las medidas de obstaculización en la economía ("economic denial") y precisar objetivos de los sabotajes; que solamente después que los efectos de las medidas económicas y de los sabotajes fuesen "profundamente sentidos" por la población y "grupos élites", habría esperanzas de convertir la desafección en las fuerzas armadas y otros centros de poder en una militante acción contra el régimen, en la que las organizaciones del exilio controladas por la CIA u otras autónomas, asumirían su papel; así como que esa interrelación posibilitaría el incremento en el volumen y la calidad de la información de inteligencia que se obtuviera.

La política que se proponía era presionar al máximo con todos los medios disponibles excepto la fuerza militar, con vistas a prevenir la pacificación de la población y la consolidación del régimen "castrocomunista", y que el objetivo final de la *Propuesta* era la estimulación de la disidencia dentro de los militares y otros centros de poder capaces de acabar con la Revolución.

Se expresaba que si no se actuaba, el régimen ganaría eficiencia administrativa; los Órganos de Seguridad, experiencia, y el perfeccionamiento de los aparatos partidista y gubernamental implicaría tener que aceptar hasta un futuro indefinido la presencia de un régimen comunista en Cuba.

En el segundo de los puntos se ampliaba con respecto a las seis medidas propuestas, siendo éstas: 1) la recolección encubierta de inteli-

[31] Ibid., pp. 828-834.
[32] Ibid., pp. 837-838.

gencia (espionaje), tanto para requerimientos estratégicos como operacionales; 2) las acciones de propaganda para estimular la realización de sabotajes simples de bajo riesgo y otras formas de resistencia activa y pasiva; 3) la explotación y estimulación de la desafección entre los militares y otros centros de poder; 4) las acciones de obstaculizaciones en la economía sobre una base incrementada; 5) los sabotajes y hostigamientos generalizados; y 6) el apoyo de grupos contrarrevolucionarios "autónomos" como complemento y asistencia a los cursos de acción expuestos.

Sobre *la recolección encubierta de inteligencia (espionaje),* se expresaba que debía continuar siendo una de las principales misiones de la CIA; y sin afectar los esfuerzos de inteligencia estratégica, el énfasis debía darse en el incremento del volumen y calidad de las necesidades de información para el planeamiento y montaje de las operaciones incluidas en el programa, en particular, sobre las defecciones del régimen y medidas de penetración; *así como aquellas relacionadas con las obstaculizaciones en la economía y acciones de sabotaje contra sus sectores vulnerables.*

Con respecto a la propaganda, su nombre completo de *acciones de propaganda para estimular sabotajes simples de bajo riesgo y otras formas activas y pasivas de resistencia* evidencia el papel que se le confería como parte de la guerra económica. Se expresaba que debía también estimular y exacerbar tensiones dentro del régimen, y entre Cuba y el campo socialista, resaltando las diferencias chino-soviéticas, todo ello calculado para crear una atmósfera psicológica que facilitaría la consumación de otros cursos de acción del programa.

Sobre *las acciones de obstaculización en la economía,* se expresaba que *las sanciones oficiales norteamericanas abiertas, en conjunción con obstaculizaciones económicas encubiertas, causarían un efecto adverso en la economía cubana, con un máximo impacto si se combinaban con las acciones de sabotaje. Esas acciones serían mejoradas por un comité inter-agencia con autoridad para llamar a la rápida acción de los órganos participantes.*

Con respecto a *los sabotajes y los hostigamientos,* se expresaba que eran tanto un arma económica como un estímulo a la resistencia. Serían un arma económica si complementaban y eran coordinadas con los esfuerzos de obstaculización económica. Se percibía como un estímulo a la resistencia, en la medida que eran un dramático símbolo del incremento del desafío popular a la Revolución.

Todas esas operaciones debían ser realizadas tanto por medios externos, con los que contaban, como internos, los cuales debían ser creados. Los medios externos entrenados y controlados por la CIA, podían ser usados como grupos autónomos del exilio. Inicialmente, el énfasis se haría en los medios externos, y los internos cuando fuese posible.

Los tipos de sabotaje que se consideraban apropiados eran:

1. Sabotajes simples de bajo riesgo, a gran escala, estimulados por la propaganda radial aprobada previamente y ya en ejecución.
2. Sabotaje de embarcaciones cubanas en aguas interacionales, también ya aprobado y en ejecución.
3. Ataques desde el exterior por grupos terroristas sobre objetivos seleccionados, en lo fundamental económicos.
4. Apoyo a elementos de la resistencia interna, suministrándoles materiales y personal que les permitiese realizar acciones de sabotaje y hostigamiento.

Se reconocía que ningún acto simple de sabotaje podía por sí solo afectar la economía, o estimular una resistencia significativa, pero "una bien planeada serie de esfuerzos de sabotajes, adecuadamente ejecutados, podía, tras cierto tiempo, producir el efecto deseado".

Con respecto al *apoyo de grupos contrarrevolucionarios "autónomos" como complemento y asistencia a los cursos de acción expuestos,* se argumentaba que hasta ese momento la CIA había utilizado grupos de agentes totalmente controlados, para prevenir acciones unilaterales e irresponsables de grupos de exiliados, pero que si las acciones de sabotaje y de resistencia se querían lograr en gran escala, era necesario asumir el riesgo de utilizar grupos autónomos que no estaban bajo el control directo de la CIA, pero dichas acciones debían organizarse y realizarse fuera del territorio norteamericano, y el gobierno norteamericano debía estar preparado para negar públicamente todo vínculo con ellos.

En el tercero de los puntos de esta *Propuesta* se ofrecían las recomendaciones, en que se decía que previamente se habían autorizado las acciones.

En el Anexo A del documento que glosamos, se ampliaba acerca de la categoría de objetivos que debían ser tenidos en cuenta en las acciones de sabotaje y hostigamiento, priorizándose aquéllos de generación eléctrica; petróleo, aceites y lubricantes; los transportes; y las instalaciones de producción y procesamiento de manufacturas.

En la *generación eléctrica* se puntualizaba que la interrupción de cualquiera de los componentes de la red eléctrica podía ser efectiva para el daño o destrucción de las instalaciones de generación, o en las críticas sub-estaciones de las redes de distribución, con un significativo efecto tanto económico como social, lo que se acrecentaba teniendo en cuenta que en muchas áreas la electricidad no estaba disponible, o no era adecuada para responder a la demanda de la industria y de la población. Pequeños actos de sabotaje y de hostigamiento como, por ejemplo, el lanzamiento de cadenas hacia líneas de alta tensión para cortarlas, acentuarían el déficit existente, y su efecto acumulativo podría provocar un colapso prolongado en el sistema eléctrico, si a su vez ya existe un déficit de piezas de repuesto o materiales de reemplazo.

Con respecto al *petróleo, los aceites y lubricantes* (PAL), se expresaba que el daño o destrucción de las instalaciones para su producción o almacenamiento podía seriamente afectar todos los aspectos de la economía cubana. La industria eléctrica depende casi enteramente de PAL, al igual que la industria azucarera y el transporte interprovincial. Las instalaciones de producción y almacenamiento son susceptibles de ataques externos con armamento pesado y también por métodos más sutiles de la quinta columna interna, que pueden lograr un apropiado grado de accesibilidad a ellos. La pérdida de instalaciones de refinación puede suplirse con el incremento de los suministros de productos refinados provenientes del Bloque (campo socialista), pero su sustitución requiere un período de reajuste que provocaría una fuerte tirantez en la economía. Una carga adicional para las capacidades de refinación del Bloque se mantendría hasta tanto se restauraran las capacidades dañadas en Cuba.

Sobre las *transportaciones,* el daño o destrucción de las vías férreas y equipos rodantes de transportes o puentes principales puede debilitar las economías regionales, que en un alto grado son dependientes de productos importados. El procesamiento y exportación de la vitalmente importante cosecha azucarera depende también enteramente de las transportaciones. No es que se pueda lograr tal grado de afectación que provoque el colapso de la economía o de la estructura social, pero puede afectar adversamente el nivel de vida y el rendimiento económico, ambos factores importantes para la estabilidad del régimen. Un amplio rango de acciones puede realizarse, desde un primorosamente sofisticado ataque con medios externos o internos contra equipos rodantes, puentes importantes o instalaciones de reparación, hasta simples actos tales como el descarrilamiento de transportes ferroviarios, o arrojar clavos u otros objetos punzantes en las autopistas.

Sobre *las instalaciones de producción y procesamiento de manufacturas,* se enfatizaba que aunque la economía se caracterizaba por la importación de alimentos y la exportación de azúcar, existían otras instalaciones que ofrecían un amplio campo de objetivos cuya afectación debilitaría la economía y alentaría el descontento contra el régimen, encontrándose dentro de ellas: el complejo niquelífero de Nicaro, plantas productoras de cemento, destilerías y una miríada de industrias asociadas con la producción de alimentos, ropas y materiales de construcción. Se señalaba que esos objetivos eran particularmente susceptibles al ataque por medios externos e internos, debido a su gran cantidad y relativa poca importancia estratégica, y por ello poco protegidos.

Se puntualizaba que la selección de los objetivos específicos que se sabotearían, y la determinación de la táctica para su ejecución, debían realizarse atendiendo a:

— La extensión en que el objetivo podía ser físicamente dañado.
— El efecto resultante sobre la economía.
— El costo o esfuerzo requerido para que el campo socialista supliera lo dañado.
— Su efecto psicológico sobre la población.
— Las reacciones adversas que pudiesen anticiparse.
— Las capacidades operacionales y las limitaciones en los medios de la CIA.

El 14 de junio de 1963 se elaboró por la CIA un Estimado Nacional de Inteligencia que servía de marco referencial para la *Propuesta de Política Encubierta* reseñada en el punto anterior.[33]

En reunión en la Casa Blanca el 19 de junio de 1963, el presidente Kennedy aprueba la *Propuesta de Política Encubierta* presentada por la CIA, según la recomendación del Grupo Especial del Consejo Nacional de Seguridad. El Presidente mostró especial interés en las operaciones de sabotaje organizadas externamente, y se le mostraron mapas en que aparecían señalizados objetivos típicos del programa, y las ventajas y desventajas en su ejecución. McGeorge Bundy describió la naturaleza integrada del programa presentado; puntualizándose que sería revisado semanalmente por el Grupo Especial. Kennedy quiso conocer cuán rápido se podía entrar en acción, urgiendo en que se así se hiciese.[34]

[33] Ibid., pp. 834-836.
[34] Ibid., pp. 837-838.

El 20 de junio de 1963, el Buró de Asuntos Interamericanos del Departamento de Estado elaboró un documento titulado *Relaciones Futuras con Castro,* en cuyas conclusiones se expresaba, entre otros aspectos, que un componente esencial de los aspectos económicos era la acción legislativa del Congreso. Lamentablemente, eso se comportó exactamente de esa manera, con fuerza mayor a partir de 1992, treinta años después de tal declaración.

El 22 de junio de 1963 se efectuó una reunión en la oficina del Secretario de Estado, con la participación del Director de la CIA y otros altos funcionarios, para precisar aspectos relacionados con la *Propuesta de Política Encubierta* aprobada por el Presidente. Según nota del Director de la CIA, McCone, su objetivo era presionar al Secretario de Estado, quien aparentemente no veía con buenos ojos los ataques terroristas desde el exterior por la vulnerabilidad en que situaba al Departamento de Estado tal postura.[35]

En julio de 1963 se inició el plan de la CIA, cuya ejecución fue finalmente frustrada, encaminado a sabotear la economía cubana mediante la falsificación de su moneda; que se introduciría al país en grandes cantidades.

Instauración de los rasgos fundamentales del bloqueo. Cierre del ciclo inicial en la sistematización de la guerra económica contra Cuba

El 8 de julio de 1963, el Departamento del Tesoro de Estados Unidos reemplaza las Regulaciones de Importaciones Cubanas con las Regulaciones de Control de Activos Cubanos (31 CFR; 515.101-515.808), tomando como base la Ley de Comercio con el Enemigo de 1917, que trajeron consigo los rasgos fundamentales del bloqueo, entre ellos:

1. Congelamiento de todos los activos cubanos en Estados Unidos.
2. Prohibición de todas las transacciones financieras y comerciales que no estuvieran bajo licencia.
3. Embargo de las importaciones cubanas.
4. Prohibición a cualquier persona de cualquier nacionalidad y lugar, de establecer transacciones no autorizadas con Cuba en dólares estadounidenses.

[35] Ibid., pp. 842-844.

5. Por el artículo 515.533 se incorporaron las Regulaciones sobre Exportaciones del Departamento de Comercio.

En la reunión del Grupo Especial del Consejo Nacional de Seguridad del 9 de julio de 1963, Desmond FitzGerald, Director de Planes de la CIA, pasó revista a las acciones del *Programa Integrado de Acción hacia Cuba* realizadas en las últimas tres semanas, explicando dos que se realizarían con ocasión del 26 de julio. Se discutió acerca de qué decir a la prensa cuando se interesaran en conocer acerca de las acciones de sabotaje y hostigamiento, puntualizándose que debía negarse toda relación con ellas.[36]

Las medidas de bloqueo más importantes a partir de 1963

Aunque son muy conocidas por nuestro pueblo, no es ocioso reseñar brevemente las más importantes medidas de carácter público del bloqueo económico, después de alcanzar éste sus rasgos básicos en 1963.

— En mayo de 1964 se decreta la prohibición total de embarques de alimentos, medicinas y equipos médicos, aunque en la práctica habían dejado de efectuarse con anterioridad a este decreto.
— En la Novena Conferencia de Consulta de la OEA, realizada en Washington el 26 de julio de 1964, se llamó a los gobiernos latinoamericanos para interrumpir todo intercambio comercial directo o indirecto con Cuba.
— El 6 de octubre de 1964, el Departamento de Comercio prohibió que barcos extranjeros llegaran a puertos norteamericanos para abastecerse de combustible si su pretensión era llegar a puertos cubanos o habían estado allí el o después del 1° de enero de 1963.[37]
— En octubre de 1964, el Congreso aprobó el Programa de liquidación de las reclamaciones cubanas, según una ley de 1949 para establecer mecanismos para justificar o certificar las reclamaciones de pérdidas sufridas por ciudadanos norteamericanos en otros países, recepcionando en el período establecido para ello, entre noviembre

[36] Ibid., p. 848.
[37] Michelle Abdo Cuza: "Impacto de la Ley Helms-Burton en las relaciones jurídicas y financieras internacionales. Medios para enfrentarlo". Tesis de maestría, Universidad Nacional Autónoma de México, Facultad de Derecho, División de Estudios de Post-Grado,1997, p. 62.

de 1965 y el 1º de mayo de 1967, 8 816 reclamaciones de personas naturales o jurídicas por un valor total de 3 226 631 898 dólares. Al concluir su trabajo en 1972, la comisión certificó sólo 5 911 reclamaciones, con un valor de 1 851 197 358 dólares. De acuerdo con la ley, solamente podían reclamar los que eran ciudadanos norteamericanos en los momentos de la nacionalización.[38]

— El 7 de octubre de 1964, el Congreso aprobó la Enmienda Hickenlooper, según la cual, ningún tribunal norteamericano podía dictar sentencia a favor de los intereses de otros Estados, cuando se tratase de nacionalizaciones de propiedades norteamericanas, incluso ni aunque fuera invocando un principio clave del Derecho Internacional tal como la doctrina del poder soberano (curiosamente, a partir de hechos que hubiesen acaecido a partir del 1º de enero de 1959).

Esto obedecía a que el 23 de marzo de 1964, la Corte Suprema de Estados Unidos, al dictar sentencia en el denominado "Caso Sabbatino" referido a quién correspondía los pagos de un envío de azúcar realizado a ese país en momentos de la intervención del central azucarero que lo produjo, dictaminó acerca de la validez de las nacionalizaciones cubanas, al expresar la obligatoriedad de que todo Estado respetase "la independencia de cada uno de los otros Estados soberanos, así como que los tribunales de un país no debían juzgar los actos del gobierno de otro país, realizados dentro de su propio territorio [...] manteniendo intacta la doctrina del acto del poder soberano".[39] Este único instante de lucidez de alguna autoridad estatal norteamericana con respecto a Cuba duró por poco tiempo, toda vez que tomando en cuenta los argumentos del único letrado

[38] La monstruosidad jurídica presente en la Ley Helms-Burton sobre este particular salta a la vista al ver el informe conclusivo de la Comisión de Reclamaciones en 1972, al expresar que "los fines que albergaba el Congreso era disponer, de una forma certificada ante el Secretario de Estado, de la suma a que ascienden estas pérdidas, con el propósito de facilitarle a dicho funcionario la información adecuada que habría de ser de utilidad en el futuro cuando se entre en negociaciones hacia un convenio de liquidación de reclamaciones con un gobierno amistoso en Cuba cuando se reanudaran las relaciones diplomáticas. De ahí que, en efecto, este programa pueda ser calificado como una previa liquidación de la adjudicación de las reclamaciones, al objeto de determinar hasta dónde alcanza el monto de las pérdidas sufridas por norteamericanos y para así proporcionar un instrumento mediante el cual nuestro gobierno lo pueda emplear al entrar en trato con el gobierno de Cuba en el futuro sobre este importante tema internacional". Ver intervención de Olga Miranda en Mesa Redonda Instructiva del 6 de julio del 2000, Tabloide Especial No. 18, *Abajo el bloqueo*, p. 7.

[39] Idem.

del Tribunal Supremo que votó contra esa sentencia (Magistrado White), se elaboró la citada Enmienda Hickenlooper. Según Olga Miranda: "[...] la voz del más alto tribunal había callado, su dignidad había sido pisoteada [...] y así, traicionada, vendida y silenciada, quedaba la otrora famosa sentencia del caso Sabbatino".[40]

— Amparado en su poder de veto sobre el Fondo Monetario Internacional, en 1964 Estados Unidos logró la separación de Cuba de este organismo financiero, privándola de fondos del Banco Mundial y cerrando de esta manera toda posibilidad de utilización de los mecanismos financieros internacionales del sistema capitalista.
— En 1965 se modificó el sistema del grupo de países del Departamento de Comercio, en países de grupos T, V, W X y Z. Cuba fue ubicada en el grupo Z, categoría más restrictiva.[41]
— En 1969, el Departamento de Comercio enmendó sus disposiciones sobre exportaciones, declarando expresamente que su política era denegar todas las solicitudes para exportar mercancías y datos técnicos a Cuba, excepto "[...] transacciones humanitarias".[42]

A partir de finales de la Administración Nixon, la Administración Ford y el período inicial de la Administración Carter, la coyuntura internacional y sobre todo caribeña y latinoamericana[43] impulsó a Estados Unidos a buscar otras fórmulas que, sin afectar el bloqueo, les permitiese insertarse perspectivamente en potenciales espacios económicos cubanos, como resultado de lo cual se levantaron las prohibiciones de viajes; se autorizó el envío de remesas a familiares; se autorizó el aprovisionamiento de combustible a buques de terceros países que comerciaran con Cuba; se autorizó a Cubana de Aviación a sobrevolar territorio norteamericano; se permitió al país el comercio con subsidiarias norteamericanas (lo que no se materializó hasta el año 1981, debido

40 Ver Olga Miranda Bravo: "Las nacionalizaciones cubanas, los tribunales norteamericanos y la Enmienda Hickenlooper", en Colectivo de Autores: *Agresiones de Estados Unidos a Cuba Revolucionaria,* p. 213.

41 Michael Krinsky and David Golove: ob. cit., p. 114. También en Michel Abdo Cuza: ob. cit., p. 62.

42 Michael Krinsky and David Golove: ob. cit., p. 116.

43 En 1972 se dañaron de forma significativa las medidas de aislamiento diplomático establecido por Estados Unidos alrededor de la Isla a nivel hemisférico: a fines de ese año establecieron relaciones diplomáticas con Cuba: Barbados, Guyana, Jamaica, y Trinidad y Tobago. En el año 1975 la OEA decidió que cada país era libre de establecer relaciones diplomáticas y comerciales con nuestro país, a pesar de los esfuerzos de Estados Unidos porque no se aprobara esa medida.

a las restricciones que se impusieron, que incluían la prohibición de dar financiamiento a las operaciones por entidades norteamericanas; que se utilizase dólares por Cuba; que los productos obtenidos no tuviesen más del 20 % de contenido norteamericano, entre otras); se descontinuó el uso de la "lista negra"; se crearon las Secciones de Intereses en ambos países y se firmaron los acuerdos de fronteras marítimas y pesca.[44]

La corriente neoconservadora de extrema derecha que tomó las riendas de la Casa Blanca durante la Administración Reagan en 1981 se ocupó de desmantelar rápidamente todas esas pretensiones, e inició una nueva escalada cuyo resultado final son los cavernícolas aires que durante tantos años, a partir de entonces, han continuando soplando. Entre las principales medidas se encuentran:

- Creación de la Fundación Nacional Cubano-Americana como instrumento representativo de la reacción de origen cubano para que, en estrecha alianza con la extrema derecha norteamericana, actuase como grupo de presión para la gestación, aprobación y ejecución de las medidas que diesen al traste con la Revolución.
- En el período abril-junio de 1982 se inicia el proceso de desmantelamiento de lo que se había hecho durante la Administración Carter en términos de viajes. Se hacen nuevas regulaciones, como resultado de lo cual se regresa a la situación anterior de licencias específicas, y se hacen más estrictas las regulaciones de gastos. En 1989 se vuelven a tomar medidas de esa naturaleza, en relación con los gastos y el control de los vuelos hacia Cuba, que en aquellos momentos estaban autorizados.
- En agosto de 1986, el Presidente aprueba nuevas medidas para mejorar la efectividad del bloqueo y se establecen las listas de "designados cubanos", que incluyen los nombres de personas naturales y jurídicas, radicadas en cualquier país del mundo, con respecto a las cuales se le impide a toda persona o entidad que se encuentre bajo la jurisdicción de Estados Unidos sostener cualquier tipo de relación comercial, con el objetivo de desestimularlos de su relación comercial con Cuba. Se trató de una nueva variedad de "listas negras", fundamentada en prácticas heredadas de la Segunda Guerra Mundial.

  Entre 1986 y 1989, el Departamento del Tesoro emitió siete listas consecutivas de "designados cubanos", para un total de más de 230 entidades listadas.

[44] Tabloide Especial No. 18, p. 11.

— El 23 de agosto de 1988, el Congreso aprueba una enmienda que invocando nuevamente la Ley de Comercio con el Enemigo, instruye a la Administración a emitir recomendaciones para recrudecer las medidas contra Cuba. Según especialistas, esa invitación legislativa dio origen a un nuevo período de continuos esfuerzos por fortalecer el bloqueo.[45] Dichas recomendaciones, presentadas en el Congreso en noviembre de 1988 por el representante comercial de Estados Unidos, fueron fundamentalmente cuatro: la primera, aplicar las disposiciones de autoridad penal, civil, bajo la Ley de Comercio con el Enemigo, a quienes violaran lo establecido; la segunda, que la Oficina de Control de Activos Extranjeros (OFAC) incrementase su interacción con otras agencias federales, a los efectos de su entrenamiento y ayuda directa para fortalecer el bloqueo; la tercera, que la propia OFAC trabajase con otras agencias del gobierno (¿CIA? ¿Buró de Inteligencia —INR— del Departamento de Estado?) en la recopilación de toda la información disponible sobre la red comercial internacional de Cuba, que permitiera la identificación más efectiva de las entidades controladas por Cuba y el monitoreo de sus transacciones; y la cuarta, la intensificación de los esfuerzos de la OFAC y de otras agencias federales para desarrollar programas de conjunto y programas integrados para lograr el reforzamiento más efectivo del "embargo".[46]

El increíble y criminal fortalecimiento del control norteamericano sobre el desenvolvimiento de nuestras relaciones económicas internacionales a partir de entonces, se percibe en el hecho de que en el Comité de Conferencias del Congreso se aprobó, en octubre de 1989, que se incrementase a la OFAC 40 empleados nuevos y se les ofreciese una asignación extra de 2 millones de dólares para desarrollar su actividad.[47]

El espionaje sobre el desenvolvimiento económico cubano y las medidas para dañarlo rápidamente se fortaleció, no por casualidad, sino por cálculo político y subversivo, en conjunción con las afectaciones derivadas de la desintegración del campo socialista y posteriormente de la URSS.

— Este período marcó un fortalecimiento de la extraterritorialidad de las medidas del bloqueo, de las acciones para impedir el comercio

[45] Michael Krinsky and David Golove: ob. cit., p. 120.

[46] María de la Luz B'Hamel: Mesa Redonda Instructiva del 7 de julio del 2000. Tabloide Especial Nº 18, p. 12.

[47] Tabloide Especial Nº 18, p. 11.

de Cuba con el resto del mundo, cuyo ejemplo más válido fue el incremento por la OFAC de la obstaculización de las exportaciones cubanas de azúcar y de níquel, utilizando para ello el "bloqueo por acuerdos" aprendido de los ingleses durante la Primera y Segunda Guerra Mundial. Esto se materializó por acuerdos bilaterales a través de los que sus socios comerciales, que a su vez lo eran de Cuba, certificaban que ninguna de sus exportaciones a territorio o intereses norteamericanos contenían elementos de origen cubano.
Con respecto al níquel, Estados Unidos suscribió acuerdos de este tipo, que se encuentran vigentes, con Italia, Holanda, Francia, Japón e incluso con la Unión Soviética poco antes de su desintegración.[48]
Según testimonio de la especialista de comercio exterior con ocasión de la demanda a Estados Unidos por daño económico, estos acuerdos impiden el acceso del níquel cubano al 40 % del mercado mundial.[49]
Con respecto al azúcar, tal medida se instrumentó a partir de la Ley de Seguridad Alimentaria de 1985, y el castigo a las violaciones es el de ser excluidos del sistema de cuotas.

En 1989 y 1990 con la Enmienda Mack, que se presentó infructuosamente en el Congreso, se pretendió dar el paso más serio en la extraterritorialidad del bloqueo. La Enmienda esbozaba la prohibición total a las compañías de terceros países, subsidiarias de casas matrices norteamericanas, de establecer algún tipo de operación económico-comercial con Cuba, y pretendía dar un golpe de gracia al comercio exterior cubano (el 90,6 % de lo que se comerciaba con subsidiarias norteamericanas, con un monto de 718 millones de dólares en 1991, eran alimentos y medicinas) y ocasionar el estrangulamiento total de la economía en momentos en que se desmantelaba su relación con el agonizante campo socialista europeo.

Esta Enmienda no se aprobó por su inserción en proyectos muy complicados, aunque en 1990 llegó hasta el despacho presidencial y fue objetada por Bush por su extraterritorialidad y por las reacciones adversas que podía provocar en terceros países. Del propio período es la Enmienda Smith, tampoco aprobada, que, además del contenido de la Enmienda Mack, incluía el decomiso e incautación de toda embarcación

48 Ibid., p. 12.

49 Testimonio de María del Pilar González Rodríguez, vendedora internacional de la Empresa Cubana Exportadora de Minerales y Metales (CUBANIQUEL), 18 de enero del 2000.

que tocase puerto norteamericano en algún momento posterior y menor de 180 días de haberlo hecho en puerto cubano.[50]

Ley Torricelli

A partir de esos antecedentes, en octubre de 1992 fue aprobada por el presidente Bush la Ley para la Democracia en Cuba (Ley Torricelli), como un acto de política interna para atraer los votos de la comunidad cubana en el estado de La Florida en las elecciones presidenciales de ese año.

Esta ley fue elaborada con los mismos criminales fines de las enmiendas Mack y Smith, toda vez que en esos momentos, con el derrumbe del campo socialista, Cuba necesitaba reorientar su comercio hacia mercados de países capitalistas (Europa, Canadá, América Latina) y existía una tendencia ascendente en el comercio con subsidiarias de empresas norteamericanas; así como se requería también reorientar el mercado de fletes y recurrir a otras navieras que no eran las que tradicionalmente se habían utilizado de los países socialistas europeos.

Sus elementos básicos con respecto al bloqueo fueron prohibir el comercio con Cuba de las subsidiarias de compañías norteamericanas establecidas en otros países; prohibir a los barcos que entraran a puertos cubanos, con propósitos comerciales, tocar puertos de Estados Unidos o en sus posesiones durante los 180 días siguientes de haber abandonado el puerto cubano, así como establecer sanciones a los países que brindaran asistencia a Cuba, según penalidades previstas en la Ley de Comercio con el Enemigo.

A través de un ejercicio de malabarismo semántico, esta ley fue titulada por sus autores como "para la democracia en Cuba", justificado ello al incluir en la Ley, además, la asistencia para apoyar el tránsito a "la democracia", reconociendo de esta forma públicamente, a través de lo que pocos años después adquirió relevancia como el tristemente célebre "Carril II" , algo implícito desde sus inicios en el bloqueo gestado al calor de la secreta Operación Mangosta: su finalidad subversiva dirigida hacia la superestructura política de la sociedad.

Como puntualizaremos un poco más adelante, estos componentes propagandísticos para presentar lo negro como blanco, o la interferencia

[50] Intervención de Ana Mayra Rodríguez en la Mesa Redonda Instructiva del 7 de julio del 2000, Tabloide Especial Nº 18, p. 13.

en los asuntos internos de otros países o afanes de restauración neocolonial como "contribuciones a la democracia", son en sí, muestra de otra modalidad subversiva: la subversión político-ideológica, la mentira y el engaño en el campo de las ideas, los intentos de engañar a la opinión pública con respecto a sus verdaderos objetivos, sin presentar pudor alguno con los medios y métodos utilizados.

Finalmente, para atenuar la oposición de sus aliados al carácter extraterritorial de la ley, introdujeron en la misma, en los últimos debates previos a su aprobación, la sección titulada "Ayuda al pueblo cubano", en un hipócrita ejercicio de caridad hacia el mismo pueblo al que con la ley condenaban a muerte por hambre y enfermedades.

Ley Helms-Burton

Si la Ley Torricelli perseguía dañar brutalmente el comercio internacional cubano con países del mundo occidental en momentos en que se manifestaba una tendencia al alza del mismo tras la desaparición del campo socialista europeo, la Ley para la Libertad y la Solidaridad Democrática Cubanas, Ley Helms-Burton, se trazó como uno de sus objetivos principales impedir la participación de la inversión extranjera en el proceso de reanimación económica del país.[51]

Con el arribo al Congreso norteamericano en 1994 de una mayoría republicana tanto en la Cámara como en el Senado, la extrema derecha se había propuesto revertir los síntomas de reanimación económica en Cuba, contando ya para inicios de 1995 con una propuesta en la que se habían consolidado todos los textos legislativos anticubanos que se encontraban en proceso y con respecto a los cuales, para finales de ese año, la administración había mostrado en general su acuerdo, que se firmó el 12 de marzo de 1996 tomando como pretexto el incidente derivado de la violación del espacio aéreo cubano y derribo de las avionetas de la organización contrarrevolucionaria "Hermanos al Rescate", y entra en vigor en septiembre del propio año.

Al igual que en la Ley Torricelli y en general toda la actividad contra Cuba desde 1959, el engendro jurídico presente en la Ley Helms-Burton articula en una sola pieza las medidas de guerra económica con aquellas otras encaminadas a alentar la subversión interna y estimular el retorno del capitalismo a nuestra patria.

51 En 1994 la caída de la economía se detuvo y hubo un pequeño crecimiento de 0,7. En 1995 fue de un 2,5.

Un ejemplo de los numerosos subterfugios que con una finalidad política se utilizan en el Congreso norteamericano para la aplicación de su política de guerra económica, es el de la manipulación de la información con respecto a Cuba como supuesto país promotor de actividades terroristas contra propiedades o intereses norteamericanos, categoría en la que se nos incluyó en el informe del Departamento de Estado al Congreso en 1982 y del cual, a partir de entonces, nunca hemos sido excluidos,[52] a pesar de que hasta en Estados Unidos muchos reconocen que ello está motivado no tanto por la realidad como por motivaciones y presiones políticas de representantes anticubanos en el Congreso.

Con ese antecedente, en el Congreso se han aprobado leyes que intentan ratificar o aprovecharse de tal clasificación para incrementar las medidas anticubanas, ejemplo cimero de lo cual son las leyes Torricelli y Helms-Burton, así como la mayoría de las legislaciones sobre comercio internacional y sanciones donde se impone a Cuba un trato discriminatorio, con el pretexto de su inclusión en tal categoría, derivándose de ello, entre otras, medidas encaminadas a impedir el comercio de medicinas y alimentos hacia Cuba; prohibir el financiamiento o compensación norteamericana de forma directa o indirecta; impedir nuestro acceso al financiamiento internacional; despojarnos de los fondos congelados en Estados Unidos, y de igual modo prohibir a Cuba la exportación de tecnología, como si no bastase para ello todas las regulaciones anteriores del bloqueo.

En el Capítulo VI, donde apreciaremos la denuncia cubana del bloqueo y en general de la guerra económica ante la Asamblea General de Naciones Unidas a partir de 1992, volveremos a referirnos a las leyes Torricelli y Helms-Burton, así como a otras iniciativas legislativas posteriores que han continuado endureciendo la guerra económica contra nuestro país.

[52] En la Ley de Administración de Exportaciones de 1979 se estableció la presentación por parte del Departamento de Estado de un informe anual al Congreso sobre el terrorismo (Título 22, Código de los Estados Unidos, Sección 2656[a]), y en 1981 se publicó el primer Informe Anual sobre Terrorismo Internacional, elaborado por la Oficina del Coordinador de Contraterrorismo del Departamento de Estado.

CAPÍTULO IV El espionaje y su utilización para la planificación y ejecución del sabotaje de la economía cubana

La aprobación en 1996 en Estados Unidos de la Ley Helms-Burton puso a debate público los nexos existentes entre *la actividad subversiva* y *la política estatal abierta* hacia Cuba. Los documentos que se desclasifiquen en Estados Unidos alrededor del año 2020 nos posibilitarán ¡para ese entonces! adentrarnos en algunas de las interioridades de esa relación, como sí pudimos hacerlo, en los capítulos precedentes, en los primeros años de la década del 60.

Pero, para identificar los elementos más generales de esa interacción no se requiere esperar por tal desclasificación. En el propio contenido de la Helms-Burton, en particular en su Sección 108, se le da jerarquía de ley al espionaje que debía realizarse en Cuba para evaluar los efectos de esa legislación.

Esa sección, titulada "Informes sobre el comercio de otros países con Cuba y la prestación de asistencia por éstos a la Isla", estableció el envío de informes anuales por el Ejecutivo al Congreso, los que debían contener una descripción de la ayuda bilateral recibida por Cuba en el período; el comercio mantenido, su magnitud y socios comerciales; las empresas mixtas establecidas en el país o en proceso de estudio; las firmas comerciales extranjeras que se relacionaren con instalaciones cubanas, incluyendo una identificación de la ubicación de dichas instalaciones y si las mismas habían sido "expropiadas" a ciudadanos o empresas norteamericanas; los acuerdos en la constitución de las empresas mixtas incluyendo el nombre de las partes que las integran; el monto de la deuda cubana; las medidas tomadas para evitar la entrada a Estados Unidos de mercancías con componentes producidos en Cuba; así como otros aspectos relacionados con la ayuda militar recibida desde el exterior.[1]

En estos requerimientos informativos, encomendados a la CIA y al Departamento de Estado, se encuentra la explicación de la constante búsqueda de información que acerca de estos tópicos realizan en nuestro país, o en cualquier lugar del mundo en que puedan encontrarla, los enviados de los servicios de espionaje norteamericanos, abierta o solapadamente, con el objetivo de aplicar las medidas que frustren todos los intentos cubanos de subsistencia.

Cuba ha denunciado sistemáticamente tal proceder ante la comunidad internacional. No ha dejado de hacerlo desde la aprobación de ese engendro legislativo, al presentar ante la Asamblea General de la ONU la propuesta de resolución encaminada a poner fin al bloqueo.

La importancia de este aspecto nos obliga a citar en extenso a Ana Mayra Rodríguez, especialista sobre Estados Unidos en la Asamblea Nacional del Poder Popular, que en su intervención en mesa redonda televisiva del 11 de julio del 2000, expresó al respecto:

"[...] el espionaje [...] se realiza por parte de las agencias gubernamentales norteamericanas para seguir toda la actividad económica y comercial que realiza Cuba a nivel mundial.

"Esto, por supuesto, no es algo que surge tampoco con la Helms-Burton, no es algo que surge con la Torricelli, es algo que simplemente está funcionando desde el mismo triunfo de la Revolución; pero en este caso el Congreso, a través de la Ley, lo que hace es obligar al gobierno a rendir estos informes.

"Y quiero citar la declaración (del) funcionario del Departamento de Estado, Michael Ranenberger, en marzo de 1998, cuando decía que el gobierno había sometido al Congreso en junio de 1996, en enero de 1997 y en enero de 1998, el informe requerido por la Helms-Burton, y decía lo siguiente: 'La información requerida continúa siendo disponible solamente de fuentes que nosotros estamos obligados a proteger, por tanto, hemos suministrado, o hemos sometidos informes clasificados al Congreso.' *No hay una evidencia mejor de que esto es el resultado de una actividad de inteligencia, de una actividad de persecución, que, en este caso, tiene un segundo objetivo, que es el de informar al Congreso; pero que hasta ese momento también se estaba haciendo para tratar de cortar cualquier tipo de relación que nosotros pudiéramos tener con una entidad extranjera,*

[1] *Ley para la Libertad y la Solidaridad Democrática Cubanas,* Ley Helms-Burton, Sección 108.

con un gobierno extranjero, con una empresa, o con una persona cualquiera"[2] (la cursiva del texto de la cita es nuestra).

Esta información fue complementada en la misma mesa redonda informativa por el Presidente de la Asamblea Nacional del Poder Popular, al expresar: "Por cierto, hay otra Sección de la Ley Helms-Burton que se refiere también a recursos, es quizás la frase más discreta de toda la Ley, la Sección 115: 'Nada de lo dispuesto en la presente Ley prohíbe ninguna de las actividades de investigación, protección o inteligencia, autorizadas, de un organismo encargado de hacer cumplir la ley, de un organismo de inteligencia en Estados Unidos'."[3]

Según los documentos de otro ciclo de mesas redondas televisivas, realizado entre el 23 y el 26 de enero del 2001 bajo el título de *Las acciones subversivas de EE.UU. contra Cuba,* se pudo conocer que el personal diplomático, sus familiares y un grupo de funcionarios en tránsito que de forma permanente arriban a nuestro país por cortos períodos de tiempo, le ofrecen a los servicios de espionaje norteamericanos la posibilidad de obtener gran parte de las informaciones de su interés.

Se menciona allí que entre estos funcionarios en tránsito se encuentran oficiales, analistas y técnicos del Centro Principal de la CIA provenientes de Langley, en Virginia, y que "su presencia en el país les permite evaluar en el terreno la situación interna y apoyar otras acciones ilegales", expresando que durante los años 1998, 1999 y el 2000 "visitaron el país más de 540 funcionarios en tránsito, *cerca de un 30% fueron identificados como posiciones comprobadas o sospechosas de los servicios de inteligencia norteamericanos"* (la cursiva del texto de la cita es nuestra).[4]

Los antecedentes

Contra Cuba en este terreno Estados Unidos aplica una práctica con respecto a la que ya eran maestros cuando triunfó la Revolución.

En el libro sobre estos temas de Gordon y Dangerfield citado antes, refiriéndose al espionaje realizado durante la Segunda Guerra Mundial para la ejecución de medidas económicas, se menciona la profusa utili-

2 Ana Mayra Rodríguez: intervención en Mesa Redonda Instructiva del 11 de julio del 2000, Tabloide Especial Nº 18, p. 21.

3 Ricardo Alarcón: ibid., p. 21.

4 Las acciones de subversión política del Gobierno de Estados Unidos contra Cuba. Documentos de la Mesa Redonda Informativa. Enero del 2001, p. 11.

zación de agentes reclutados dentro de los medios económicos, comerciales y financieros, que incluso participaban activamente en las actividades sobre las que debían informar; la realización de estudios de mercado, para conocer en qué oportunidades sus adversarios se verían estimulados a actuar; el estudio de las cargas para detectar sustituciones de productos por otros prohibidos, y otras muchas.

"Esas acciones de inteligencia son altamente secretas", expresan estos autores, resaltando la estrecha relación establecida entre la Oficina de Asuntos Estratégicos (OSS, antecesora de la CIA) y el FBI con la Inteligencia inglesa para su ejecución durante la guerra.

Otra faceta que da luz acerca de las características del espionaje norteamericano sobre el estado de la economía de los países objeto de su interés —a pesar de que enmascara cuidadosamente *las acciones subversivas realizadas sobre la base del conocimiento adquirido*— se aprecia en la obra de Sherman Kent, calificado como uno de los arquitectos de la comunidad de inteligencia norteamericana e importante figura en el aparato de la CIA en los momentos álgidos de la Guerra Fría, en que estuvo al frente de su Oficina de Estimados Nacionales.[5]

En su libro *Inteligencia estratégica para la política mundial norteamericana,* de 1949, contentivo de la experiencia adquirida en la Segunda Guerra Mundial, que aún hoy día es un texto clave en las universidades norteamericanas que fijan su atención en estos asuntos,[6] Kent precisaba tres momentos en esa actividad de espionaje: un elemento descriptivo básico inicial que ofreciese toda la información sobre el tema analizado en un momento dado; un elemento informativo sistemático que fuese actualizando día tras día la información existente; y, finalmente, un trabajo especulativo-evaluativo, analítico que sobre la base de los dos aspectos anteriores le diese al gobierno norteamericano la posibilidad de "estar prevenido [...] preparados para el futuro [...] bien protegidos contra sus contingencias [...] no ser sorprendidos por sucesos inesperados [...]".[7]

La necesidad de información *enciclopédica* en ocasiones puede llegar a niveles aberrantes. Según Kent, al explicar el elemento descriptivo básico inicial: "Tómese el capítulo sobre 'transportes' [...] la sección caminos comienza con un mapa de la red caminera; luego sigue una

[5] Donald Steury: Sherman Kent. Center for the Study of Intelligence. http://www.cia.gov/csi/books/shermankent/intro.html.

[6] Idem.

[7] Sherman Kent: *Inteligencia estratégica para la política mundial norteamericana,* segunda edición, pp. 29-59.

descripción, kilómetro por kilómetro, de las rutas principales, con observaciones sobre superficie, anchura, declives, curvas, terraplenes, desviaciones, cortes y puentes; luego, se brinda una apreciación general de la ruta en cuestión."

Con respecto al transporte ferroviario: "la trocha, el número de vías y las rutas [...] una especie de mapa de kilómetro por kilómetro, terminales, talleres [...] un inventario sobre el tipo de locomotoras y 'stock' rodante [...]".

Sobre los puertos: "[...] área de aguas protegidas, profundidad del agua [...] diques y profundidad del agua a los costados [...] grúas en los diques, medios de transporte para despejar los diques y la zona portuaria, depósitos y facilidades de almacenaje del puerto".[8]

Según este autor *un conocimiento total descriptivo de la economía adversaria* se requiere tanto para las operaciones militares,[9] la guerra económica y la administración de territorios ocupados[10] como para las necesidades de conocimiento diario de los que planifican la actividad subversiva sobre otros países. Les puede resultar útil, y así aparece en la obra que glosamos, las características de la corriente eléctrica en un barrio comercial cualquiera, la producción en las minas de cobre en determinado momento, o las particularidades para el suministro de agua en una ciudad de su interés.[11]

Al referirse al trabajo informativo sistemático para actualizar los datos disponibles, Sherman Kent expresaba:

"[...] el (trabajo) informativo tiene la obligación de mantenerse al tanto del desarrollo económico [...]. Debe tomar nota del nacimiento de

[8] Ibid., pp. 31-32.

[9] "Antes de que los aviones salieran en su primera misión de destrucción sistemática, los que planeaban el bombardeo de Alemania debían poseer un amplio conocimiento sobre la producción de cojinetes de bolilla, de goma sintética y de combustible [...]. La decisión de enviar los B-29 contra la aviación japonesa, las fábricas de motores, arsenales, plantas electrónicas, refinerías de petróleo [...] estaba respaldada con un 'stock' similar de conocimiento eniclopédico." Sherman Kent: ob. cit., p. 37. En el capítulo primero, al referirnos al Ministerio de Guerra Económica británico en la Segunda Guerra, mencionábamos que su actividad abarcaba la evaluación del potencial bélico enemigo y el asesoramiento a las acciones militares para identificar las industrias que se querían destruir y, después de ello, impedir que obtuvieran los medios para echarlas nuevamente a andar.

[10] El Título II de la Helms-Burton en alguna medida son pautas de actuación ante una hipotética ocupación del territorio cubano, al igual que el documento emitido por el Presidente de Estados Unidos en enero de 1997 titulado *Apoyo para una transición democrática en Cuba.*

[11] Sherman Kent: ob. cit., p. 47.

nuevas doctrinas y teorías económicas [...] debe anotar los cambios que se efectúen en la política económica del gobierno, política que afecte a la industria, la organización de los negocios, la agricultura, los bancos, las finanzas y el intercambio extranjero. Debe saber de los cambios que ocurran en el volumen y distribución de la riqueza e ingresos nacionales, de los cambios en el 'standard' de vida, jornales y empleos. Debe vigilar las nuevas cosechas y el desarrollo de nuevos métodos de agricultura, los cambios en las maquinarias agrícolas y ganaderas, el uso de la tierra, los fertilizantes, los proyectos de cultivo. Debe seguir el descubrimiento de nuevos procesos industriales, el nacimiento de nuevas industrias y la excavación de nuevas minas. Debe seguir el desarrollo de nuevos servicios públicos y la extensión de los que ya están establecidos. Debe dar cuenta de los cambios en las técnicas e instrumentos de distribución, de las nuevas rutas de transporte y de los cambios en el inventario de las unidades de transporte (autos y camiones, locomotoras y vagones, aviones de transporte, barcos de cabotaje, de canales y barcos mercantes transoceánicos) [...]."[12]

Al referirse al trabajo de análisis de la información recopilada, y preguntarse qué debía saberse para conocer las vulnerabilidades de más peso de los adversarios, decía este autor: "[...] deben poseerse todas las especies de conocimientos enciclopédicos descritas y de ellas seleccionar, por proceso analítico, aquellos factores de la vida [...] que son vulnerables a las armas que se poseen. Estas armas [...] pueden ser de muchas clases: psicológicas, políticas, económicas, militares".[13]

Un conocimiento como el descrito sólo le era posible a Estados Unidos mediante un fortalecimiento sin límites de la actividad de espionaje sobre el resto del mundo, y paralelamente a ello la estimulación y organización de un vasto sistema de estudios extranjeros en sus universidades y otros centros de investigación creados al efecto (los "think tank" o "tanques pensantes"), que fue precisamente lo que hizo en la post-guerra con la rápida expansión de los *estudios regionales* ("area studies"), sobre la base de la experiencia acumulada durante la contienda por la Sección de Información y Análisis (SIA) de la OSS en el estudio de los países que eran teatro de operaciones militares o de su interés por otras causas.

Durante la guerra, ese órgano de espionaje radicó nada menos que en la Biblioteca del Congreso, y para 1945 se calcula que contaba con los servicios de más de 1 600 sociólogos, economistas y otros profesio-

[12] Ibid., pp. 53-54.
[13] Ibid., pp. 77-78.

nales que cimentaron las bases del abastecimiento informativo de inteligencia sobre todo el mundo, para su utilización en el planeamiento y ejecución de la política exterior norteamericana.[14]

Es significativa la evaluación que sobre este proceso se hace por el biógrafo del jefe de la OSS, William Donovan, cuando expresó: "Para la historia académica es un hecho curioso que el primer gran centro de estudios integrales en Estados Unidos se fundó no en una universidad, sino en la Oficina de Estudios Estratégicos durante la Segunda Guerra Mundial. Los programas de estudios (sobre otros países) establecidos en las universidades después de la guerra, fueron dirigidos o estimulados en gran medida por graduados (que provenían) de la OSS, institución [...] constituida a medias por ejecutores y científicos. Hoy también es cierto, y creo que siempre será así, que entre las universidades y los Servicios de Información de Estados Unidos existe un alto grado de interpenetración."[15]

La información pública

Este proceso tuvo importantes consecuencias en dos direcciones: en un sentido amplio, en la instauración y perfeccionamiento del sistema de estudios extranjeros en las universidades, creados como necesidad del establishment para poder fortalecer y ampliar el liderazgo capitalista mundial obtenido; y en un sentido estrecho, en los estudios sobre otros países realizados por los órganos integrantes de la comunidad de inteligencia norteamericana.

La prioridad en los estudios la tuvo, es lógico inferirlo, la URSS y los restantes países socialistas, de forma tal que la *sovietología* alcanzó renovado impulso[16] con el Instituto Ruso en la Universidad de Columbia en 1946 y un centro similar en la Universidad de Harvard en 1948. Fueron destacados sovietólogos los creadores de las doctrinas estratégicas que caracterizaron las acciones políticas, económicas y militares de *contención* o *liberación* dirigidas hacia la comunidad socialista entonces

[14] Nikolai Yaklovev: *La CIA contra la URSS*. Editorial Progreso, Moscú, 1983, pp. 80-81.

[15] C. Ford: *Donovan of OSS*. Boston, 1970, pp. 149-150. Citado por N. Yaklovev: ob. cit., p. 81.

[16] En 1919 se había creado el Instituto Hoover de la Guerra, la Revolución y la Paz, que según su acta de fundación se creaba "para revelar el mal de la doctrina de Carlos Marx".

ces existente; del *tratamiento diferenciado* hacia algunos de esos países, para distanciarlos de la URSS; así como lo fueron, más adelante, los estrategas del *tendido de puentes,* la *erosión del socialismo desde dentro* y, más recientemente, del *proyecto democracia* que como bandera en política exterior del neoconservadurismo arribó a la Casa Blanca con la Administración Reagan para contribuir en forma decisiva en la desaparición del socialismo en Europa Oriental y la URSS.

Para fines de los años 50 e inicios de los 60 se hizo evidente un nuevo impulso en los *area studies* norteamericanos, que sin abandonar su vieja prioridad, comenzaba a prestar una mayor atención hacia el Tercer Mundo, que había sido para entonces protagonista del desgajamiento de los antiguos imperios coloniales y en los que se manifestaba un despertar,[17] de lo que Cuba fue una de sus más importantes manifestaciones en el Hemisferio.

Consecuencia de ello fue la prioridad concedida a partir de entonces a los estudios latinoamericanos en las universidades norteamericanas. En 1958 el Congreso aprobó el Acta Nacional de Educación para la Defensa (National Defense Education Act), a partir de la cual se iniciaban en las universidades las investigaciones sobre América Latina, con financiamiento gubernamental,[18] rápidamente encaminadas a valorar el potencial revolucionario existente,[19] y de los cuales los estudios sobre Cuba, desde poco después del triunfo de 1959, originaron la *cubanología.*

Ese fue el escenario en que se iniciaron los estudios sobre la economía cubana en las universidades y otros centros de investigación norteamericanos. Un poco más adelante nos referiremos a la contribución de esa *cubanología* en la esfera propagandística. Nos interesa aquí solo

[17] Recuérdese que ya desde la Conferencia de Bandug de 1955 se esbozaba lo que sería a partir de 1961 el Movimiento de Países no Alineados, como una necesidad de esos Estados emergentes, y que la doctrina político-militar norteamericana que cobraba fuerzas era la de la reacción flexible, más adecuada para el enfrentamiento a los procesos liberadores que más adelante se calificaron como los *conflictos de baja intensidad.*

[18] Podríamos preguntarnos: ¿la lucha en la Sierra Maestra en algo influyó para que se adoptara tal decisión?

[19] Lo más relevante y controvertido de lo cual fue el denominado Plan Camelot, calificado tras su desenmascaramiento en el Senado chileno en 1965 como el más vasto plan de *espionaje sociológico* jamás antes emprendido. Estaba encaminado a valorar el grado de infección revolucionaria en América Latina (para lo que se compararía con la situación cubana), punto de partida para la adopción de las medidas contrainsurgentes más adecuadas. Fue el momento en que la contrarrevolución continental aguzó sus armas para impedir la repetición de procesos similares al de Cuba.

resaltar otra de sus facetas: su contribución a un conocimiento más acabado por parte del establishment del estado interno de la economía cubana y sus perspectivas.

No se trata, ni remotamente, que los investigadores sobre asuntos económicos cubanos pudieran ser acusados de participar conscientemente en acciones que dañaran o pudieran dañar a Cuba. Los mecanismos son mucho más sutiles, y de lo que se trata es de que el sistema crea las condiciones (de financiamiento, por ejemplo) para que se investigue de forma priorizada sobre aquellos aspectos que más interesa a los que deben tomar decisiones con respecto a Cuba. De esta forma, el pesquisaje de cuanto dato se ofrezca por las publicaciones de nuestro país acerca de la marcha de cualquiera de sus rubros económicos; las valoraciones o puntos de vista vertidos en comentarios radiales o televisados sobre cualquier asunto, por baladí que pueda parecer, es prontamente convertido en materia prima susceptible de ofrecer las tendencias de desarrollo en determinada rama, o los resultados de las inversiones en determinado sector. Sin ánimo de ampliar sobre estos mecanismos, nos interesa puntualizar cómo los servicios de inteligencia y de subversión norteamericanos se insertan en los estudios públicos sobre la economía cubana para sus propios fines.

Para la búsqueda, procesamiento y valoración de la información pública sobre asuntos cubanos, la CIA creó su propio Centro de Estudios sobre Cuba, con la finalidad de ofrecer una valoración académica de la información recopilada de fuentes públicas. Según fuentes dignas de todo crédito, a mediados de los años 80 se catalogaba a ese Centro como el más importante existente en Estados Unidos para el estudio sobre Cuba, superando mucho más, tanto por la cantidad de investigadores como por su preparación académica y profesional, así como por los resultados que ofrecía, a aquéllos que descollaban dentro de las universidades, incluyendo el Centro de Estudios Latinoamericanos de la Universidad de Pittsburgh que a la sazón era el de más impacto en el campo universitario.

La CIA ha ofrecido, para su utilización por otras agencias del gobierno y en general los interesados en ello, muchas de las informaciones públicas que obtiene. Sirva de ejemplo, en el campo que nos ocupa, la compilación "La economía cubana: un análisis estadístico".[20]

Los datos brindados por esta publicación, sólo de fuentes públicas, se han referido a la gestión de la agroindustria azucarera; la agricultura

20 Central Intelligence Agency: Directorate of Intelligence: *The Cuban Economy: A Statistical Review.*

no cañera; otras producciones industriales; producción petrolera; estimados de consumo energético y materiales de la construcción; el sector de transportes; de la distribución; las finanzas; el comercio exterior; así como estadísticas de la población y la fuerza laboral. El grado de detalles de los datos ofrecidos, que nos recuerda la actualización sistemática de datos que requiere la Inteligencia norteamericana según el libro comentado de Sherman Kent, como vimos más atrás, incluye, por ejemplo, el por ciento de azúcar en las plantaciones cañeras para cada año; el nivel de la producción de viandas y hortalizas, o el total de pasajeros transportados nacionalmente por tipo de vehículo.

Pero en esta época de navegación por Internet, la CIA no se queda atrás, y ofrece por esta vía, a los internautas de todo el mundo, cuál fuente enciclopédica mundial cuyo papel nadie le ha pedido que desempeñe, estadísticas similares. El autor tiene ante sus ojos, en los momentos que redacta estas líneas, las estadísticas de las importaciones cubanas en la década de los 90 (tabla 122, importaciones cubanas, "según datos del gobierno cubano y cifras oficiales de sus socios comerciales"),[21] y ante la contracción que se aprecia, en forma más acusada en el período 1992-1994, se pregunta: ¿En qué medida contribuyó la Ley Torricelli, tras la desaparición del campo socialista, a que esas estadísticas tuvieran esa pronunciada curva descendente? En igual sentido, ante la tabla 121 referida a las exportaciones cubanas en igual período,[22] la pregunta sería: ¿Cómo influyó la persecución norteamericana sobre las ventas de níquel cubano en todo el mundo en el abrupto descenso manifestado a partir del año 1990, y en forma particular tras la desaparición de la URSS? De esta forma, tenemos ante nosotros un *sui generis* emisor de estadísticas, capaz de hacer hasta lo indecible por variar las que no sean de su agrado.

El espionaje sobre la economía cubana con medios y métodos subversivos

Al haber comenzado refiriéndonos a las fuentes públicas a través de las cuales los servicios de espionaje y subversión norteamericanos

[21] Handbook of International Economic Statistics, 1977, Economic Profile, tabla 122. http.//.cia.gov/cia/publications/hies97/j/tab122.htm

[22] Ibid., tabla 121. Se desglosa en azúcar, níquel, tabaco, productos médicos, pescados y mariscos, cítricos y otros.

obtienen información de su interés acerca de la economía cubana, no hemos hecho otra cosa que reiterar un criterio largamente extendido entre los especialistas en estos temas: la mayor parte de la información que esos servicios requieren las obtienen de las fuentes públicas. Ello tiene un corolario especial para los cubanos: todos aquéllos que producto de su trabajo manejan información económica que puede resultar útil a la CIA y otras agencias norteamericanas para afianzar el bloqueo o planificar sabotajes u otras medidas de obstaculización, deben ser celosos guardianes en su protección.[23] Lo que está en juego es la seguridad de la Patria.

Pero esa información se ve complementada con la que obtienen clandestinamente a través de sus agentes en el país. Y de esa forma, al preguntar la finalidad de ambos tipos de búsqueda, caemos de lleno en un sórdido terreno, no propicio para ser divulgado por Internet, donde la idílica visión de un profesor universitario con gafas montadas al aire, valorando doctoralmente la curva descendente de las importaciones cubanas tras la desaparición de la comunidad socialista y la propia URSS, se ve sustituida por la de un ejército de funcionarios en todas las plazas comerciales del mundo, chantajeando y presionando para impedir las ventas de productos cubanos o la compra de productos para la Isla; por la de agentes reclutados para colocar explosivos en industrias vitales para el país; o por la de lanchas artilladas en acciones terroristas o mercenarios extranjeros contratados para colocar explosivos en hoteles cubanos.

El espionaje que ha realizado y continúa realizando la CIA y otros servicios de espionaje sobre la economía cubana no podemos apreciarlo con los aires de aventurerismo romántico de algunos filmes, ni se trata de un *duelo entre caballeros* como cierta literatura presenta las acciones de espionaje. En forma indefectible, la búsqueda de información sobre la economía cubana realizada por los servicios norteamericanos ha perseguido, en todos los casos, hacerla más difícil, dañarla, retrasar su desarrollo. Por ello, el espionaje siempre ha estado acompañado de las acciones de subversión directa sobre la economía, ya fuese dificultando o impidiendo una negociación en el exterior o en forma de sabotajes, terrorismo, introducción de plagas y enfermedades como parte de la guerra biológica u otras semejantes sobre la infraestructura económica

[23] En la década de los años 70, la prensa nacional publicó, y fue objeto de estudio en algunos organismos, un artículo titulado "Sin salir del despacho", contentivo de interesantes valoraciones acerca de la utilización por los servicios de espionaje de los países capitalistas desarrollados de las informaciones obtenidas de fuentes públicas.

interna. Para el gran público muchos de los aspectos que reflejaremos a continuación les pudiera parecer extraídos de un *suspense*. Se han seleccionado ejemplos de diferentes períodos, como muestra de la permanencia en el tiempo de esta criminal política de espionaje y subversión directa de la economía.

Lamentablemente para el pueblo cubano, y para la honra de quienes en Estados Unidos han dirigido y ejecutado esta política de subversión y crimen, las medidas asépticamente enunciadas en los documentos oficiales norteamericanos que vimos en el capítulo precedente tuvieron su materialización en acciones concretas no tan asépticas, mediante complejas tramas que para muchos solo forman parte del mundo del celuloide, pero que Cuba ha tenido que soportar como parte de la más cruda realidad.

Caso Petróleo

En el capítulo precedente vimos que en la reunión del Comité de Coordinación de Asuntos Cubano del 10 de abril de 1963, para discutir las propuestas de acciones encubiertas contra Cuba que se valorarían en la reunión del siguiente día del Grupo Especial del Consejo Nacional de Seguridad, el Jefe de la Dirección de Planes de la CIA, Desmond FitzGerald, realizó comentarios acerca de la planificación de una acción contra "el más importante objetivo que podía sabotearse", lo que dañaría seriamente a Cuba, pero que por su grado de complejidad "podía demorar ocho meses en llevarse a cabo". Versionábamos allí que podía referirse al sabotaje planificado por la CIA a la refinería "Ñico López". No tenemos dudas con respecto a ser más categórico: con toda seguridad se refería a ese macabro plan.

¿En qué consistía el mismo? ¿Qué acciones realizaron para llevarlo a cabo?

El agente con que contaban había sido reclutado en Estados Unidos en el segundo semestre de 1961 mientras culminaba sus estudios de ingeniería en la Universidad de Louisiana, y que luego de su regreso a Cuba como repatriado en 1962, había comenzado a laborar en aquella industria como jefe del Departamento de Mantenimiento, donde realizó una actividad inicial de espionaje sobre el sector de la refinación petrolera que fue detectada a fines de 1963. Producto del trabajo realizado por los Órganos de la Seguridad del Estado pudo conocerse que había recibido instrucciones de la CIA para paralizar la producción de la refinería "Ñico López" durante no menos de un mes, para lo que a su vez había allí reclutado a cuatro colaboradores.[24]

El período de tiempo mínimo que se quería paralizar esta industria coincide con las expresiones del Secretario del Tesoro norteamericano, con ocasión de discutirse en el Consejo Nacional de Seguridad en marzo de 1960 el *Programa de Presiones Económicas contra el Régimen de Castro* que inició la puesta en marcha de la guerra económica contra nuestro país, cuando expresó que "si nos proponemos suspender el suministro de petróleo a los cubanos, el efecto sería devastador para ellos *en un período de un mes o a lo sumo seis semanas*". Es evidente que afectando la más importante refinería del país, la CIA pretendía, a través de este agente, cumplir un sueño acariciado desde marzo de 1960.

Además de coincidir con esos intereses expresados desde 1960 y del *Proyecto Cuba* de 1962 que dio vida a Mangosta, el efecto terrorista perseguido se ajusta escrupulosamente al tipo de objetivo previsto y a los requerimientos aprobados al más alto nivel estatal norteamericano en la *Política Encubierta y Programa Integrado de Acción contra Cuba* de junio de 1963, en una continuidad que resulta metodológicamente aleccionadora.

El interés en afectar un producto tan sensible como los lubricantes se evidenció desde los primeros momentos del trabajo en este expediente, al conocerse la solicitud enviada al agente de que tomara muestras de los lubricantes soviéticos recibidos en el país, tipo MARK 20 y MARK 22, así como las diferentes formulaciones y aditivos puestos en vigor con los mismos. En la página 35 de la confesión del agente acerca de sus actividades, podemos leer (todas las citas corresponden al expediente que obra en archivos): "En el segundo mensaje de enero de 1964 fue donde envié los datos de producción de lubricantes y pedía si mal no recuerdo me dijeran qué hacer con las muestras si lograba sacarlas de la refinería [...]." El noveno mensaje radial recibido, a mediados de septiembre de 1964, expresaba entre otros aspectos:

"NUEVE X [...] IMPORTANTE RECIBIR LO ANTES POSIBLE INFORMACIONES SOBRE [...] NUEVAS FORMULACIONES PARA LUBRICANTES X PLANES DE PRODUCCIÓN PARA ESTE AÑO [...] INFORMACIÓN SOBRE LUBRICANTES SOVIÉTICOS [...]".

[24] Archivos MININT: *Caso Petróleo*.

Aparentemente, con el fin de comprobar los resultados de acciones realizadas para afectar el comercio con la URSS sobre ese importante producto, un mensaje radial recibido por el agente a inicios de octubre de 1964 decía:

"UNO UNO X URGE SIGUIENTE INFORMACIÓN DOS PUNTOS REPORTE SI RUSOS ESTÁN AGUANTANDO O DISMINUYENDO ENTREGAS DE LUBRICANTES QUE PROMETIERON ENTREGAR SEGÚN CONTRATO PARA SEPTIEMBRE DE 1964 X DE SER ASÍ IDENTIFIQUE LUBRICANTE Y CÓMO ESTÁN AGUANTANDO ENTREGAS X MANDE DATOS ESPECÍFICOS SOBRE ENTREGAS NORMALES QUE PROMETIERON Y ENTREGAS MENSUALES QUE AHORA ESTÁN EFECTUANDO PARA CADA TIPO DE LUBRICANTE MOSTRANDO CAMBIOS O REDUCCIÓN [...]."

La minuciosidad con que la CIA monitoreaba la situación interna de aquel objetivo a los efectos de dañarlo, se aprecia en la exigencia presente en el décimo mensaje radial recibido, a fines de septiembre de 1964:

"UNO CERO X NOS ALEGRAMOS DE RECIBIR INFORME VALIOSO Y ESPERAMOS CONTINÚE REPORTANDO PUES NECESITAMOS INFORMACIÓN CONTINUA SOBRE ESTADO REFINERÍA Y PRODUCCIÓN X MANDE DOS MENSAJES SEMANALES X REPITO X DOS MENSAJES SEMANALES CON INFORMACIÓN USTED Y SUS AGENTES PUEDAN REPORTAR [...]."

Un ejemplo en esa misma dirección aparece en el onceno mensaje de inicios de octubre:

"DESCRIBA TODO CAMBIO EN LA OPERACIÓN DEL CRACKER CATALÍTICO EN REFINERÍA ÑICO LÓPEZ Y MOTIVO DE ESTOS CAMBIOS X EXPLIQUE SITIO X EN PROBLEMAS CON COMPRESOR DE GAS X REPORTE TIEMPO QUE ESTUVO PARALIZADO CRACKER CATALÍTICO Y MOTIVO PARALIZACIÓN EN ÚLTIMOS SEIS MESES Y MANTÉNGANOS INFORMADOS SOBRE ESTADO SIGUIENTES UNIDADES X CRACKER CATALÍTICO X POWER FORMER X HYDROFINER X PLAT FORMER [...]."

La búsqueda de información para reforzar el bloqueo se aprecia en el quinto mensaje radial recibido a inicios de agosto de 1964:

"CINCO X [...] REPORTE CAMBIOS IMPORTANTES EN SUMINISTROS PARTES REPUESTOS Y BRIGHT STOCKS X IDENTIFICAR PLENAMENTE BARCOS Y PROCEDENCIA X REPORTE ESCASEZ CRÍTICA DE REPUESTOS Y MATERIA PRIMA EN REFINERÍA [...]."

En esa misma dirección, en el mensaje catorce de inicios de noviembre se decía:

"UNO CUATRO X [...] INSISTIMOS EN QUE REPORTE SEMANALMENTE INFORMACIÓN VALIOSA A LA CUAL USTEDES TIENEN ACCESO Y NOSOTROS NECESITAMOS MANTENER AL DÍA X [...] DESCRIBA REPUESTOS CRÍTICOS QUE REFINERÍA NECESITA DANDO NÚMERO X FABRICANTE X CÓMO SE EMBARCAN Y RECIBEN X PARA QUÉ UNIDAD HACEN FALTA X DE SER POSIBLE OBTENGA COPIA DE ORDEN Y STOCK QUE TIENEN [...]."

La finalidad perseguida con tales datos se hizo explícita en el mensaje dieciocho de fines de noviembre de 1964, cuando al repetir la solicitud precedente, explicaban:

"[...] NECESITAMOS DATOS ESPECÍFICOS *PARA EL BLOQUEO EFECTIVO*[25] DE SUMINISTROS DE PARTES CRÍTICAS [...]."

No obstante, la mayor peligrosidad de las acciones se aprecia en un fragmento de un mensaje de fines de marzo de 1964:

"[...] CONTINUAMOS INTERESADOS EN EFECTUAR SABOTAJE EXTENSO QUE PARALICE REFINERÍA Y DESTRUYA TANQUES DE ALMACENAMIENTO [...]."

Los mensajes radiales recibidos a partir de entonces son muestra elocuente del más execrable terrorismo de Estado.

No poca sorpresa causó el cuarto mensaje radial, recibido el 6 de julio de 1964:

"CUATRO X MÁNDENOS DESCRIPCIÓN COMPLETA DE AUTOMÓVIL A SU DISPOSICIÓN INCLUYENDO MARCA, COLOR, AÑO Y NÚMERO O TAMAÑO DE LAS GOMAS [...]."

[25] La cursiva de las palabras es nuestra. Apréciese el espionaje en función del sabotaje y del fortalecimiento del bloqueo.

March 18, 1960

MEMORANDUM OF CONFERENCE WITH THE PRESIDENT
2:30 PM, March 17, 1960

Others present: Vice President Nixon, Secretary Herter, Mr. Merchant, Mr. Rubottom, Secretary Anderson, Secretary Irwin, Admiral Burke, Mr. Allen Dulles, Mr. Richard Bissell, Colonel J. C. King, Gordon Gray, Major Eisenhower, General Goodpaster

After Mr. Herter gave a b... ...rning use of the OAS
in connection with the Cu... ...reported
to the President an actio...
covert operations to effe...
will be to form a moder...
take about one month.
tion" which Castro has
to carry out gray or bl...
lished, probably on Sw...
United States), in two...
affected elements wi...

To a question by the
tion would probably
be better if they co...
Venezuela would be
government could
Rica may be a pos...

Mr. Allen Dulles
will begin outsid...
of leaders toget...
might take som...

"The President
with this situa...
of security.

- 2 -

heard of it." He said we should limit American contacts with the groups involved to two or three people, getting Cubans to do most of what must be done. Mr. Allen Dulles said .... The President indicated some question about this, and reiterated that there should be only two or three governmental people connected with this in any way. He understood that the effort will be to undermine Castro's position and prestige. Mr. Bissell commented that the opposition group would undertake a money-raising campaign to obtain funds on their own -- in the United States, Cuba and elsewhere.

Mr. Gray commented that events may occur rapidly in Cuba, and force our hand before these preparations are completed.

Secretary Anderson stated that Castro is in reality financing his operations out of the funds of the U. S. companies that are operating in Cuba. He suggested that the Administration might take steps to bring business leaders together with elements of our government to consider what course the businesses -- which are now being milked of their assets -- should take. He said he had received a report that Castro is trying to inflame Cuban opinion and create an incident against the Americans which would touch off attacks on Americans in Cuba which might result in the death of thousands. The President stated that once the operation Mr. Douglas had proposed gets started, there will be great danger to the Americans in Cuba. Mr. Rubottom said that the "warning phase" of our evacuation plan is already in effect, and that many Americans are leaving, with almost no new ones going in.

Mr. Anderson said he thought that if we were to cut the Cubans off from their fuel supply, the effect would be devastating on them within a month or six weeks. There is some question whether other countries would join in denying fuel oil -- especially Venezuela. Mr. Anderson added that if Cuba is to seize the Nicaro plant or other U. S. Government property, we could not stand on the sidelines. In reponse to a question by the President, it was brought out that there is no treaty on this, and that Cuba of course has the right to confiscate the plant so long as compensation is given. Mr. Rubottom stated that if we wanted to cut

El 17 de marzo de 1960, el presidente norteamericano Dwight D. Eisenhower aprobó el plan elaborado por la CIA que, conjuntamente con la invasión por Playa Girón, trajo consigo la sistematización de las medidas económicas contra Cuba. (Fuente original: Eisenhower Library, Project "Clean Up", Records, Intelligence Matters. Top Secret.)

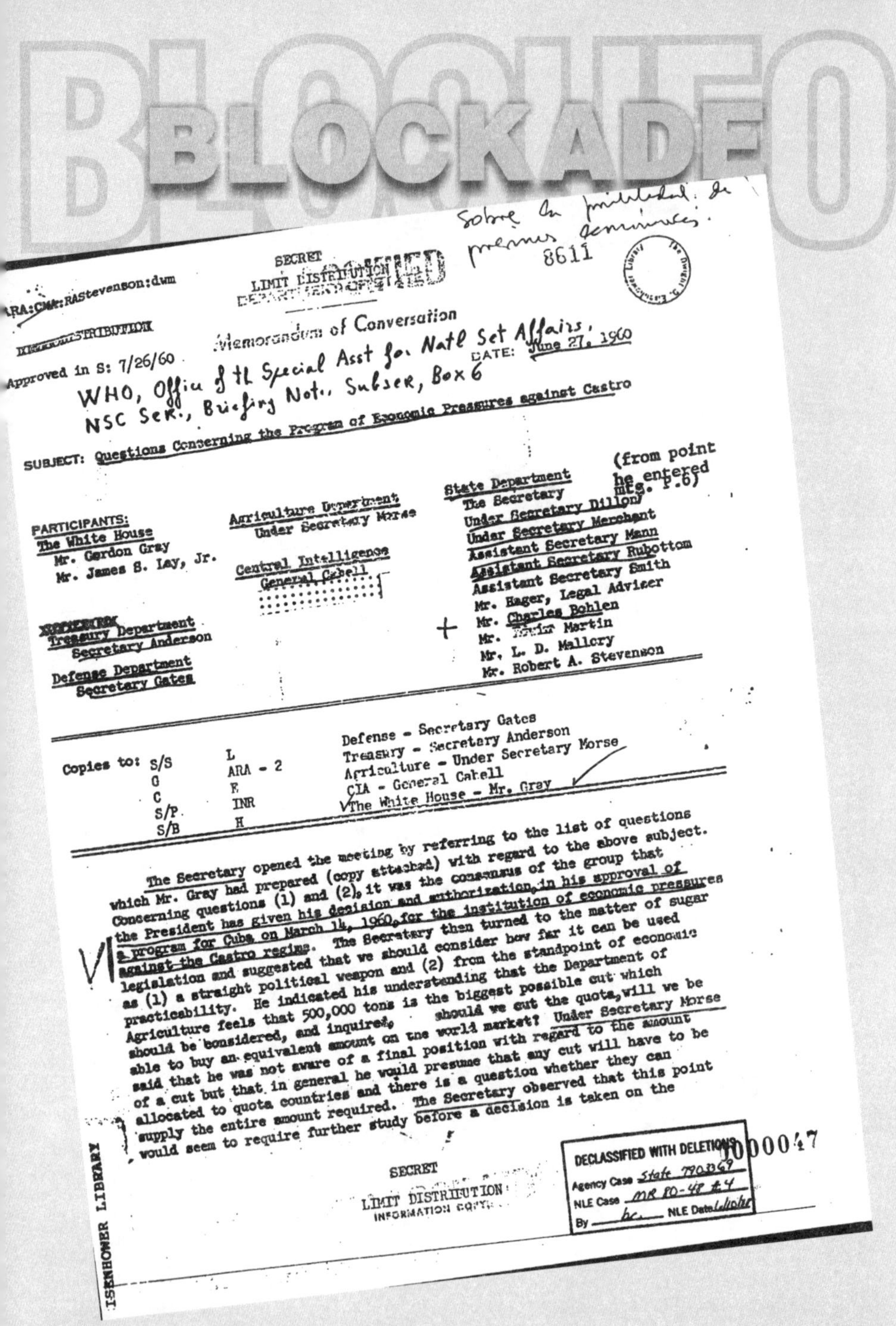

SECRET
LIMIT DISTRIBUTION

ARA:CMA:RAStevenson:dwm

Approved in S: 7/26/60

WHO, Office of the Special Asst for Natl Sec Affairs, NSC Ser., Briefing Notes, Subser, Box 6

8611

Memorandum of Conversation

DATE: June 27, 1960

SUBJECT: Questions Concerning the Program of Economic Pressures against Castro

PARTICIPANTS:

The White House
Mr. Gordon Gray
Mr. James S. Lay, Jr.

Treasury Department
Secretary Anderson

Defense Department
Secretary Gates

Agriculture Department
Under Secretary Morse

Central Intelligence
General Cabell

State Department
The Secretary (from point he entered mtg. p.6)
Under Secretary Dillon
Under Secretary Merchant
Assistant Secretary Mann
Assistant Secretary Rubottom
Assistant Secretary Smith
Mr. Hager, Legal Adviser
Mr. Charles Bohlen
Mr. [illegible] Martin
Mr. L. D. Mallory
Mr. Robert A. Stevenson

Copies to: S/S, G, C, S/P, S/B, L, ARA - 2, E, INR, H
Defense - Secretary Gates
Treasury - Secretary Anderson
Agriculture - Under Secretary Morse
CIA - General Cabell
The White House - Mr. Gray

The Secretary opened the meeting by referring to the list of questions which Mr. Gray had prepared (copy attached) with regard to the above subject. Concerning questions (1) and (2), it was the consensus of the group that the President has given his decision and authorization, in his approval of a program for Cuba on March 14, 1960, for the institution of economic pressures against the Castro regime. The Secretary then turned to the matter of sugar legislation and suggested that we should consider how far it can be used as (1) a straight political weapon and (2) from the standpoint of economic practicability. He indicated his understanding that the Department of Agriculture feels that 500,000 tons is the biggest possible cut which should be considered, and inquired, should we cut the quota, will we be able to buy an equivalent amount on the world market? Under Secretary Morse said that he was not aware of a final position with regard to the amount of a cut but that in general he would presume that any cut will have to be allocated to quota countries and there is a question whether they can supply the entire amount required. The Secretary observed that this point would seem to require further study before a decision is taken on the

SECRET
LIMIT DISTRIBUTION
INFORMATION COPY

DECLASSIFIED WITH DELETIONS
Agency Case State 790069
NLE Case MR 80-48 #4
By bc NLE Date

000047

Documento desclasificado que prueba la existencia de un *Programa de Presiones Económicas* contra la Revolución cubana elaborado por el gobierno norteamericano, aprobado conjuntamente con el *Programa de Acciones Encubiertas* del 17 de marzo de 1960. Se refiere a la reunión de alto nivel gubernamental que aprobó el desencadenamiento de las medidas económicas anticubanas. (Fuente original: Department of State, S/P Files: Lot 67 D548, Cuba 1959-1961. Secret; Limit Distribution.)

UNCLASSIFIED

F. SABOTAGE SUPPORT PLAN

ACTIVITY	PURPOSE	CONSIDERATIONS
1. Sabotage Cuban supply of nickel to Soviets.	To deny supply to Soviets and to hinder Cuba's ability to pay for Bloc imports.	[redacted] (S)
2. Sabotage fuel supply.	To cripple transportation.	[redacted] (S)
3. Sabotage communications.	To dramatize and encourage the spirit of resistance.	Prime targets for hit-and-run teams based outside Cuba are CMQ TV and the Czech radio transmitter (believed now used to jam U.S. broadcasts). Attacks mounted only when operationally feasible. The G-2 micro-wave net should be dealt with when there are sufficient assets inside to make sabotage coincide with a critical need, in August-September.
4. Sabotage power supply.	To increase strain on regime and bring daily business to a standstill, by dramatic action all people will note.	This should be a concerted attack, as feasible in July-August, on power plants at Havana, Santiago, Cinfuegas, Vicente, Santa Clara, Cuatro Caminos, Matanzas. It is of a type requiring detailed planning and special equipment, and can be mounted from outside Cuba.

La *Operación Mangosta* implicó una política de tierra arrasada de la economía cubana. El documento muestra algunas de las medidas del plan de sabotajes en sectores priorizados. (Fuente original: Kennedy Library, National Security Files, Meetings and Memoranda Series, Special Group (Augmented), Operation Mongoose, 2 /62-4 /62. Top Secret; Sensitive. Supplement.)

SUBJECT

Sabotage/Harassment Program

The broad target categories against which the sabotage/harassment operations would be mounted and a preliminary evaluation of their effect, can be summarized as follows:

A. Electric Power

Disruption of any of the existing power grids which might be effected by damage to or destruction of the generating facilities or of the critical sub-stations in the distribution network, would significantly weaken the existing economic and social structure, particularly in view of the fact that in many areas the power now available is not adequate to meet the demands of industrial and public consumers. Smaller acts of

Cuba, October 1962–December 1963 833

sabotage/harassment by the populace such as throwing chains over high tension lines to short them out, would also exacerbate the current power shortage, and the cumulative effect of all such actions could cause a prolonged breakdown of the power system as there is already a shortage of spare parts and replacement matériels.

B. Petroleum, Oil and Lubricants (POL)

Damage to or destruction of POL production and/or storage facilities would seriously affect almost all aspects of the Cuban economy. The electric power industry depends almost entirely upon POL as fuel for the generating plants and the sugar industry depends upon POL powered processing and transportation facilities as does all intra-province transportation. Production and storage facilities are susceptible to external attacks by heavy weapons or by more subtle methods if internal assets having an appropriate degree of accessibility can be developed. The loss of refining facilities could be offset by increased Bloc shipments of refined products but such a shift would require a period of readjustment during which there would be a heavy strain on the Cuban economy. An additional burden on the Bloc refining capacity would also exist until Cuba's refining capacity is restored.

C. Transportation

Damage to or destruction of railway and/or highway rolling stock or the destruction of key bridges would lead to breakdowns in the regional economics which to a large degree are dependent on the distribution of imported products. The processing and export of the vitally important sugar crop is also entirely dependent on transportation. It is not anticipated that we could achieve that degree of disruption which would cause a collapse of the economy or social structure, but even a minor degree of disruption will adversely affect the standard of living and the output of the economy, both of which are key factors in the stability of the regime. The type of operations envisioned in this category would range from fairly sophisticated attacks by external or internal assets against the rolling stock, key bridges and repair facilities to simple low risk acts by the populace such as the derailing of rail transportation or placing tire puncturing material on highways.

D. Production Processing and Manufacturing Facilities

While the Cuban economy primarily depends on imports for indigenous consumption and even though the sugar crop is by far the most important item in Cuban exports, there are still a number of other facilities such as the nickel complex at Nicaro, cement plants, distilleries, and the myriad industries associated with the provision of food, clothing and shelter, which are worthwhile targets in that stopping or lessening their output will weaken the economy and breed discontent against the regime. These targets are particularly susceptible to attack by external or internal assets in that due to their profusion and their relatively low stra-

En junio de 1963, el presidente Kennedy, a propuesta de la CIA, aprobó el documento titulado *Política Encubierta y Programa Integrado de Acción hacia Cuba*, que sustituyó a la fracasada *Operación Mangosta*. En el documento se destacan los sectores priorizados a sabotear. (Fuente: Department of State: *Foreign Relations of United States*, vol. XI, documento 346.)

La Ley de Seguridad Nacional de 1947 que creó a la CIA, plasmó, como quinto de sus deberes, un amplio e indefinido campo de “acciones encubiertas” que fueron precisadas en 1948, momento en que se mencionó explícitamente, entre ellas, la ejecución de acciones de guerra económica contra otros países. Según la “negación plausible”, las acciones encubiertas debían hacerse de forma tal que nadie pudiera culpar por ellas al Gobierno de los Estados Unidos. En la foto, el cuartel general de la CIA en Langley, Virginia.

En su libro-denuncia *Diario de la CIA*, publicado en 1975, el antiguo oficial de ese organismo de espionaje y subversión, Philip Agee, se refiere a dos modalidades de guerra económica: el sabotaje directo de actividades económicas clave y las medidas encubiertas para impedir los suministros de importaciones esenciales para el país.

Ray S. Cline, sub-director de la CIA (1962-1966), en entrevista televisiva de 1977 acerca de las acciones clandestinas contra Cuba, ejemplificó los "sabotajes sutiles" de la siguiente forma: en un equipo importado por Cuba, con una apariencia excelente, en realidad las cajas de bolas estaban modificadas, lo que inutilizaba dicho equipo al poco tiempo. En la otra foto, Cline aparece, en 1956, con el entonces jefe de la CIA Allen Dulles y otro oficial encubierto. Apenas dos años después, fueron actores destacados de la guerra sucia contra la Revolución cubana.

La destrucción de importantes objetivos económicos, a través del sabotaje, ha sido cumplida escrupulosamente por la Agencia Central de Inteligencia. Según documentos desclasificados del gobierno norteamericano, para su planificación debía preverse, entre otros aspectos, que su daño fuese significativo y duradero.

HOY

Atacado barco mercante español por mercenarios al servicio de la CIA

Las relaciones comerciales con Cuba por parte de terceros y la incrementada capacidad turística del país, han sido objetivos del terrorismo anticubano. El joven turista italiano Favio di Celmo, perdió la vida en el atentado explosivo a un hotel de la capital cubana.

Granma

ÓRGANO OFICIAL DEL COMITÉ CENTRAL DEL PARTIDO COMUNISTA DE CUBA

Cuba denuncia

agresión biológica

desde Estados Unidos

Texto del informe entregado por Cuba al Secretario General de las Naciones Unidas sobre la aparición en nuestro país de la plaga Thrips palmi

Las agresiones biológicas forman parte de la guerra económica. En las fotos, el contrarrevolucionario de origen cubano Eduardo Arocena, testificó en 1984 que había introducido gérmenes patógenos en Cuba. Entre otros muchos ejemplos, contra nuestro país se utilizó la fiebre porcina africana, la epidemia de dengue y el *Thrips palmi.* Especialistas cubanos ofrecieron una documentada valoración de la utilización de la guerra biológica en ocasión de la Demanda a Estados Unidos por daños económicos.

Doctora Adamilda Verena, testigo en la Demanda a Estados Unidos por daños económicos. Los medicamentos de producción norteamericana por ella requeridos para el tratamiento de la miositis osificante postraumática, no pueden ser importados por Cuba.

El doctor José A. Aguilar Trujillo dirigió un estudio para el cálculo de los efectos de la guerra económica: los daños y perjuicios ocasionados por el bloqueo ascendían a inicios del 2000, a 67 mil millones de dólares, y los de las acciones encubiertas contra la economía a 54 mil millones, para un total de 121 mil millones de dólares.

Para el año 2003, los daños del bloqueo, por sí solos, superan los 72 mil millones de dólares.

Tal mensaje tuvo explicación meses después, luego de brindada la información solicitada, al recibirse el 14 de diciembre de ese año el vigésimo mensaje radial:

"DOS CERO X RECOJA MATERIAL DE SABOTAJE ESCONDIDO DENTRO DE GOMA AUTOMÓVIL CÓNSUL ENTERRADA SEIS PULGADAS BAJO TIERRA ENTRE PALMA CANA BAJITA Y PINO ALTO PEGADO POSTE NÚMERO 8 DEL RIACHUELO EN CERCA DE ALAMBRE SEGÚN SE DETALLA EN MAPA QUE LE ESTAMOS MANDANDO POR ESCRITURA SECRETA [...] DOS CINCO (25) METROS AL NORTE DE CARRETERA CIRCUITO NORTE ENTRE CONSOLACIÓN DEL NORTE Y LA MULATA EN PINAR DEL RÍO [...]."

La gestación del sabotaje se apreciaba, en sus diferentes variantes, en diferentes mensajes enviados al agente. Un fragmento del mensaje radial número 19, de inicios de diciembre, expresaba:

"MANTÉNGANOS INFORMADOS SOBRE MEDIDAS DE SEGURIDAD EN REFINERÍA ÑICO LÓPEZ X BUSQUE VARIOS LUGARES SEGUROS DENTRO REFINERÍA PARA IR METIENDO POCO A POCO MATERIAL DE SABOTAJE Y PODER ESCONDERLO HASTA MOMENTO APROPIADO [...] X ESTUDIE Y REPORTE DETALLADAMENTE LUGARES X EQUIPOS X UNIDADES QUE PUEDEN SABOTEAR CAUSANDO DAÑOS MAYORES CON EQUIPOS INCENDIARIOS Y EXPLOSIVOS [...]."

La introducción de los explosivos y petacas incendiarias en la instalación las realizó paulatinamente el agente, siguiendo precisas instrucciones de la CIA, amarrados a sus piernas.

Las indicaciones finales para la ejecución del sabotaje se comenzaron a recibir desde mediados de febrero de 1965. En el mensaje radial número 28 se expresaba:

"NECESARIO SABOTEAR REFINERÍA NOCHE DE MARZO SEIS (6) [...] TIENEN QUE COLOCAR MATERIAL EN HORAS USUALES DE TRABAJO Y ACTIVAR DETONADORES AMARILLOS DE MÁXIMO TIEMPO ANTES DE SALIR DEL TRABAJO [...]."

El tratamiento como mercenarios dispensado por la CIA a sus agentes se aprecia en un fragmento de ese propio mensaje:

"LE DAREMOS BONO DE DIEZ MIL DÓLARES SI SABOTAJE PARALIZA REFINERÍA POR TRES CERO (30) DÍAS REPITO 30 DÍAS X BONO MAYOR DE ACUERDO CON DAÑOS CAUSADOS [...]."

Los lugares específicos para sabotear fueron igualmente indicados al agente por la CIA a partir del mensaje 33 del 25 de febrero. En ese mensaje se decía:

"[...] EN CUARTO DE CONTROL PONGA GRAMPAS EN PIZARRAS CON CONTROLES SENSITIVOS DIFÍCILES DE REPONER X PREFERIBLEMENTE CONTROLES CRÍTICOS QUE CAUSEN DAÑOS SECUNDARIOS EN UNIDADES FUNCIONANDO X SELECCIONE TRES O CUATRO OBJETIVOS CLAVE EN FUNCIONAMIENTO REFINERÍA Y USE DE DOS A CUATRO GRAMPAS EN CADA BLANCO [...]."

En el mensaje 34 del 27 de febrero, con un contenido repetido posteriormente en más de una oportunidad, se decía:

"[...] BOMBAS DE AGUA SALADA PONGA GRAMPAS MAGNÉTICAS DIRECTAMENTE CONTRA ARMADURA X POSIBLEMENTE ESCONDIDAS DENTRO REGISTROS DE INSPECCIÓN X PROCURE DAÑAR PARTES MOVIBLES PARA CAUSAR DAÑOS SECUNDARIOS X SI DESTRUYE CHUMACERA O CAJAS DE BOLAS PONDRÁ EJE FUERA DE ALINEACIÓN EN ALTA VELOCIDAD [...]. EN CALDERAS PROCURE PONER GRAMPAS DONDE HAY MAYOR CALOR Y PRESIÓN PARA CAUSAR EXPLOSIÓN SECUNDARIA X OBJETIVOS ALTERNATIVOS SERÍAN TRANSFORMADORES ELÉCTRICOS DENTRO REFINERÍA [...] SELECCIONE PARTES CRÍTICAS QUE CAUSEN DAÑOS SECUNDARIOS [...]."

No obstante todos los esfuerzos enemigos y la meticulosidad con que prepararon y ejecutaron sus acciones, pudo más la vigilancia del pueblo cubano, impidiéndose la ejecución de uno de los sabotajes de mayor peligrosidad jamás organizado por gobierno alguno contra otro país, con respecto al cual ni siquiera se encontrara formalmente en guerra.

En la agroindustria azucarera

Dañar la producción azucarera cubana y en general la entrada de divisas al país por la exportación de este rubro, ha sido una de las más recurrentes intenciones, planes y acciones del gobierno norteamericano, desde los incendios de cañaverales y bombardeos de instalaciones industriales del sector iniciados en el último trimestre de 1959; pasando por el plan presentado en los primeros días de enero de 1960 por el Director de la CIA al presidente Eisenhower, en que se le recomendó que volviera con un plan más amplio; la primera de las conclusiones del general Edward Lansdale cuando se le encomendó la dirección de la Operación Mangosta en el segundo semestre de 1961; a través de una operación de alcance universal encaminada a incrementar la producción en otras latitudes y bajar artificialmente los precios del dulce, todo ello con el único fin de restringir la entrada de divisas a Cuba en momentos de alza en la cotización de ese producto en el mercado azucarero mundial, como vimos en el capítulo tercero; la contaminación del producto en puertos extranjeros; la introducción de plagas para afectar los cultivos, y otras muchas formas.

Caso Lechero

Dentro de los numerosos expedientes que obran en los archivos del MININT acerca de estas criminales acciones sobre el sector azucarero, hemos elegido el Caso Lechero, en que se puede apreciar la actividad de la CIA desde su propia gestación, gracias al libro-denuncia publicado en 1975 por el ex oficial de ese órgano Philip Agee, *Diario de la CIA,* asqueado por las acciones subversivas de su gobierno.[26]

Al referirse al período en que estuvo adscrito a la estación de la CIA en Montevideo, con fecha 3 de abril de 1964, expone Agee:

"Mi primer reclutamiento cubano parece que ha alcanzado el éxito. Ha llegado del Brasil una misión comercial que permanecerá aquí hasta la semana que viene. Un oficial de la estación de Río había informado que Raúl A. Olivé, miembro de la misión y tal vez el más destacado componente de la misma, por ser un importante empresario de la industria azucarera, se sentía decepcionado con la revolución. Para proteger al agente de Río de cualquier provocación, teniendo en cuenta, además,

[26] Philip Agee: ob. cit.

la confusión que reinaba en Brasil la semana pasada,[27] la estación de Río aconsejó que el intento de reclutamiento se llevara a cabo aquí, o bien en Madrid, que será la última etapa del viaje, antes de su regreso a La Habana.

"El equipo de vigilancia AVENIN[28] le siguió tras su llegada y, aprovechando el primer momento en que estuvo solo, le entregaron una nota mía solicitándole una entrevista. La nota estaba redactada de tal forma que pudiera comprender su procedencia de la CIA. Tras leerla, el cubano siguió las instrucciones que figuraban en la misma y se dirigió a la calle que se le indicaba, donde me reuní con él, acompañándole después a un lugar seguro en el que pudiéramos conversar. La central nos había enviado una lista de preguntas, la mayoría de ellas relacionadas con la cosecha de azúcar de este año, los esfuerzos por mecanizar el proceso del corte de las cañas, y su posible conocimiento de alguna otra persona decepcionada. Hablamos por espacio de dos horas, porque tenía que reunirse de nuevo con su delegación, pero nos veremos varias veces antes de que emprenda viaje hacia Madrid. La estación de Madrid acaba de enviarnos las instrucciones de contacto.

"Dijo que la producción de la cosecha de este año será de unos cinco millones de toneladas y habló largo y tendido de los problemas que planteaba el empleo de las máquinas cortadoras de caña, sobre todo en los casos en que éstas se utilizaban en superficies inclinadas. Y lo más

[27] Golpe militar contra Joao Goulart.

[28] Equipos de observación visual creados por la CIA en los países donde opera para el control de las personas de su interés. Vale la pena citar en extenso a Agee, lo que resulta útil para apreciar los métodos que utiliza la CIA para el control de los funcionarios cubanos en el exterior: "La estación dispone de dos equipos de vigilancia, el más antiguo y eficaz es éste [...] está integrado por siete agentes de vigilancia, un agente de la compañía eléctrica estatal y un agente de la central de telégrafos. La mayoría de los agentes son empleados del ayuntamiento. El equipo [...] dispone de dos sedanes y una furgoneta VW, provista de un dispositivo periscópico con una capacidad visual de 360 grados para tomar fotografías y efectuar observaciones a través de la abertura de la capota. Se utilizan también transmisores radiofónicos para la comunicación entre los vehículos, entre éstos y el PO, situado frente a la embajada cubana, y entre los vehículos y los agentes que se encuentran en la calle, los cuales llevan ocultos bajo la ropa unos pequeños aparatos que les permiten comunicarse con los vehículos y entre sí. Se les ha adiestrado también a tomar fotografías mediante unas pequeñas cámara automáticas Robot de 35 mm, envueltas como si fueran unos inofensivos paquetes. El agente [...] de la compañía eléctrica nos [...] puede facilitar los planos arquitectónicos de cualquier edificio al que suministre fluido su compañía permitiéndonos planificar las operaciones de escucha o las entradas subrepticias." Philip Agee: ob. cit., p. 344.

curioso es que conoce a gran número de dirigentes gubernamentales, a pesar de no haber intervenido demasiado activamente en la lucha contra Batista.

"Grabé nuestra conversación, cosa que no le gustó demasiado, y he enviado un cablegrama con un resumen de todo lo que me dijo. Creo que su estancia en Madrid se prolongará hasta finales de la semana que viene, o tal vez más tiempo, razón por la cual podrá recibir allí las necesarias instrucciones con vistas a la comunicación. Es muy extraño que haya accedido a regresar a Cuba y a que la CIA le guarde el sueldo, pero me ha parecido que actuaba con honradez. En Madrid le someteremos a la prueba del polígrafo, lo cual despejará cualquier duda que pudiéramos abrigar en relación con su sinceridad."[29]

En las anotaciones correspondientes al 24 de abril escribió Agee: "Desmond FitzGerald se muestra complacido del reclutamiento del cubano, pero teme que se trate de una provocación, basándose en la elevada cantidad que se indicó, relativa a la cosecha azucarera de este año. En lugar de los cinco millones de toneladas, la producción de este año será de menos de cuatro millones, según FitzGerald."[30]

Y en las del 6 de junio: "Se ha anunciado la producción de azúcar cubano de la cosecha de este año (muy inferior a la que me había indicado el ejecutivo de la industria azucarera cubana) y es probable que FitzGerald estuviera en lo cierto. Ahora tendré que desprenderme del apartamento que había utilizado para mis encuentros con él. No hemos recibido ningún dato de Madrid acerca de los resultados de la prueba del polígrafo."[31]

Pero lo cierto era que el agente reclutado había aceptado a conciencia su trabajo con la CIA, que rápidamente se percató de ello y comenzó a utilizarlo como valiosa fuente de información en el sector azucarero y agropecuario en general.

En un mensaje remitido a la CIA en enero de 1967 este agente informaba: "Las cosechadoras de caña han sido descartadas provisionalmente [...]. Todo el énfasis se da a los centros de acopio y a las alzadoras. La zafra puede llegar a seis millones quinientas mil toneladas. El incremento mayor en la caña se debe a las abundantes lluvias [...]."

En marzo de 1968 decía: "[...] zafra estimada por el MINAZ en cinco millones doscientas mil toneladas, pero es posible que no se llegue a esa cifra. En Oriente se van a sembrar cañas para corte meca-

[29] Ibid., pp. 362-363.
[30] Ibid., p. 366.
[31] Ibid., p. 377.

nizado [...]. Se proyecta llegar a las quince mil caballerías de siembra este año".

Se apreció también en la actividad de este agente enemigo el envío de informaciones para hacer frustrar procesos negociadores cubanos con terceros países. Veamos: En un mensaje de septiembre de 1968 informó: "Cuba interesada en adquirir equipo australiano de cortar caña. Se enviará misión para hacer primeros contactos [...]."

En mensaje de abril de 1969: "El señor [...] visitará Zaragoza para la compra de equipos agrícolas [...]. El Ing. [...] viajará próximamente a Japón para la compra de productos pesticidas para la agricultura [...]." Poco después del envío de este mensaje, el agente pudo ser finalmente descubierto, detenido en diciembre de 1969 y puesto a disposición de los tribunales. Atendiendo a su edad y nivel cultural se le encomendaron en prisión labores de control administrativo. Fue liberado mucho antes de que expirara el total de la condena que le fue impuesta. Tras su excarcelación permaneció en Cuba, donde murió hace pocos años.

Acciones contra el transporte marítimo y la pesca

En el Capítulo III pudimos apreciar los debates en el Comité de Coordinación de Asuntos Cubanos del Departamento de Estado norteamericano, en el primer semestre de 1963, discutiendo las diferentes variantes que podían utilizarse para destruir la flota comercial marítima cubana. Al igual que sobre todos los restantes sectores, fueron numerosas las acciones a través de las cuales se ejecutaron.

En entrevista con el General de División Manuel Fernández Crespo, que desde los primeros años de la década de los 60 estuvo responsabilizado con la dirección de las investigaciones de las actividades subversivas contra sectores importantes de la economía, entre ellos, las transportaciones marítimas, pudimos recoger interesantes testimonios acerca de cómo se percibían en Cuba esas acciones. Según nuestro testimoniante:

"A nosotros entonces no nos cabía duda alguna acerca de que la CIA se había propuesto destruir nuestra flota mercante. Era lógico, porque con las leyes del bloqueo y aquello de las 'listas negras' de los barcos que tocaran puerto cubano, habían logrado que las navieras capitalistas dejaran de comerciar con Cuba: el próximo paso era impedir que nuestros barcos navegasen.

"Para mí fue impactante, cuando hace relativamente poco tiempo leí los documentos norteamericanos desclasificados, recordar cómo, efectivamente, tuvimos que enfrentar en aquellos años tantas petacas incendiarias colocadas por sus agentes dentro de las cargas que se transportaban; o motores que se fundían sin causa aparente dejando al pairo, en medio del océano, a nuestros buques. Más de una vez hubo que salir a remolcar alguno. Minas en los cascos de las embarcaciones también lo hicieron varias veces.

"Recuerdo cuando operamos el expediente del caso *Dos Hermanos*. Fue en los interrogatorios a uno de sus principales involucrados, que había fungido como jefe de máquinas en un buque de relativa importancia, y se utilizaba por la CIA para abastecer de medios para la realización de sabotajes a otros agentes, que conocimos —y esto lo había sabido él a través del oficial CIA que lo dirigía— que la sustancia que se estaba utilizando había sido fabricada en los laboratorios de la Agencia para que no se detectaran sustancias abrasivas en los análisis que se hicieran en los aceites de los motores fundidos, y no pudiera comprobarse que se trataba de sabotajes. Era una forma de garantizar impunidad a sus colaboradores, y de esta forma convencerlos de que ejecutasen esas acciones.

"A partir de esos primeros años de la década del 60 se manifestó un increíble incremento en la agresividad de las acciones contra nuestros navíos y sus tripulaciones. En los principales puertos europeos y prácticamente de todo el mundo donde tuviesen que hacer escala nuestros barcos, allí estaban los hombres de la CIA, a la caza de la menor oportunidad para sabotearlos y tratar de reclutar a nuestros oficiales y tripulantes [...].

"En los documentos desclasificados no mencionan algo que también hacían sistemáticamente, para dejarnos sin tripulantes: la estimulación de las deserciones en puertos extranjeros. Entre otras mil estratagemas organizaban fiestas y otras actividades a nuestros marineros y oficiales, para que no estuviesen a bordo a la hora de zarpar sus embarcaciones, y luego les decían: 'miren, si regresan para Cuba los van a fusilar, así que lo mejor que hacen es quedarse y buscar trabajo en barcos de otras banderas'."[32]

Un importante ejemplo, relacionado con lo expresado en ese testimonio, lo fue el hundimiento de embarcaciones pesqueras en el puerto de El Callao, Perú, en el año 1977.

En su testimonio ante el Tribunal Popular Provincial de Ciudad de La Habana, con ocasión de la Demanda al Gobierno de Estados Unidos

[32] Testimonio del General de División Manuel Fernández Crespo, 2003. Archivo del Autor.

por daño económico en marzo del 2000, el Teniente Coronel Francisco Gómez Pons fue muy preciso al respecto:

"Durante 14 años me desempeñé como jefe de la sección que atendía el sector de la pesca, por la contrainteligencia del MININT [...]. Durante todo ese tiempo, pudimos conocer los intereses informativos de los servicios especiales norteamericanos, en particular la CIA, sobre este sector, que en aquella época era el tercer renglón productor de divisas y ocupaba un lugar importante como fuente de alimentos para la población [...].

"La década de los años 70 marcó la modernización de la Flota Cubana de Pesca, que realizaba por entonces sus labores en los océanos Atlántico y Pacífico, momento en que se adquirieron los buques TACSA 96, arrastreros por la popa de gran porte y con la técnica más avanzada del momento.

"En 1977 se incrementó la pesca en el Pacífico, al firmarse un convenio con la República de Perú y establecerse una base de operaciones y reparaciones en el puerto de El Callao, al oeste de la capital de aquel país. Fueron momentos en que detectamos un incremento en la búsqueda de información por la CIA sobre nuestras actividades de pesca. Qué harían con esa información lo vimos de inmediato.

"El 22 de julio de 1977, encontrándose atracado en dicho puerto el buque pesquero *Río Jobabo,* le fue colocada una carga explosiva en la toma de fondo de la sala de máquinas que provocó el hundimiento de la nave. Esta acción fue bien planificada, ya que esa carga explosiva fue colocada en el lugar exacto donde más daño podía producir.

"El 7 de octubre de ese mismo año, cuando la operación de reflote del *Río Jobabo* tocaba a su fin, fue colocada otra carga explosiva, esta vez en la toma de fondo de la fábrica de harina de la motonave *Río Damují,* un lugar no idóneo para provocar el máximo daño, tal vez provocado por la premura con que esta última acción tuvo que realizarse debido a existir una mayor vigilancia por parte de la tripulación.

"Las investigaciones practicadas por los equipos de salvamento y los peritos de criminalística llevados de Cuba con tal fin demostraron la participación de hombres rana en la colocación de los artefactos explosivos en el casco de las embarcaciones. El proceso investigativo posterior, paciente pero fructífero, demostró que eran hombres que respondían a la CIA, en forma de comandos terroristas, los responsables de ambos sabotajes [...]."[33]

[33] Testimonio del Tte. Coronel Francisco Gómez Pons ante el Tribunal Provincial Popular de Ciudad de La Habana. 7 de marzo del 2000. Algunos aspectos fueron precisados en entrevista de febrero del 2003. Archivo del Autor.

Desenmascaramiento público en 1987 al espionaje y subversión de la CIA

En el verano de 1987 se realizó en Cuba, en programas televisivos sacados al aire en varios días sucesivos, el desenmascaramiento público de las labores de inteligencia y subversión realizadas contra Cuba desde la Estación Local de la Sección de Intereses de Estados Unidos en La Habana, en denuncia contundente sin antecedentes en ninguna otra parte del mundo.[34]

El pueblo cubano pudo presenciar, a través de filmaciones secretas realizadas por los Órganos de la Seguridad del Estado cubanos durante varios años, las actividades clandestinas realizadas por oficiales de la CIA para el abastecimiento de los sofisticados medios de comunicación, códigos para el cifrado de la información, elevadas sumas de dinero y otros materiales que suministraban a un nutrido grupo de supuestos agentes suyos, seleccionados en diferentes sectores y organismos, que en trabajo dirigido por los Órganos de la Seguridad habían penetrado las estructuras de la CIA para conocer y prevenir sus intenciones agresivas contra Cuba.

Participaban en las acciones subversivas oficiales de la Estación Local de la CIA que radica en la Sección de Intereses de Estados Unidos en La Habana, que actuaban bajo el manto de diplomáticos, así como un elevado número de funcionarios en tránsito, supuestamente representantes del Departamento de Estado u otros departamentos y

[34] La prensa cubana reflejó con amplitud la denuncia realizada. La televisión cubana proyectó un serial titulado *La guerra de la CIA contra Cuba,* iniciado el 6 de julio de 1987, primer día de la denuncia, y que concluyó el 11 de agosto. La prensa plana, durante todo ese tiempo, a través de artículos de los periodistas Roberto Álvarez Quiñonez, Emilio del Barrio, Dantes Cardosa, Nidia Díaz, Orlando Gómez, Gladis Hernández, Héctor Hernández Pardo, Nicanor León Cotayo, Gardenia Miralles, Gabriel Molina, Joaquín Oramas, Raisa Pagés, Raúl Palazuelos, Roberto Paneque, Orfilio Peláez, Diana Sosa, Reynold Rassi, Mirta Rodríguez Calderón, Alberto Rodríguez Fernández, Alexis Schlachter y Juan Varela Pérez, reportaron prolijamente los detalles de la denuncia, algunos de los cuales se ofrecen más adelante. A pesar de su importancia y repercusión de carácter mundial, al no haber habido nunca antes una revelación tan documentada de las acciones subversivas y de apoyo y respaldo al terrorismo por parte de la CIA —parte importante de los planes dados a conocer se encaminaban a la eliminación de Fidel Castro—, la prensa internacional no se hizo eco, salvo escasos reportes rápidamente silenciados por sus oficinas centrales. Cosas de la "libertad de prensa". Puede asegurarse que el pueblo norteamericano no llegó a conocer la denuncia cubana.

agencias, pero que en realidad lo eran de las oficinas centrales de la CIA en Langley, Virginia. Aunque parezca increíble, el paciente trabajo realizado posibilitó comprobar las acciones subversivas de ¡89! de estos supuestos diplomáticos.

Durante la denuncia se presentó, como prueba irrefutable, los testimonios de 27 personas, de las más disímiles profesiones, que la CIA había supuestamente reclutado para su servicio, pero que en verdad se trataban de patriotas que rápidamente se percataron del notable servicio que podían prestar a la Patria, al poder conocer sobre qué aspectos se interesaba el enemigo y poder prevenir el daño que pudieran ocasionar.

Algunos ya colaboraban con anterioridad con los Órganos de la Seguridad del Estado, dada la necesidad que había tenido el país de defenderse desde fecha muy temprana, de acciones enemigas que desembocaron en Girón, la Operación Mangosta y la *Política Encubierta y Programa Integrado de Acción hacia Cuba,* esta última aprobada por el presidente Kennedy en junio de 1963. Con la experiencia acumulada desde entonces, el país había creado condiciones para el enfrentamiento a la CIA, que posibilitase al país detectar tempranamente las acciones en su contra.

Otros, entre los que cabe destacar al ciudadano italiano Mauro Casagrandi, al recibir la propuesta de la CIA de trabajar a su servicio en contra de la Revolución cubana, comprendieron que era la oportunidad que se les ofrecía de contribuir en la defensa de uno de los proyectos sociales más puros de la historia contemporánea, y pusieron su tesón e inteligencia, aun a riesgo de su propia vida, a servicio de la Revolución a cuya destrucción el gobierno norteamericano los convocaba.

La labor subversiva contra la economía cubana, que a continuación apreciaremos, es congruente con la realizada por Estados Unidos contra Cuba desde los primeros años de la Revolución. La mayor parte de los "agentes" con que creían contar en Cuba habían sido seleccionados por la CIA en diferentes sectores de la economía, en cumplimiento de los planes subversivos heredados desde los primeros años posteriores al triunfo de 1959.

En un artículo periodístico de aquel verano de 1987 se sintetizó cabalmente el momento: "No se trata, claro está, de que la CIA va a desaparecer por esto: ni siquiera de que podamos esperar una disminución de sus actividades contra Cuba. Se trata, sencillamente, de que todo lo que ha sabido ahora nuestro pueblo y el barrage de pruebas y evidencias colocadas ante los ojos de la opinión pública internacional, conforman un expediente tan completo de la tenacidad con que el imperialismo ha trabajado sin descanso para estrangular a nuestro país y a su revolución que, si alguien tuvo dudas, la muestra debe haber sido suficiente para que muchos ojos se abran."[35]

Intereses en sectores de la navegación marítima, aérea y la pesca

El Ángel Mateo. Así fue reflejado en la prensa,[36] con reminiscencias evangélicas, uno de los patriotas que había podido conocer muchos de los más importantes requerimientos informativos y planes enemigos sobre una amplia gama de asuntos nacionales, debido a que a **Juan Luis Acosta Guzmán,** capitán de la Flota Atunera cubana, le había sido asignado por la CIA el pseudónimo de *Ángel,* pero era en realidad *Mateo* en su trabajo con los Órganos de la Seguridad cubanos. Su esposa, **Teresa Martínez,** empleada del Departamento de Finanzas de la propia Flota, según los oficiales CIA también podía serles útil, razón por la que sugirieron a "Ángel" que la "reclutase", desconocedores de que era en realidad *Maité,* compañera de filas de su esposo en los Órganos cubanos de Seguridad.

Mateo había sido supuestamente reclutado por la CIA en 1974 en el hotel Rompeolas, de Las Palmas, Islas Canarias, en un proceso realizado personalmente por el entonces jefe de la estación de la CIA en España, Albert Allen Morris. Por sus aparentes servicios en contra de su país le comenzaron a pagar 250 dólares mensuales, con sistemáticos aumentos por la "calidad" de la información suministrada hasta llegar a devengar 1 700 dólares al mes, los que le eran depositados en un banco norteamericano. El saldo final de su cuenta, en los momentos de la revelación, era cercano a los cien mil dólares.[37]

Además de los contactos personales en las oportunidades que viajaba al exterior, para sus labores de espionaje la CIA lo había entrenado

[35] Mirta Rodríguez Calderón: "Serviré a la misma causa". Crónica sobre la penetración realizada a la CIA por el agente de la Seguridad cubana y ciudadano italiano, Mauro Casagrandi. Periódico *Granma,* 29 de julio de 1987, p. 3.

[36] Gabriel Molina: "El Ángel Mateo". Periódico *Granma,* 9 de julio de 1987, p. 3. También ver Agencia de Información Nacional (AIN): *La Guerra de la CIA contra Cuba.* La Habana, 1988, p. 15.

[37] Toda la prensa nacional de la época reflejó con amplitud de detalles los requerimientos informativos y monitoreo por la CIA de una amplia gama de intereses. Ver periódico *Granma,* 6 de julio de 1987 y días sucesivos.

en la utilización de escritura invisible, con el objetivo de enmascarar en cartas normales las "informaciones" que suministraba, recibiendo también sofisticados medios radiales RS-804, valorados en aquella época en un cuarto de millón de dólares, capaz de enviar los mensajes codificados directamente hacia el centro principal de la CIA, a través de satélites geoestacionarios del sistema FITSATCOM, operados por el Departamento de Defensa de Estados Unidos, que tienen entre sus funciones la de servir, entre otros, como canal empleado por la CIA para sus comunicaciones secretas a nivel mundial.[38] Precisamente, al colocar esos medios, convenientemente enmascarados, en diferentes sitios de las afueras de la capital para que fuesen con posterioridad recogidos por su "agente", fueron filmados y desenmascarados públicamente varios "diplomáticos" de la Sección de Intereses norteamericanos.

Antonio García Urquiola, capitán de la Empresa de Navegación Mambisa, fue reclutado en 1978 por la CIA en Ámsterdam por un supuesto funcionario diplomático norteamericano acreditado en la embajada norteamericana en Holanda, asignándosele el pseudónimo de *Alejandro,* aunque se trataba en realidad del agente *Aurelio* de la Seguridad cubana.

El acoso sobre las tripulaciones cubanas se reflejó con precisión en la prensa, al referirse a ese "reclutamiento", resaltando cómo en numerosos puertos en que nuestras embarcaciones hacían escala, en particular en Países Bajos y España, oficiales y agentes de la CIA, tanto norteamericanos como nativos cubanos utilizados como vía de acercamiento a antiguos compañeros, se acercaban a nuestros marinos en aras de estimular su deserción o que aceptasen trabajar como espías.[39]

La amplia gama de intereses de la CIA, tanto sobre los detalles del trabajo de la flota marítima nacional, en particular sus movimientos y la carga transportada, aunque también sobre muchos aspectos de la vida del país, fueron supuestamente satisfechos en contactos personales realizados a lo largo de todo el mundo, en aquellos países cuyos puertos eran visitados por las embarcaciones capitaneadas por *Alejandro / Aurelio,* lo mismo en las ciudades japonesas de Osaka, Kobe y Tokio que en Ciudad México, Tampico, Veracruz, Ciudad de Panamá, y Tarragona, en España.

Alejandro fue el primer supuesto agente de la CIA a quien se le asignó el que posiblemente fuera en esos momentos el equipo de comu-

[38] Agencia de Información Nacional (AIN): ob. cit., p. 34.

[39] Gabriel Molina: "Nuestro hombre en la CIA". Periódico *Granma,* 11 de julio de 1987, p. 2.

nicaciones más sofisticado con que contaba la CIA, un nuevo tipo de planta de tiro rápido denominado CDS-501 para la comunicación agente-centro, que realizaba sus transmisiones hacia la Estación Local de la CIA que radica en el quinto piso de la embajada norteamericana en La Habana. También utilizaba la escritura invisible.

Desde el año 1966, la CIA "reclutó" al instructor de Cubana de Aviación, **Ignacio Rodríguez-Mena Castrillón.** Le asignaron el nombre de *Julio*. Para la Seguridad cubana se trataba de *Isidro*. Además de un amplio espectro informativo sobre otros variados intereses, entre los que de forma priorizada debía rápidamente comunicar toda información relacionada con viajes al exterior por parte de Fidel Castro, recibió numerosos requerimientos sobre la situación técnica de nuestra aviación, el total del parque aéreo y de su funcionamiento.

En octubre de 1979, con ocasión de la reaparición en el país de la fiebre porcina africana, la CIA mostró sumo interés en conocer a través de él si las aeronaves cubanas estaban transportando productos para combatirla.

Para completar la información sobre el funcionamiento del aeropuerto "José Martí", en la capital del país, la CIA le indicó reclutase a su esposa, **Mercedes Herrera López,** también trabajadora del lugar, que de esa forma se convirtió en la agente *Marlén*. Según ella, hablando de una oficial CIA que la había comenzado a dirigir a partir de un contacto personal establecido en Panamá en junio de 1985: "El interés de esa oficial se centró en mi trabajo, en el aeropuerto internacional "José Martí", en el movimiento de vuelos [...] sobre comunicaciones, vuelos extra [...] otros aspectos del movimiento aéreo."

Entre otros intereses informativos, a título de ejemplo, un mensaje recibido por *Marlén* decía:

MSJ DOS OCHO X INTERESAN DETALLES SOBRE CONSTRUCCIÓN DE NUEVOS AEROPUERTOS EXPANSIÓN DE EXISTENTES EN VARADERO Y CARBONERAS X QUÉ HA SIDO CONSTRUIDO HASTA AHORA X QUÉ FALTA PARA TERMINAR X PROBLEMAS [...].

Sectores agroindustriales. La guerra biológica

Orlando Argudín era asesor del viceministro primero del Ministerio de la Industria Azucarera. Tratándose del agente *Rolando* de la Seguridad del Estado, la CIA le asignó, tras el supuesto reclutamiento realizado en Londres en 1970, el pseudónimo de *Oscar López,* solicitando del mismo informaciones de carácter económico, político y militar.

Uno de sus más importantes resultados fue la detección de los intentos de la CIA de sabotear la entrada al país de tanques de amoníaco para fertilizantes, ofrecidos a precios muy tentadores por una firma extranjera especializada, entre un 40 y un 50% más barato que los demás posibles proveedores. Según se explicó por este agente en la denuncia televisiva realizada, el amoníaco es cáustico y altamente tóxico, y por tratarse de un gas hay que manipularlo a presión, utilizando tanques y otros equipos especializados, que de estar construidos según las especificaciones requeridas, no ofrecen peligro alguno.

El agente *Rolando* expuso:

"A finales de 1984, habiéndose ya firmado un contrato por un sistema de amoníaco con una firma capitalista, nos encontramos en Madrid con un oficial de la CIA que dijo llamarse *Peter.* Este señor me informó que ellos estaban al corriente de las negociaciones de Cuba con firmas capitalistas para adquirir estos sistemas y me dijo que del centro principal de la CIA me enviaban un mensaje en relación con esa materia.

"Este mensaje me solicitaba que, sin llegar yo a comprometerme, utilizara mis influencias, dado mi nivel y mi cargo, para lograr dos cosas: que estas negociaciones se mantuvieran con la firma que era de interés de ellos y, además, que la supervisión técnica de los equipos fuera ejecutada de la forma menos profunda posible, con el objetivo de que cualquier anormalidad que pudiera existir en los equipos que se construirían para Cuba, pasara inadvertida."

Al regresar a Cuba, el supuesto agente CIA recibió un mensaje proveniente del centro principal en Langley:[40]

MENSAJE CUATRO CERO X FUE UN PLACER VERTE X TU INFORMACIÓN COMO SIEMPRE BIEN RECIBIDA X NECESARIO NOS MANTENGAS INFORMADOS SOBRE LA CONSTRUCCIÓN Y ENTREGA DE LOS SISTEMAS DE AMONIACO X SALUDOS X

Con otro supuesto agente suyo, **José Abel González López,** *Pepe Serrano* para la CIA, que en realidad era el agente *Alejandro* de la Seguridad del Estado, director de supervisión en el Comité Estatal de Cola-

[40] Agencia de Información Nacional (AIN): ob. cit., p. 51.

boración Económica, también intentaron apoyar este criminal sabotaje. Según su exposición: "En abril de 1985 contacté con la oficial de la CIA María Elena, quien me solicitó le informara sobre los trabajos que yo estaba realizando a unos tanques de amoníaco. Una vez explicada mi labor, me dijo que ella tenía interés en que la supervisión que se efectuara sobre esos equipos fuera lo más superficial posible y tratara de disimular cualquier problema que viera sobre los mismos, así como que la mantuviera informada en caso de que hubiese algo anormal."[41]

Con estas informaciones pudo encaminarse una atención particular a la construcción de esos tanques. La comisión supervisora detectó diversas irregularidades, entre ellas falsificaciones de los documentos que debían dar fe del control de calidad exigido. El dictamen final de la comisión supervisora pudo exponer:

"Estos tanques tienen una capacidad de 110 000 litros de agua con unas 56 toneladas de amoníaco. A esos equipos se les detectaron defectos en las soldaduras, falta de espesor en las chapas, defectos de laminación de esas chapas. Además, se detectó que las válvulas de seguridad instaladas en algunos de ellos eran situadas con aleaciones de cobre, lo cual está prohibido para operar con el amoníaco.

"Estas válvulas fue necesario cambiarlas en una importante cantidad, por cuanto las mismas no estaban aptas para el servicio con esta sustancia.

"Este defecto, sumado a los anteriormente enumerados, hubieran podido traer como consecuencia salideros incontrolables, inclusive la explosión del tanque, lo que habría ocasionado que inmediatamente todas las personas y animales que estuvieran cerca, es casi seguro que hubieran perecido, y sería necesario un largo tiempo para poder evacuar al resto de la población de las zonas hacia donde se dirigiera la nube de amoníaco."[42]

Con su supuesto agente *Oscar López* también la CIA se interesó en la búsqueda de informaciones sobre el comportamiento de plagas en las plantaciones cañeras. A finales de los años 70, el Oficial CIA que lo dirigía intensificó sus requerimientos informativos acerca del estado de ese y otros cultivos. Era tal su confianza en *Oscar López,* que llegó a confesarle que "en la lucha a muerte contra Cuba y la Revolución se emplean también la introducción de ciertas enfermedades y plagas sobre personas y animales [...]".

[41] Ibid., pp. 51-52.
[42] Ibid., p. 52.

Ante una foto aérea tomada a través de un avión espía, fue requerido en una oportunidad de precisar las causas de determinados claros que se apreciaban en los campos cañeros de determinada zona del país, puntualizando las causas y las fechas desde las que ello había comenzado, en un evidente interés para comprobar los resultados de acciones realizadas. Se interesaron igualmente en conocer los resultados de investigaciones realizadas en Cuba para lograr nuevas variedades de caña, si eran resistentes al clima y determinadas plagas, así como en conocer quiénes realizaban esas investigaciones.

En 1981 la estación de la CIA en la embajada norteamericana en La Habana se interesó en recibir informaciones del jefe de plaguicidas del Ministerio de la Agricultura, ingeniero agrónomo **Ángel López Núñez,** acerca del estado de la sanidad vegetal en el país; las principales plagas que atacaban las plantaciones de tabaco y cítricos; los productos químicos utilizados para combatirlas, así como las firmas extranjeras con quienes las obteníamos, en aras de un evidente intento de impedirlo. A través de López Núñez, agente *Callejas* de la Seguridad cubana, la estación CIA se interesó en que un oficial suyo visitara una estación agrícola en Pinar del Río, en una zona de excepcional importancia para la producción tabacalera, así como la provincia de Matanzas. En otros contactos, se interesaron en recibir muestras de hojas de tabaco, uno de los principales rubros exportables del país.

Dulce María Santiesteban Loureiro *(Regina* para la CIA, y *Any* para la Seguridad cubana) fue "reclutada" en 1976 por la CIA, con ocasión de un viaje a España, mientras laboraba en la Junta Central de Planificación.[43]

Antes de la comprobación por métodos científicos acerca de la intencionalidad en la introducción en el país del virus del dengue hemorrágico en el primer semestre de 1981, que provocó la muerte de 158 personas, a través de ella se pudo conocer, desde pocos meses antes de que se manifestara clínicamente, que la CIA fraguaba una acción de guerra biológica contra el país.

En el mensaje 40, de febrero de 1981, enviado por la CIA a su agente *Regina,* le decían:[44]

MENSAJE CUATRO CERO X POSIBILIDAD DE SABER QUÉ TIPOS DE DENGUE SE CONOCEN EN CUBA X DETALLES DE

[43] Ver Alberto Ferrera Herrera: *Yo fui Regina para la CIA*. Editorial Capitán San Luis, La Habana, 1997.

[44] Agencia de Información Nacional (AIN): ob. cit., p. 40.

ENFERMEDADES VIRALES QUE AFECTAN A LA POBLACIÓN X MEDICINAS QUE IMPORTA CUBA X PAÍSES X SALUDOS X JULIA X

Cuando aún en Cuba no se había detectado que había sido introducido el dengue en el país, y aún contaban con vida los 101 niños que poco tiempo después morirían, el 6 de abril de 1981 la agente *Regina* de la CIA recibía el mensaje 45, similar al citado anteriormente, que expresaba:[45]

MENSAJE CUATRO CINCO X CUÁLES SON LAS ENFERMEDADES QUE MÁS ABUNDAN EN CUBA X SI CONOCE PERSONAS CON CONJUNTIVITIS X LUGARES X PRESTAR OÍDO A CONVERSACIONES SOBRE ENFERMEDADES INFECCIOSAS X JULIA X

Solo cinco meses después de este "inocente" requerimiento, los hospitales de la capital y una de las provincias centrales del país informaron acerca de la aparición de un número elevado de casos de conjuntivitis hemorrágica epidémica, enfermedad de amplia difusión y presentación muy aparatosa. Entre septiembre y diciembre de ese año se produjeron alrededor de 600 000 casos, que para fines del año siguiente llegó casi al millón de personas infectadas.

El mensaje 97 para esta "agente" decía:[46]

MENSAJE NUEVE SIETE X DETALLES SOBRE HEPATITIS INSTALACIONES ISLA DE LA JUVENTUD X SOBRE BROTE DE CONJUNTIVITIS X ESCASEZ DE MEDICINAS Y EQUIPOS MÉDICOS X ABRAZOS X JAMES X

Huelgan los comentarios.

Otros intereses informativos recibidos por esta agente, al trabajar en el principal órgano de planificación del país, se referían a aspectos económicos en su sentido más amplio, programas de colaboración, desarrollo de la industria petrolera y otros temas, tratando de abarcar todos los aspectos de la vida en el país.

Al Dr. **Eduardo Sagaró González,** especialista en gastroenterología infantil, y supuestamente reclutado como el agente *Antonio* por la CIA a

[45] Ibid., p. 43.
[46] Idem.

inicios de 1979 mientras se desempeñaba como jefe de la misión cubana en Mozambique, en el año 1981, a raíz de la epidemia del dengue, le pidieron que evaluara sus resultados y cuáles eran las reservas con que contaba Cuba para su combate. A este supuesto agente la CIA le solicitó, entre 1980 y 1986, más de 200 requerimientos informativos relacionados con el sector de la salud.

Relaciones comerciales, financieras y de colaboración económica

José Abel González López había sido reclutado por la CIA durante un viaje realizado a España en 1977, asignándole el pseudónimo de *Pepe Serrano,* en momentos en que ya hacía varios años se trataba del agente *Alejandro* de la Seguridad cubana.

Durante sus diez años de supuesta colaboración con la Agencia, a *Alejandro* le fue solicitada una gran cantidad de información, entre otros aspectos, acerca de las relaciones comerciales de Cuba con firmas extranjeras y el tipo de contrataciones que nuestro país concertaba. Debía asimismo informar acerca del funcionamiento interno del entonces existente Comité Estatal de Colaboración Económica, sus nóminas y características del personal. Como expusimos en páginas anteriores, contribuyó a prevenir la entrada al país de los tanques de amoníaco saboteados.

Pedro Ramón Calcines Pérez, representante de empresas comerciales cubanas en Japón, fue reclutado por la CIA en 1980 con ocasión de realizarse en ese país la Feria Comercial de Kobe, asignándosele el pseudónimo de *Rodríguez*. Por los requerimientos informativos que recibía de parte de la Agencia, siendo en realidad el agente *Saturno* de la Seguridad cubana, pudo conocerse que ésta se encontraba en proceso de revisión minuciosa del comercio cubano con todos sus socios comerciales, a fin de impedir su consumación. Los últimos datos solicitados, en mayo de 1987, estaban encaminados a profundizar en el estado del comercio cubano en las esferas del níquel, café, cemento y artículos electrónicos.

De una entrevista a él realizada en aquellos momentos, extraemos los siguientes elementos:

"[...] yo trabajaba en la oficina comercial de Cuba en Japón [...] su principal interés estribaba en conocer en qué consistía y cómo marchaba nuestro comercio con ese país.

"En primer lugar averiguaban sobre nuestras ventas de níquel a los japoneses, qué firmas lo importaban y en qué lo utilizaban.

"Esta información la buscaban para impedir que entraran a Estados Unidos automóviles fabricados con esta materia prima, y así garantizar que no nos la compraran más, por ser ellos su principal mercado.

"Para corroborar nuestros volúmenes exportables indagaban sobre los proyectos de rehabilitación en Moa y Nicaro y las nuevas plantas en construcción.

"Enviaron especialistas a esas firmas a chequear y establecer controles en la producción para despojarnos de este mercado.

"Cuando pasé a trabajar a CubaExport prestaban mucho interés a la balanza comercial entre Cuba y Japón y en conocer qué firmas readoptaban una posición más favorable con respecto a nuestro país, así como en qué consistían asociaciones como la Sociedad Económica Cuba-Japón y otras creadas en determinadas regiones.

"La posición que asumiría Cuba con respecto a la deuda externa era una constante en sus averiguaciones. Querían saber qué compañía o bancos nos otorgaban créditos y bajo qué condiciones crediticias comerciaban con otros Estados.

"Otros renglones importantes como el azúcar y el café eran objeto de sus pesquisas, así como la industria del cemento. De ésta les interesaba el volumen de producción, las variedades, si se fabricaba alguno especial, cuáles eran nuestros mercados y a qué precios vendíamos.

"Insistían en conocer si teníamos algún negocio triangular con el petróleo, con quién y a cuánto ascendían nuestras reservas.

"La adquisición de nuevas tecnologías figuraba siempre como tema obligado en cada contacto, y su preocupación era permanente en cuanto a la creación de corporaciones o compañías.

"Es decir, husmeaban en todas nuestras ramas, pues aunque conmigo su interés fundamental estribaba en nuestro comercio con Japón y esas corporaciones y mis valoraciones sobre estos aspectos, no desperdiciaban la oportunidad de obtener informaciones que aunque las recibieran a través de otros agentes, les permitirían cruzarlas a modo de verificación."[47]

A este agente, la CIA le entregó medios de comunicación camuflados en una artística vitrina de cedro. En la parte inferior del mueble había sido construido un compartimiento secreto con tal objetivo.

José Senén Meléndez Álvarez fue supuestamente reclutado por la CIA en Japón en 1981, mientras laboraba como vicepresidente de la empresa Nipón Caribbean Shipping, compañía dedicada al movimiento

[47] Casilda Pereira: "Curiosos en acecho". Revista *Moncada,* La Habana, diciembre de 1987, p. 11.

de las cargas marítimas cubanas. Representaba allí también otras empresas cubanas, entre ellas Navegación Mambisa y CUFLET. Para la CIA era su agente *Guillermo Peña,* pero en realidad era el agente *Gallego* de la Seguridad cubana. En una entrevista televisiva expresó: "Los objetivos que me manifestaron eran la información económica sobre el comercio exterior cubano, sobre las negociaciones en Japón, sobre las entidades y bancos que daban créditos al país y de qué tipo (corto o mediano plazo) y qué tipo de empresas eran las que se manifestaban con una gestión más agresiva hacia el comercio cubano."[48]

Por medio de él, la CIA se interesó en mantenerse al tanto de las transacciones comerciales en que participaba aquella empresa. Pudieron conocerse maniobras encaminadas a sabotear negociaciones azucareras y con respecto al níquel; así como de medicinas y equipos para el hospital en construcción Hermanos Amejeiras. Se detectaron presiones para frustrar negociaciones con firmas japonesas para la adquisión de tecnología de microprocesadores. Fue orientado asimismo a la búsqueda de información sobre la central electronuclear que se construía en Cienfuegos. Fue entrenado en la utilización de la escritura secreta.

A través de **Jesús Francisco Díaz Agregan,** Director de la empresa mixta CARIB MOLASSES, la CIA mostró un continuado interés acerca de la comercialización azucarera. Reclutado en París en 1982, en contactos que se habían iniciado al solicitar en la embajada norteamericana en Francia visa para asistir en Nueva York a un encuentro entre empresarios azucareros, le fue asignado el pseudónimo de *Julio Méndez*. Era en realidad *Dionisio,* de la Seguridad cubana.

Se le solicitó información sobre los contratos de azúcar entre Cuba y la Unión Soviética y cómo cumplía Cuba esos compromisos. Igualmente indagaban sobre la venta de azúcar a los países árabes, particularmente Egipto, como parte de sus intereses de obstaculizar cualquier negociación e impedir ingresos de divisas a nuestro país. Mostraron asimismo mucho interés en monitorear la modernización del central "Julio Antonio Mella", que a la sazón se preparaba para la obtención de un azúcar de elevada calidad.

Las finanzas

A **Miguel Ángel López Escobar,** en 1987 Director general de negocios del Banco Nacional de Cuba (BNC) y encargado de los contactos

[48] Agencia de Información Nacional (AIN): ob. cit., p. 78.

bancarios con Norteamérica y Asia, pero que había trabajado durante cinco años al frente de oficinas del BNC en Tokio y Londres, la CIA lo había "reclutado" para satisfacer necesidades informativas en el sector de las finanzas, entre ellas los créditos que se solicitaban, a quién y con cuáles condiciones; financiamientos recibidos; inversiones extranjeras que se negociaban; estrategias para las negociaciones y renegociaciones de la deuda en el Club de París; las posibilidades de maniobras cubanas ante reducciones importantes de sus importaciones, así como las proyecciones en el amplio campo de las finanzas externas.[49]

A principios de 1987, la CIA le solicitó que obtuviera información de los países capitalistas con los cuales existían convenios para la obtención de piezas de repuesto y materias primas, así como de los contactos para la reparación capital de barcos, tanto de pesca como de la marina mercante.

Una prioridad a él establecida era la de enviar toda la información disponible acerca de la situación económica interna, las dificultades en la vida cotidiana, pues con estos datos sus analistas "Podían producir las ideas necesarias y las distintas alternativas hacia los objetivos o lugares en que pudiesen provocar los mayores daños posibles [...] se me recalcó que la estrategia para Cuba era la guerra económica total [...]".[50]

No es ocioso continuar reiterando que el espionaje de la Agencia Central de Inteligencia no es un monitoreo pasivo de la situación económica cubana, sino una condición para la planificación y ejecución de las medidas para hacer de ella *tábula rasa*. Eso se evidencia claramente en una indicación recibida por López Escobar, en su supuesta condición de agente *Miguel* de ese servicio norteamericano, donde le indican entorpecer los contratos encaminados a fortalecer la industria rayonera nacional, los cuales se realizarían en unas negociaciones con la India, y en los que él participaría.

Por otra parte, a través del Director de Gestión para el área occidental en el propio BNC, **Raúl Fernández Salgado,** reclutado en Madrid por la CIA en 1977 como su agente *Paul,* pero en realidad el agente *Bello* de la Seguridad cubana, se pudieron tomar medidas preventivas para contrarrestar medidas de aquel servicio encaminadas a entorpecer o imposibilitar la utilización de créditos otorgados a Cuba por países capitalistas, así como crearnos dificultades con los acreedores en la renegociación de la deuda externa.

[49] Ver Miguel A. López Escobar: *Objetivo Langley. Veintiséis más uno*. Editorial Capitán San Luis, La Habana, 1989.

[50] Agencia de Información Nacional (AIN): ob. cit., pp. 49-50.

El 20 de mayo, el supuesto Paul recibió el siguiente mensaje:

MENSAJE CINCO X INTERESADOS EN SI CUBA TRATA DE VARIAR PLAN DE PAGOS DE SU DEUDA A CUALQUIER BANCO OCCIDENTAL X DETALLES X REFERENTE FUNCIONARIOS BANCOS EUROPEOS DURANTE ABRIL Y MAYO QUIÉNES FUERON CUÁLES BANCOS VISITARON X CON QUÉ OBJETIVO X RESULTADOS X SI SE HA PEDIDO A LOS BANCOS OCCIDENTALES REPROGRAMAR PAGOS DE DEUDA CUBANA X CUÁLES BANCOS ESTABAN DE ACUERDO X ABRAZOS X THOMAS X

Calixto Marrero, *Robert* para la CIA, pero *Ramón* para la Seguridad cubana, fue reclutado por la CIA en París, mientras se encontraba al frente de la firma exportadora de productos del mar para el mercado francés CARIBEX.

Los principales requerimientos en la esfera económica solicitados a todos estos agentes —entre otros de distinta naturaleza— versaban acerca de los países que proporcionaban préstamos a Cuba y sus condiciones, en cuáles razones y argumentos centraba Cuba su trabajo para la renegociación de la deuda externa, así como el funcionamiento, tareas y resultados emanados del denominado *Grupo Central,* órgano estatal que en ese entonces colegiaba las más importantes decisiones económicas del país.

El ciudadano italiano **Mauro Casagrandi,** establecido en Cuba desde mediados de la década de los 60 como representante de la empresa importadora-exportadora Cogis, vendedora de los automóviles Alfa Romeo y de las máquinas de escribir Olivetti, así como Consejero de la Orden de Malta, fue "reclutado" por la CIA el 10 de diciembre de 1975, con ocasión de viajar a España, para que les informase acerca de particularidades de la vida en el país a las cuales tenía acceso en los medios comerciales y diplomáticos en que se desenvolvía.

Hombre con profundo sentido ético y progresista, comprendió que era su oportunidad de servir a una causa justa, la de seguirle la corriente a ese servicio de inteligencia y subversión para conocer sus criminales intereses con respecto a Cuba. De esta forma, y tras buscar contacto con los Órganos de la Seguridad cubanos, fue realmente *Mario* para éstos, en lugar del agente *Luis* de la CIA.

En sus declaraciones al respecto, expresó:

"Al parecer la CIA estaba interesada en mí por las posibilidades que yo tenía en Cuba, debido a mi posición, que me permitía relacionarme, por el tipo de actividades comerciales que desarrollaba, comerciales y económicas, con muchísimas empresas, organismos del Estado y dirigentes, y tenía cierto conocimiento de las personas que tomaban decisiones sobre la planificación en Cuba y el funcionamiento de su comercio exterior.

"La CIA quería obtener información económica y financiera, sobre la organización del comercio con el extranjero, la planificación de las compras, e incluso deseaban saber cómo se tomaban las decisiones en la Junta Central de Planificación, cuáles personas las tomaban, de qué forma lo hacían...

"[...] sostuve muchos encuentros con diferentes oficiales de la CIA en Europa, Estados Unidos, América del Sur, y los intereses que ellos me planteaban continuaban siendo los relacionados en cuestiones económicas y financieras, porque también con el Banco Nacional de Cuba tenía muchas relaciones [...].

"Con el tiempo se produjo un salto cualitativo en los requerimientos de información de la CIA y eran intereses muy variados. Desde el punto de vista económico comenzaron a interesarse por las formas en que Cuba conseguía créditos en el extranjero, cuáles eran los bancos y las firmas de los países occidentales con los que Cuba mantenía relaciones."

Las comunicaciones

Eduardo Leal Estrada, a la sazón Subdirector de la Empresa de Telecomunicaciones de Cuba (EMTELCUBA), adscrita al Ministerio de Comunicaciones, y encargado de las obras para modernizar las comunicaciones a través de la instalación en el país del cable coaxial, fue "reclutado" por la CIA en 1982, durante una visita realizada a Washington. Era supuestamente el agente CIA *José Luis Tamayo,* cuando en realidad se trataba de *Alejandro,* de la Seguridad cubana.

El cargo por él desempeñado le daba, a los ojos de la CIA, la posibilidad de satisfacerle sus intereses informativos en ese amplio e importante campo. Durante cinco años ese servicio norteamericano estuvo inquiriendo acerca de todos los aspectos relacionados con las perspectivas de la modernización de las comunicaciones a través del cable coaxial y las fechas en que cada una de las etapas se concluirían, amén de informaciones de diverso carácter, las de mayor peligrosidad referidas a los sistemas de comunicación utilizados por Fidel Castro.

"Dentro del amplio interés informativo de la CIA sobre las comunicaciones, me fue priorizado por el oficial que me atendía [...] el proyecto del cable coaxial [...].

”Estas informaciones solicitadas iban desde las características técnicas del cable, profundidad a la que se había instalado, lugares en que están las subestaciones del cable, ramificaciones hechas y planes para conectar centros de comunicaciones tanto civiles como militares, así como las medidas de seguridad existentes en esas subestaciones y estaciones del cable en todo el país.

”Según me explicó el oficial [...] esta solicitud de informaciones se debían a su interés en poder interceptar [...] información que se transmitiese por esa vía.”[51]

Este interés no solamente era conocido a través de él, sino también al conocerse que dos oficiales de la CIA, acreditados como supuestos diplomáticos de la Sección de Intereses de Estados Unidos en Cuba, desde su arribo al país se dedicaron a estudiar la ubicación del cable coaxial y las casetas de registros que corresponden a sus empalmes, pudiéndose comprobar el seguimiento fotográfico realizado por los mismos sobre esta problemática en varias oportunidades.

Por su aparente buen trabajo, el entonces Director de la CIA, William Casey, había indicado se condecorase al “agente” José Luis Tamayo, lo que se realizó en la habitación 503 del hotel “Anthony House” de la capital norteamericana. En esa actividad participó, además del oficial *Albert* que lo dirigía, el subdirector de operaciones de la CIA, Robert Edwards, el que le comunicó a Leal Estrada que incrementarían el saldo de su cuenta bancaria en Estados Unidos en 10 000 dólares. Al hacerse pública la denuncia, el agente había ya recibido alrededor de 200 000 dólares por su “buen trabajo” con ese servicio.

Hasta aquí este breve resumen de los aspectos relacionados con el espionaje en función de la guerra económica contra Cuba dados en la denuncia a la CIA realizada en nuestro país en el verano de 1987.

Una de las más importantes valoraciones de todo el proceso descrito se hizo trece años después, con ocasión de la demanda del pueblo cubano a Estados Unidos por daños económicos, ante el Tribunal Provincial Popular de Ciudad de la Habana.

En marzo de ese año, al realizarse las prácticas de prueba, fue citado como testigo el teniente coronel Lorenzo Aguiar Arredondo, que en el largo período de treinta y dos años había formado parte de un equipo de los Órganos de la Seguridad del Estado responsabilizado con el seguimiento de los intereses de espionaje y la actividad subversiva contra la economía, a los fines de prevenirla y neutralizarla, y en tal carácter era

[51] Ibid., p. 53.

importante protagonista en la evaluación de los requerimientos sobre la economía cubana descritos más atrás.

En su amplia exposición ante el tribunal, apoyándose en los antecedentes conocidos acerca del espionaje y subversión de la CIA sobre la problemática económica interna, Lorenzo Aguiar hizo una calificada exposición acerca de la persecución del comercio cubano por todo el mundo en pos de la información que les posibilitase actuar en su contra; sobre el *modus operandi* para sabotear los resultados de nuestras negociaciones, ya fuese desarmando maquinarias, contaminando nuestras exportaciones azucareras con sustancias químicas indetectables, adulterando los lubricantes para dañar los equipos donde se utilizaron, o falsificando las especificaciones técnicas de productos adquiridos, todo ello encubierto bajo el principio de la *negación plausible* que impediría se descubriese a la CIA como la verdadera autora de esos resultados.

CAPÍTULO V Otros componentes de la guerra económica

El terrorismo como arma de la guerra económica

Según los especialistas, se podrían encontrar decenas de definiciones con respecto al terrorismo, diferentes entre sí en dependencia del énfasis conferido a sus objetivos, medios y métodos u otros de los componentes requeridos para su ejecución.

En este trabajo entendemos por terrorismo aquellas acciones encaminadas a provocar, además del daño directo al objeto individual sobre el que recaiga, y a partir del mismo, una sensación de inseguridad, pavor y pánico, para de ello derivar efectos posteriores, en particular la abstención en los vínculos con lo que se identifique como la causa que provoca la acción terrorista.

El terrorismo se usó como arma contra Cuba desde fecha muy temprana, por la quinta columna organizada, abastecida de medios y dirigida por el gobierno norteamericano a través de la CIA y otros servicios, en acciones encaminadas a enajenarle apoyo a la Revolución y limitar el arrollador respaldo que las medidas revolucionarias encontraban en las grandes masas.

Como expusimos en los capítulos segundo y tercero, los sabotajes en los principales sectores económicos del país, organizados por la CIA y aprobados por el Consejo Nacional de Seguridad durante la Operación Mangosta y período subsiguiente, perseguían provocar un daño económico directo en los objetivos hacia los cuales se dirigían, y en aras de hacerlos aún más dañinos se trataban de combinar con las medidas abiertas del bloqueo para impedir o retardar la puesta en marcha de los objetivos saboteados.

Fue precisamente aquel momento posterior a Mangosta que, por indicaciones del Fiscal General, Robert Kennedy, se comenzó a dar luz verde a las acciones de organizaciones contrarrevolucionarias de emigrados que actuarían aparentemente por sí solas, sin vínculo con el gobierno, aunque respondían a la estrategia trazada al más alto nivel estatal y eran abastecidas de medios para ejecutar sus acciones, además de haber sido ya entrenadas en su utilización.

El llamado del Fiscal General para utilizar con fuerza las organizaciones terroristas de la emigración en la guerra económica no se hizo esperar.

El 17 de marzo de 1963, fue tiroteado, por una lancha pirata de las organizaciones terroristas Alpha 66 y Segundo Frente Nacional del Escambray, el carguero soviético *L'Gov,* que se encontraba anclado en el puerto de Isabela de Sagua, Villa Clara, impactando la chimenea y uno de los ventiladores del buque.

Un comunicado del Departamento de Estado del 19 de marzo señalaba la "fuerte oposición de ese Departamento" a esas acciones, que se encontraban bajo investigación para "determinar si se habían violado las leyes norteamericanas". Los lectores deben recordar que el Coordinador de Asuntos Cubanos, a quien le competían tanto las acciones abiertas como las encubiertas contra Cuba —y este ataque era una de las manifestaciones de esas acciones encubiertas—, formaba parte de este propio Departamento de Estado. Peor aún: en conferencia de prensa del 21 de marzo de ese año, el propio presidente Kennedy llegó a expresar que la información que él poseía era que "esas acciones no se habían realizado desde Estados Unidos", añadiendo que Estados Unidos "no sufragaba esos grupos ni tenía contactos con los mismos". En conversación del 19 de marzo entre los subsecretarios de Estado Ball y Johnson, al segundo expresar que Estados Unidos no tenía contactos con la organización contrarrevolucionaria Alpha 66, posición que aparentemente fue la que se trasladó al Presidente, Ball contestó "que nadie se creería eso".[1]

Para complicar más esta situación, poco después se realizó el ataque pirata, en el puerto de Caibarién, Villa Clara, al buque soviético *Bakú,* cargado de azúcar. El barco recibió numerosos impactos de cañón de 20 mm y de ametralladoras calibre 30 y 50. Como consecuencia de la explosión de una mina magnética, se le produjo una grieta de cuatro metros de largo por medio de ancho. Esta acción fue realizada por el grupo

[1] Department of State: ob. cit., volume XI, 1996, p. 278.

"Comandos L", escindido de Alpha 66, lidereado por el terrorista Antonio Cuesta Valle. El grado de impunidad con que se realizaban estas acciones se evidencia en que formaba parte del grupo de los atacantes incluso un periodista de la revista norteamericana *Life,* quien había participado con anterioridad en hechos semejantes.

Sobre este asunto el Departamento de Estado envió comunicación al Presidente el 28 de marzo, señalando lo contraproducente de estas acciones con la política que se seguía hacia la URSS, y sobre el mismo se discutió en la reunión del Comité Ejecutivo del Consejo Nacional de Seguridad del 29 de marzo.[2]

La discusión fue muy completa, evidenciándose el apoyo de que gozaban esas acciones terroristas en muchos de los participantes, aunque finalmente la decisión del Presidente fue que se adoptasen las medidas para poderlas mantener *bajo control.* En la reunión subsiguiente del Fiscal General con los Secretarios de Defensa, el Director de la CIA y otros funcionarios, se acordó enviar de inmediato a Miami un grupo de funcionarios que puntualizarían allí con los órganos de la CIA, el FBI, la Guardia Costera, Inmigración y otros, la necesidad de tener el máximo de información sobre los grupos contrarrevolucionarios cubanos; perfeccionar el intercambio informativo entre la CIA y el FBI en aquel nivel; perfeccionamiento de los nexos con la aduana y la guardia costera; advertir a los grupos acerca de la ejecución de hechos semejantes y el acopio de materiales de guerra y otras medidas disuasorias de sus acciones. En todo caso, lo que preocupaba a las autoridades norteamericanas era la repercusión en las relaciones con la URSS, y no que esos hechos terroristas se realizasen contra objetivos cubanos.[3]

Esas indicaciones gubernamentales resulta importante conocerlas, toda vez que son prueba de que el gobierno no podía alegar, a partir de entonces, desconocimiento de las innumerables acciones terroristas anticubanas que continuaron realizándose. El estudio de los documentos desclasificados demuestra que no sólo era cómplice, sino que su política era alentar las acciones de esos grupos.

Algunas de las más importantes de las primeras organizaciones contrarrevolucionarias de corte terrorista de inicios de la década de los 60 eran el Movimiento de Recuperación Revolucionaria (MRR), Movimiento Revolucionario del Pueblo (MRP), Directorio Revolucionario Estudiantil (DRE), Movimiento Insurreccional de Recuperación Revolucionaria (MIRR), Alpha 66, Movimiento Nacionalista Cubano (MNC) y

[2] Ibid., pp. 738-746.

[3] Departament of State: ob. cit., volume XI, 1996, documento 304, pp. 744-745.

otras. Posteriormente se fueron incorporando a esta lista la Brigada 2506, la Junta Revolucionaria (JURE), el Movimiento 30 de Noviembre (M-30-11), el Ejército Secreto Anticomunista (ESA) y otras más.

Los ataques contra buques soviéticos e incluso de otras nacionalidades, a partir de 1963, obligaron al gobierno a intentar mantener un control más directo sobre la actividad de esas organizaciones, aunque ya tal control era muy relativo dada la doblez mantenida y la conveniencia para los fines gubernamentales de las actividades de las mismas.

Si los sabotajes contra objetivos económicos cubanos de mayor magnitud y complejidad en su ejecución continuaron siendo manejados en lo fundamental por la CIA utilizando para ello fuerzas y medios propios, otras acciones encaminadas a ejercer un efecto demostrativo en aras de provocar el aislamiento económico internacional de la Revolución comenzaron a ser, cada vez más, patrimonio de estas organizaciones contrarrevolucionarias, *terroristas por definición de acuerdo con los fines por ellas perseguidos,* supuestamente ajenas al gobierno norteamericano pero bajo cuerda financiadas y abastecidas. De esta forma, ya a partir de 1963 estaba conformado un sistema alternativo de acciones terroristas contra la economía cubana, cuyos principales representantes lo eran los cabecillas e integrantes de las organizaciones contrarrevolucionarias de extrema derecha, fundamentalmente radicadas en Estados Unidos.

Se trataba del terrorismo *en función de la guerra económica,* a diferencia de manifestaciones en otras esferas.

El libro *Salvar al mundo del terrorismo,* de José Luis Méndez Méndez,[4] es prolijo al detallar las acciones que tuvieron como blanco la economía. Refiriéndose a las acciones realizadas en el período 1963-1967 expresa: "En estos años, la colocación de bombas contra representaciones cubanas *y barcos que comerciaban con Cuba* fue la modalidad más recurrida" lo que fue sustituido a partir de entonces por el terrorismo "contra instalaciones, intereses, personal de Cuba y de amigos de la Revolución"[5] en el exterior, completando la idea un poco más adelante, refiriéndose al mismo período: "Las acciones de las organizaciones terroristas estuvieron orientadas *para consolidar el bloqueo, fundamentalmente, contra los intereses de los países que comerciaban con Cuba* [...],"[6] añadiendo un listado de otros blancos de sus acciones (la cursiva de los textos de las citas es nuestra).

4 José Luis Méndez Méndez: *Salvar al mundo del terrorismo.* Editora Política, La Habana, 2003.

5 Ibid., p. 8.

6 Ibid., p. 11.

Como una forma de limitar las acciones realizadas por estas organizaciones terroristas dentro del propio territorio norteamericano, con el compromiso gubernamental de *dejar hacer,* siempre que fuera en otros países, comenzó a inicios de la década de los años 70 la denominada "guerra por los países del mundo" que, sin descartar acciones contra el territorio nacional (que se mantuvieron hasta 1974)[7] las extendieron hacia todos aquellos lugares en que pudieran dañar los intereses cubanos, entre ellos en forma priorizada los intereses económicos. En la etapa final y más significativa de esta "guerra" un papel destacado lo desempeñó el denominado CORU, creado en junio de 1976 por el médico pediatra de origen cubano devenido, a la sazón, en uno de los terroristas de mayor peligrosidad del Hemisferio, Orlando Bosch Ávila, del que formaron parte las organizaciones Brigada 2506, Movimiento Nacionalista Cubano, Omega, Movimiento Insurreccional Martiano, Alianza Cubana de Organizaciones Revolucionarias, Comandos Pedro Luis Boitel, Movimiento La Estrella y Frente Revolucionario.[8]

Precisamente, la primera acción que inició tal etapa fue un mensaje contra empresarios canadienses que comerciaban con Cuba, en el atentado que destruyó el 4 de abril de 1972 la oficina comercial de Cuba en Montreal, Canadá, que provocó la muerte del diplomático cubano Sergio Pérez Castillo. Lo que se califica por Méndez Méndez como "el preludio de la etapa final de la guerra por los caminos del mundo",[9] fue un mensaje contra clientes potenciales de la empresa Cubana de Aviación y, en general, a todos aquellos interesados en visitar Cuba, o iniciar relaciones de cualquier naturaleza con la misma: la voladura en pleno vuelo de la nave de aquella compañía que recién despegaba del aeropuerto de Barbados el 6 de octubre de 1976, y que provocó la muerte de 73 personas, la totalidad de pasajeros y tripulantes del aparato.

Sólo a título de ejemplo, valga mostrar que entre ambos hechos se registran otras numerosas acciones terroristas vinculadas con la guerra económica, entre ellas la destrucción en el área de Las Bahamas de los pesqueros cubanos *Aguja* y *Plataforma IV* (octubre de 1972); el ataque al barco pesquero *Plataforma I,* de la cooperativa de pesca de Caibarién, y la colocación de una bomba en el barco *Mereghan II* (enero de 1973); el lanzamiento de bombas contra residencias de representantes comerciales cubanos en Chile (junio, agosto, septiembre de 1973); y la bomba contra un pesquero cubano en Las Bahamas provocando la muerte del pescador Roberto Torna Mirabal (octubre de 1973).

[7] Ibid., p. 15.
[8] Ibid., pp. 103-104.
[9] Ibid., p. 21.

Otras acciones fueron la bomba en los locales de las líneas aéreas Cubana de Aviación en México (marzo de 1974) y Eastern Streamship Lines de Bahamas (noviembre de 1974) y naviera de ese país, Bahamas Lines (diciembre de 1974); la bomba contra un avión cubano en Kingston, Jamaica (enero de 1975); el asesinato de un técnico de la flota pesquera cubana en puerto Chimbote, Perú (junio de 1975); la bomba contra empresa venezolana de turismo en relaciones con Cuba (noviembre de 1975); el incendio en almacén de la flota pesquera cubana en puerto Chimbote, Perú (enero de 1976); el ataque contra un barco soviético en Las Bahamas (febrero de 1976); el hundimiento del *Ferrocemento 119* y daños al 123, y asesinato del pescador Bienvenido Mauris Díaz (abril de 1976); las bombas en el compartimiento de equipajes de Cubana de Aviación en el aeropuerto de Kingston, Jamaica; contra oficinas de esa empresa en Barbados y contra la British West Indies de Barbados por dar servicios a la línea cubana y contra las oficinas de Air Panamá en Colombia; contra las oficinas de Cubana de Aviación en Panamá y el aeropuerto de Tocumen (julio y agosto de 1976).[10]

La extrema derecha norteamericana, representada, a la sazón, por el movimiento neoconservador, tomó las riendas del poder en Estados Unidos con la asunción a la presidencia en enero de 1981 del republicano Ronald Reagan.

Para impulsar su política anticubana, se requería —al igual que en los primeros planes anticubanos aprobados por Eisenhower en marzo de 1960— de un "exilio responsable" que diese credibilidad a la idea de que las acciones que se realizasen respondían a un interés de los propios cubanos, y para que actuase como grupo de presión en la aprobación de la política hacia la Mayor de las Antillas que aparecía en la plataforma republicana para las elecciones de 1980, sintetizada en el documento del denominado Comité de Santa Fe.

De esta forma, con la creación en julio de 1981 de la Fundación Nacional Cubano-Americana (FNCA), que se pretendió ofrecer como un "tanque pensante encargado de llevar la verdad de Cuba a Washington", lo que en realidad surgió fue la más importante de todas las organizaciones terroristas anticubanas de todos los tiempos, capaz de salvar la contradicción gobierno norteamericano *vs.* organizaciones contrarrevolucionarias que comenzó a manifestarse a partir de 1963, al ser ahora, al unísono, organización contrarrevolucionaria supuestamente cubana y representante de la extrema derecha norteamericana, a quien obedecía su creación y cuya herencia espiritual profesa.

10 Ibid., pp. 215-220.

Contando desde los primeros momentos entre sus más importantes cuadros con antiguos agentes de la CIA, participantes en las acciones terroristas de los *teams* dedicados a los ataques costeros e infiltración de armas y pertrechos en Cuba desde la etapa previa a la invasión por Playa Girón, por demás seleccionados dentro de los más afines a la derrocada tiranía batistiana, la FNCA comenzó a participar de lleno en la puesta en marcha de las tres líneas básicas de actuación que caracterizarían desde esa fecha la política norteamericana hacia Cuba, independientemente del tinte partidista del inquilino de turno de la Casa Blanca: la guerra económica, las acciones en aras de lograr el aislamiento internacional de la Revolución, y los intentos de hacer renacer en el país la oposición contrarrevolucionaria, desaparecida desde mediados de los años 60.

Particularmente activa fue la FNCA cuando se echaron a andar los mecanismos de la guerra económica de Estados Unidos contra Cuba a partir de entonces. Si en los primeros momentos ello se manifestó en una función doctrinal, ofreciendo a través de sus publicaciones y equipos de conferencistas argumentos para el afianzamiento del bloqueo e influir negativamente en la entrada de divisas al país; posteriormente se destacarían por su labor de lobby ante los congresistas para la aprobación de las más agudas legislaciones anticubanas y paralelamente, con mayor fuerza tras la desaparición del campo socialista y la URSS, siendo la punta de lanza del gobierno norteamericano en el chantaje contra empresarios y gobiernos que intentasen ofrecer préstamos, comprar productos o realizar inversiones en el país.

Pero si muchos de los métodos utilizados en su primera década de existencia eran efectivamente terroristas, la nueva situación que tuvo que encarar Cuba en la década de los 90 impulsó a esta organización a intentar precipitar los acontecimientos que creían inminentes —la caída de la Revolución— llevando el terrorismo hasta sus últimos extremos.

Es para 1992 que, según José Luis Méndez: "[...] se oficializa el contenido y estrategia terrorista de la FNCA con la creación de una estructura y la asignación de un presupuesto millonario para ejecutar acciones. Con la creación de la llamada Comisión de Seguridad y la selección de sus miembros entre los residentes cubanos en Estados Unidos con experiencia en crímenes de este tipo, se inicia un programa orientado a dos fines concretos: la eliminación física del Presidente cubano *y la realización de acciones para afectar a las fuentes de divisas para Cuba, en particular la industria turística*"[11] (la cursiva del texto de la cita es nuestra).

[11] Ibid., p. 130.

La nueva situación encarada era la desaparición de los principales socios comerciales del país. Si la alternativa cubana para sobrevivir era el comercio con las filiales norteamericanas en terceros países, reiniciada tímidamente a finales de los años 70, la Ley Torricelli de 1992 se encargaría de hacerla desaparecer.

Por ello el desarrollo de la industria turística era la única alternativa viable de perspectivas para el país, necesitado de un renglón capaz de impulsar al resto de la economía en la tan necesaria recuperación en un mundo en que ya no contaba con sus contrapartes económicas tradicionales. Entorpecer su desarrollo, e impedir que desempeñara ese papel, se convirtió a partir de entonces en objetivo fundamental de la Fundación Nacional Cubano-Americana. Esas acciones, que por el carácter abierto del sector podrían realizarse con relativa facilidad, podían lograr un efecto demostrativo sobre potenciales visitantes e inversionistas, influyendo negativamente sobre su voluntad de acercamiento al país y con ello enajenar cuantiosos recursos a la economía.

El año 1997 marcó un hito relevante en esa dirección. En los primeros meses del año acaecieron las primeras explosiones en hoteles de la capital cubana, sucediéndoles otras durante el verano en instalaciones similares de la propia ciudad y del balneario de Varadero, el más importante del país.

Los hechos de ese año, según aparecen en una fuente que no podría ser acusada de parcialidad, del relator especial sobre mercenarismo de la Comisión de Derechos Humanos de las Naciones Unidas, con ocasión de su visita a Cuba del 12 al 17 de septiembre de 1999, acusaban a la Fundación Nacional Cubano-Americana, y a uno de sus más importantes intermediarios: el terrorista Luis Posada Carriles, uno de los autores confesos de la voladura del avión de Cubana de Aviación en Barbados en octubre de 1976.

Según el informe del relator especial de la ONU sobre mercenarismo:

"a) Arnaldo Monzón Plasencia, directivo de la Fundación Nacional Cubano-Americana, conjuntamente con Gaspar Jiménez Escobedo y Guillermo Novo Sampoll, reclutaron, contrataron y financiaron a Santos Armando Martínez Rueda y José Enrique Ramírez Oro con el objeto de que colocasen en un hotel de Varadero, una carga de 1,38 kilogramos del explosivo plástico C-4. Estas personas ingresaron a territorio cubano con pasaporte costarricense falsificado y cobraron 8 000 dólares de los Estados Unidos por sus servicios.

"b) El ciudadano cubano Orfiris Pérez Cabrera cobró 20 000 dólares de los Estados Unidos por envenenar ganado vacuno, realizar actos vandálicos contra automóviles extranjeros, y realizar atentados contra instalaciones turísticas de La Habana.

"c) El 12 de abril de 1997 estalla un artefacto confeccionado con explosivo plástico C-4 en el baño de la discoteca Aché del hotel Meliá-Cohiba de La Habana. El 30 del mismo mes fue detectado otro artefacto con 401 gramos de explosivo plástico C-4 en el piso 15 del referido hotel.

"d) Cuatro personas resultaron heridas el 12 de julio de 1997 como consecuencia de explosiones casi simultáneas en las salas de recepción de los hoteles Capri y Nacional de Cuba.

"e) Otras bomba explosionó (sic) el 4 de agosto de 1997 en la sala de recepción del hotel Meliá-Cohiba.

"f) El 22 de agosto de 1997 un artefacto hizo explosión en un pasillo del hotel Sol Palmeras de Varadero.

"g) El ciudadano italiano Favio di Celmo murió el 4 de septiembre de 1997 y otras siete personas resultaron heridas como consecuencia de la instalación de artefactos explosivos en los hoteles Copacabana, Tritón y Chateau-Miramar y en el restaurante La Bodeguita del Medio.

"h) Un artefacto que contenía 178 gramos de explosivo plástico fue encontrado y desactivado el 19 de octubre de 1997 en el interior de un microbús destinado al servicio turístico.

"i) Por último, el 30 de octubre de 1997 se detectó y desactivó obra bomba colocada debajo de un kiosco en el aeropuerto internacional "José Martí".[12]

La finalidad terrorista como arma de la guerra económica se evidencia en otras partes del informe del relator de la ONU:

— La planificación de los atentados obedecía a un "cerebro central unificado", la estructura clandestina de la Fundación Nacional Cubano-Americana.
— El sector turístico había sido escogido porque constituye la primera fuente de ingresos del país, existiendo la intención de pasar de 340 000 turistas en 1990 a 1,7 millones en 1999.
— Ese sector es sumamente sensible a las informaciones y publicidad. Se habían elegido hoteles con nombre de marca como el hotel Meliá-Cohiba, o centros turísticos mundialmente famosos como el restau-

[12] Organización de Naciones Unidas: "Informe del relator especial sobre mercenarismo de la Comision de Derechos Humanos de las Naciones Unidas que visitó Cuba del 12 al 17 de septiembre de 1999". Periódico *Granma,* suplemento especial, 8 de abril del 2000, p. 3.

rante la Bodeguita del Medio, de manera que el impacto propagandístico de los atentados fuera mayor.

— Las bombas habían sido colocadas no en habitaciones, sino en lugares de encuentro como las salas de recepción para hacer más amplia la repercusión de los atentados.[13]

Los mercenarios extranjeros contratados para la realización de esas acciones, fueron los salvadoreños Raúl Ernesto Cruz León y Otto René Rodríguez Llerena, así como los guatemaltecos María Elena González Meza, Nader Kamal Musalam Barakat y Jazid Iván Fernández Mendoza.[14]

En el análisis e identificación mercenaria de los atentados, el relator especial identificó los siguientes aspectos, que resultan importantes al no poder ser acusado de obedecer a manipulaciones de las autoridades cubanas:

— Los atentados explosivos tuvieron lugar. Fueron, por su magnitud, atentados terroristas, en los cuales la finalidad de hacer daño sembrando terror indiscriminado, sin importar que se afectaban vidas humanas, fue puesta por delante.
— Formaban parte de un vasto plan contra las instalaciones turísticas cubanas y contra la seguridad de su población y de turistas visitantes.
— Entre los daños provocados estuvo la pérdida de la vida del ciudadano italiano Favio di Celmo; heridas de consideración y daños emocionales y psicológicos a diversas personas; daños materiales significativos. Se señala, no obstante, que es indudable que el daño mayor y no sujeto a medición es el producido por el hecho de que se trató de una serie de atentados en cadena con el objeto de generar internacionalmente la sensación de que Cuba es un país inseguro, sometido a atentados incontrolables.
— Fueron mercenarios los extranjeros que aceptaron dinero para cometer esos atentados, pero al ser compartida esa responsabilidad con el que los mercenarizó valiéndose para ello del dinero que pagó para reclutar, financiar y planificar la comisión del acto delictivo, no pudiéndose eximir de responsabilidad al salvadoreño Francisco Chávez Abarca, y a Luis Posada Carriles.
— Con respecto a cuáles eran los objetos de los atentados, por qué se cometieron y qué se perseguía con los mismos, el relator concluye

[13] Ibid., p. 4.

[14] Información del Ministerio del Interior, periódico *Granma,* 29 de octubre de 1998.

que los atentados pretendieron afectar el clima de tranquilidad que es el primer requisito para atraer al turismo, sustituyendo la tranquilidad normal y cotidiana por inseguridad colectiva, y a través de ello causar un impacto internacional que desalentase a los turistas a viajar a Cuba.

— Las personas que reclutaron a los autores materiales de esos hechos y las organizaciones por cuya cuenta actuaron son partícipes, tal vez con mayor grado de culpa que los autores materiales.[15]

Los planes no sólo eran contra el sector turístico. Según Méndez Méndez: "En 1995 la FNCA incrementa los planes terroristas, para tales fines diversifica los objetivos a destruir dentro de Cuba. Esta escalada *selecciona centros industriales* y puntos de concentración de turistas, *se estudian la refinería ubicada en la ciudad de Cienfuegos, la termoeléctrica de Matanzas*[16] y el cabaret Tropicana en el oeste de la capital. Estos lugares fueron ubicados y transmitidas sus direcciones a la sede de la FNCA por medio del sofisticado Sistema de Posicionamiento Global (GPS), equipo entregado por esa organización a varios de sus agentes enviados a Cuba [...]."[17] (La cursiva de los textos de la cita es nuestra.)

Esas intenciones contra otros sectores no habían quedado sólo en el nivel de plan. Con anterioridad a los actos contra los hoteles de la capital, según el propio José Luis Méndez: "El 12 de enero de 1996 son detenidos dos asesinos cuando transportaban 900 gramos de explosivo plástico C-4 y otros medios destinados a realizar acciones terroristas en Cuba. Un mes después, el 11 de febrero, fueron apresados tres más, después de realizar una agresión en la Bahía de Cárdenas, Matanzas, todos eran miembros del PUND, con nexos con la FNCA [...]. El 17 de septiembre se produce una infiltración por un lugar cercano al poblado de Punta Alegre, en el municipio de Chambas, Ciego de Ávila, donde es detenido un cubano residente en Miami quien había introducido un alijo de armas, municiones y otros medios de guerra."[18]

Las descritas son las más importantes de las acciones terroristas realizadas o intentadas realizar contra la economía cubana. Otros hechos, consumados o no, se habían mantenido desconocidos del gran

15 Organización de Naciones Unidas: ob. cit., p. 6.

16 Objetivos priorizados para sabotear desde los planes aprobados por el Consejo Nacional de Estados Unidos con ocasión de la Operación Mangosta de 1962 y la Política Encubierta y Programa Integrado de Acción hacia Cuba de junio de 1963.

17 José Luis Méndez Méndez: ob. cit., p. 133.

18 Idem.

público hasta la reciente publicación del libro de José Luis Méndez que hemos citado profusamente. Dentro de las revelaciones que allí se hacen, nos referiremos a continuación a algunas correspondientes a la década de los años 90, todas relacionadas con el terrorismo en función de la guerra económica:

— En julio de 1993 se había conocido acerca de la presencia de Posada Carriles en el aeropuerto de San Pedro Sula, donde realizaba estudios del arribo, lugares de taxeo y salida de los vuelos de transporte y carga de las líneas cubanas Aerocaribbean y Aerogaviota.
— En junio de 1994 Posada Carriles se encontraba en Costa Rica, y en unión del contrarrevolucionario de origen cubano Miguel Mariano Merino Vázquez realizaba estudios de la situación en el puerto Limón con el objetivo de hacer un atentado a un barco cubano que con frecuencia allí tomaba carga.
También se relacionó su presencia en aquel país con el reinicio de los vuelos de la línea aérea Cubana de Aviación hacia dicho destino, lo que finalmente se hizo el 3 de diciembre de 1995.
— En marzo de 1995 se mantuvo en Honduras, donde organizó planes de atentados contra empresarios de aquella nacionalidad que comerciaban con Cuba. Fue acusado de poner varias bombas en Tegucigalpa.
— A la sazón se relacionaba estrechamente con la organización terrorista Movimiento de Solidaridad con Centroamérica (MOSCA), existente desde 1994, institución que fungía como dueña de la línea aérea SOSA, algunos de cuyos aparatos habían visitado el Aeropuerto Internacional "José Martí" de Ciudad de La Habana en la preparación de atentados subversivos que se organizaban.
— A finales de este período, en 1996, Posada Carriles gesta los atentados terroristas que sacudieron la capital cubana durante 1997, y los que se intentaron realizar en 1998; recluta a sus ejecutores directos, así como los entrena y brinda los medios para su realización, todo ello con el financiamiento de la Fundación Nacional Cubano-Americana.

Otras intenciones similares se habían mantenido en la sombra hasta entonces. En el juicio contra los terroristas centroamericanos contratados por la FNCA a través de Posada Carriles, la Fiscalía presentó un testigo que impactó con su testimonio: el ciudadano guatemalteco residente en Cuba Percy Alvarado Godoy reveló haber recibido de la FNCA, a partir de 1993 en que había entrado en contacto con la misma, la oferta de 60 000 dólares por colocar cargas explosivas en el cabaret Tropicana y otros centros turísticos, acciones que habían sido prevenidas por tratarse Alvarado Godoy del agente *Fraile* de los Órganos de la Seguridad cubanos.[19]

La propaganda en función de la guerra económica

Existe un importante componente de la actividad subversiva de la CIA que con frecuencia se pasa por alto cuando se habla de la guerra económica contra la Revolución cubana, y que no puede dejarse de abordar si quiere realizarse una evaluación integral de este fenómeno. Este componente es el que se relaciona con la subversión político-ideológica sobre aspectos o sectores económicos e incluye una variada gama de acciones de propaganda e influencia subversiva encaminadas a reforzar el férreo cerco establecido a través de la guerra económica para provocar el colapso de la economía.

La propaganda como arma de difamación fue utilizada contra la Revolución desde los primeros momentos posteriores al triunfo de enero de 1959 por parte de la prensa norteamericana, incluyendo La Voz de América, emisora oficial del gobierno. Utilizando como pretexto la aplicación de la justicia a asesinos y torturadores de la derrocada tiranía, atizando el anticomunismo u hostigando y calumniando a los dirigentes revolucionarios, las operaciones propagandísticas contra la Revolución continuaban los esquemas anteriores heredados de la Guerra Fría y presentaban lanzas en lo que llegaría a convertirse en los más inimaginables planes de influencia sobre la población cubana en aras de restar apoyo al proceso revolucionario triunfante, así como para enajenar apoyo y simpatía dentro de Estados Unidos, América Latina e incluso a nivel mundial.

Según Fabián Escalante: "Una gigantesca campaña propagandística fue desplegada. Argumentos tales como que los cubanos expropiaban los grandes latifundios sin compensación, sancionaban indiscriminadamente a los genocidas batistianos, pretendían exportar revoluciones, enviaban los niños a Rusia para ser adoctrinados y miles de mentiras

[19] Percy Alvarado: *Confesiones de Fraile. Una historia real de terrorismo*. Editorial Capitán San Luis, La Habana, 2002.

más convirtieron, por obra e imagen de los medios masivos de difusión, a una población de apenas seis millones de habitantes, en el más peligroso enemigo del mundo occidental en el continente."[20]

La propaganda radial

Tal línea de actuación se vio fortalecida al organizarse las acciones que luego desembocaron en la invasión por Playa Girón, que además de patrocinar el envío de conferencistas por toda América Latina y organizar en la propaganda anticubana a los medios de comunicación continentales, estableció en la isla Swan la emisora que se conocería con ese nombre, que inició sus transmisiones el 17 de mayo de 1960 y cuya finalidad sería crear el clima psicológico que concitara al pueblo cubano a respaldar a los que en el exterior se entrenaban para acabar con la Revolución.

Solo dos meses después comenzarían sus transmisiones la primera de las emisoras piratas[21] anticubanas conocida, denominada Radio Cuba Independiente, instalada a bordo del yate *Calipso,* fondeado en la cayería de Sal, en Las Bahamas, y operada, entre otros, por un emigrado contrarrevolucionario que con posterioridad tuvo la responsabilidad de dirigir las comunicaciones de la Brigada 2506.[22]

Radio Swan no pretendía sólo lograr un respaldo pasivo de la población a las acciones de las fuerzas organizadas y entrenadas por la CIA, sino que, con fuerza creciente, la convocaba a la ejecución de acciones terroristas contra la economía. Según especialistas en el tema:

> Los contenidos de las emisiones de Radio Swan se hicieron cada vez más agresivos, incitando a la subversión y el sabotaje. Una muestra de un anuncio redactado en la forma tradicional de las menciones comerciales ilustra con claridad los propósitos del proyecto.
>
> Decía el locutor, cuya voz era conocida de la radio comercial cubana: "Obrero, tú que conoces tu maquinaria, destrúyela, nadie mejor

[20] Fabián Escalante Font: ob. cit., p. 10.

[21] Emisoras ilegales, conocidas indistintamente con ese nombre o *fonias contrarrevolucionarias.*

[22] Narciso Viera: "La estimulación radial de la contrarrevolución en Cuba". La Habana, 2000. Trabajo inédito.

que tú puedes destruirla sin que los comunistas se den cuenta [...] no la engrases, deja caer arena en los mecanismos [...]."[23]

La actividad propagandística de Radio Swan era secundada por otras emisoras comerciales del sur de Estados Unidos (WRUL, WGBS y WMIE de Miami; WKWF de Cayo Hueso; WWL de Nueva Orleans), aparentemente independientes pero manejadas bajo cuerda por la CIA, cuyas programaciones complementaban los mensajes contrarrevolucionarios.

Tras el fracaso en Girón y como parte de la Operación Mangosta, la propaganda contra la Revolución se incrementó, y a lo que se realizaba secretamente por la CIA y de forma limitada por La Voz de América, se añadieron nuevos recursos de la Agencia de Información de Estados Unidos (USIA). Ambos organismos fueron los responsabilizados con las tareas "psicológicas" de Mangosta, encaminados a perseverar en sus fallidos intentos de aislamiento internacional de la Revolución; lograr apoyo interno a sus pretensiones, así como crear una quinta columna interna que actuase según sus terroristas intereses. Los temas económicos fueron abiertamente manipulados, y los llamados al sabotaje en los sectores de la economía alcanzaron las más altas de las cotas, lo que fue una de las causas del incremento sustancial de esa modalidad de actividad enemiga durante el tiempo de vigencia de la Operación.

En el memorandum del subdirector de la USIA, Donald M. Wilson, al jefe de operaciones de Mangosta, general Lansdale, del 20 de julio de 1962, se decía que la propaganda acerca de los temas económicos se encaminaban a destacar el deterioro de la situación económica; la supuesta incapacidad del gobierno de satisfacer las necesidades elementales de la población; la mala administración de la economía y los supuestos paralelismos con la situación económica en la URSS y China. Lo repugnante de todo esto radica en que estos temas acerca del deterioro de la economía cubana, supuestamente causado por la Revolución, eran seleccionados por los mismos que habían declarado la guerra a la economía del país y hacían hasta lo indecible en medio de la

[23] Arnaldo Coro Antich, José R. Cabañas y Félix Raúl Rojas Cruz: "La radio de Estados Unidos como instrumento de agresión contra Cuba", en Colectivo de Autores: *El conflicto Estados Unidos-Cuba*. Editorial Félix Varela, La Habana, 1998, pp. 233-263. El registro de la transmisión citada fue realizado por el primero de los autores citados, mediante observaciones radiotécnicas, en los momentos de su realización.

operación Mangosta, por medios abiertos y encubiertos, para convertirla en tierra arrasada.[24]

No solamente los temas económicos eran manipulados. Valga lo siguiente, destacado por Fabián Escalante, como muestra del contexto criminal en que aquéllos se presentaban: el primero de enero de 1962 se inició una campaña radial, denominada Operación Botín, encaminada a estimular el asesinato de los dirigentes revolucionarios, con recompensas que llegaban hasta cien mil dólares en correspondencia con los cargos que ocuparan las víctimas.[25]

En los momentos más álgidos de la Operación Mangosta se desencadenó la Crisis de Octubre, lo que trajo consigo una intensificación de la propaganda radial anticubana, con la rápida instalación de dos nuevos transmisores de onda media en cayos Maratón y Sugar Loaf, al sur de La Florida.

Según los especialistas citados anteriormente, esas instalaciones iniciaron una nueva fase en la guerra radial contra Cuba, "al llevar el ataque directo de Estados Unidos a la banda de ondas hectométricas o medias, con lo cual esperaban que su audiencia en nuestro país aumentara considerablemente",[26] lo que significó asimismo un dramático crecimiento de los llamados radiales a la subversión interna y la ejecución de sabotajes contra la economía en Cuba, con la directa participación en su organización y promoción por parte de los directivos de la agencia oficial norteamericana para la propaganda.

Según el escritor norteamericano Jon Elliston, autor del libro *Guerra Psicológica sobre Cuba,* en la que dio a conocer numerosos documentos desclasificados del gobierno sobre estos temas: "El papel de la USIA en la guerra psicológica contra Castro, el cual había crecido durante la operación Mangosta y se tornó predominante durante la crisis de los misiles, se mantuvo importante mientras la crisis desaparecía",[27] ejemplificando ello con un memorandum dirigido por el Director de la

[24] Department of State: ob. cit., volume X, 1997, p. 858. También aparece en Jon Elliston: *Psywar on Cuba. The declassified history of. U.S. anti-Castro propaganda.* Ocean Press, 1999, p. 106. Ver también de Jacinto Valdés-Dapena: "La propaganda radial en el esquema de las operaciones de subversión político-ideológica de la guerra psicológica contra Cuba", La Habana, 1999, p. 35. Trabajo inédito.

[25] Fabián Escalante: ob. cit., p. 34.

[26] Arnaldo Coro Antich, José R. Cabañas y Félix Raúl Rojas Cruz: ob. cit., p. 241. La afirmación se sustenta en una carta de William Rust, en 1963, a la Comisión Federal de Comunicaciones de Estados Unidos.

[27] Jon Elliston: ob. cit., p. 153.

USIA, Edward R. Murrow, al Director de la CIA, John McCone, trasladándole sugerencias con respecto a la mejor utilización de emigrados cubanos en las transmisiones radiales dirigidas hacia Cuba, puntualizando el valioso papel de ellas "[...] *estimulando el sabotaje económico y la resistencia pasiva* [...]"[28] (la cursiva del texto citado es nuestra).

En su comunicación al Director de la CIA, Murrow expresaba que los exiliados seleccionados para participar en estas transmisiones debían gozar de "reputación y credibilidad" en cada uno de los sectores a que se dirigiesen, señalando, a su juicio, cuáles debían ser los principales temas que se transmitirían, que, como puede apreciarse, son sabotajes sencillos, sin complejidad ni peligrosidad, pero de ser realizados masivamente podrían ocasionar grandes daños: la audiencia cubana debía ser urgida a actuar a paso de jicotea, con el propósito de incrementar la ineficiencia; a malgastar los medios; así como realizar actos relativamente seguros de sabotaje, por ejemplo: arrojar cristales y clavos a las autopistas; derrochar agua en los edificios públicos; arrojar arena en las maquinarias para dañarlas; malgastar electricidad; ausentarse del trabajo arguyendo enfermedad; dañar almacenes de azúcar durante la zafra, y otros sabotajes.

Se señalaba adicionalmente que estas transmisiones debían ser estrictamente atribuibles a los cubanos exiliados, sin que llegara a ser de público conocimiento la participación de la USIA ni de ninguna otra agencia de gobierno. Si se alcanzaban los resultados, la USIA las retransmitiría, como una supuesta muestra de la oposición a la Revolución, y las difundiría por todo el mundo, ocultando cuidadosamente que era el gobierno norteamericano la verdadera fuente. El memo concluía expresando que tal propuesta contribuiría, entre otros aspectos, al programa de medidas económicas de Estados Unidos contra Cuba, así como en la estimulación de la población en la ejecución de los sabotajes cuya ejecución se urgía.[29]

Muestra de que estas acciones terroristas contra la economía cubana estuvieron siempre dirigidas al más alto nivel estatal norteamericano lo demuestra la reunión del Comité Ejecutivo del Consejo Nacional de Seguridad del 10 de diciembre de 1962, donde el presidente Kennedy aprobó la propuesta de Murrow e indicó que la CIA contratase a los exiliados cubanos para acometer ese programa,[30] política sólo superada con la creación de la emisora subversiva en enero de 1985.

[28] Idem.
[29] Ibid., pp. 154-155. También en Department of State: ob. cit., volume XI, 1996, p. 605.
[30] Departament of State: ob. cit., volume XI, 1996, p. 608.

Durante décadas, Cuba ha continuado soportando tal pesada carga propagandística contra su economía, en la que participan tanto las emisoras radial y televisiva que como afrenta llevan el nombre de nuestro Héroe Nacional; emisoras comerciales, y las *fonías contrarrevolucionarias*.

Según un estudio reciente,[31] de 1990 a 1999 además de la radio y televisión mal llamadas "José Martí", participaron en la propaganda anticubana 6 emisoras de onda media, una en VHTF (FM), y un total de 65 fonías contrarrevolucionarias con un promedio anual para cada una de estas últimas de 731.8 horas de emisiones, 62 de ellas en territorio norteamericano, y una en Puerto Rico, Guatemala y El Salvador, respectivamente. Tres de ellas emitieron en bandas de radioaficionados y las restantes lo hicieron en gamas pertenecientes al servicio fijo y de radiodifusión.

En las *fonías contrarrevolucionarias* la incitación a la realización de sabotajes en la economía forma parte de las programaciones habituales, orientando diariamente a sus radioescuchas a dañar equipos y maquinarias de diferentes tipos, medios de transporte, cultivos y, en general, todo lo que pueda ser destruido. Los principales sectores económicos, aquéllos que resultan de mayor importancia para el desarrollo económico del país, son blancos preferenciales en estas convocatorias a la destrucción, encontrándose en el período citado dentro de ellas el proceso agroindustrial azucarero, la producción niquelífera, el cultivo y la producción tabacalera, y el sector turístico.

A lo anterior hay que añadir los canales 23 y 51 de Miami, los cuales dentro de su programación dedican espacios para propagandizar las organizaciones terroristas en el exterior y en general las acciones anticubanas.[32]

Estudios sobre la economía cubana en medios académicos norteamericanos. La justificación ideológica del "apoyo" norteamericano a "la transición" al capitalismo en Cuba

Contando dentro de sus antecedentes las obras de los emigrados Felipe Pazos, Rufo López Fresquet y Jose R. Álvarez Díaz, así como los

[31] Narciso Viera: "La estimulación radial de la contrarrevolución en Cuba". La Habana, 2000. Trabajo inédito.

[32] Idem.

divulgados trabajos de los economistas europeos Karol y Dumont, con relativa rapidez adquirió preeminencia la obra del cubanólogo Carmelo Mesa Lago, que conjuntamente con Jorge Pérez López, Sergio Roca, Andrew Zimbalist y otros, sentaron las pautas de las interpretaciones sobre la economía cubana realizadas en Estados Unidos y divulgadas en todo el mundo.

Con un destacado rol en la Universidad de Pittsburgh, desde otras numerosas universidades y "tanques pensantes" norteamericanos (Rand Corporation, Heritage Foundation, American Enterprise Institute, Center of Foreign Relations, entre otros muchos), e incluso de otros países, los estudios sobre la economía cubana comenzaron a lograr preeminencia como parte de lo que anteriormente denominábamos "vertiente amplia" de los estudios académicos sobre Cuba, para diferenciarlos de los que se realizaban en el interior de la comunidad de inteligencia.

Refiriéndose a estos estudios, el académico cubano Jorge Hernández ha dicho:

"No se trata de que [...] se subordinen necesaria, general o automáticamente a la política norteamericana —aunque ello también suceda—, sino que se comparte como premisa común la tesis de la inviabilidad y la eventual caída del socialismo en Cuba. En ello se mezclan variados factores, de índole intelectual y política: el enfoque antimarxista tradicional, el desencanto de los que creyeron en la Revolución y el socialismo, junto a la intolerancia de los conservadores.

"Aunque tales estudios no se subordinen a la administración de turno en los Estados Unidos, el medio académico refracta ese contexto sociopolítico en el cual se inserta. Así ocurre que, a tono con el fenómeno de la generalización de la ideología dominante en toda sociedad de clases, en ellos se refleja y socializa a menudo el enfoque negativo sobre Cuba que ha existido en las instancias gubernamentales y en la política aplicada durante más de treinta años."[33]

Hasta mediados-finales de la década de los años 80, las tesis fundamentales de la cubanología acerca de la economía cubana, y que contribuían en las campañas propagandísticas y la desestimulación del apoyo externo a la Revolución cubana, insertándose de esa manera en las acciones de la guerra económica, eran:

[33] Jorge Hernández Martínez: "Miradas desde afuera: política y estudios sobre Cuba en los Estados Unidos". Revista *Temas,* N° 2, 1995, p. 49.

— Ausencia de desarrollo económico real en Cuba, impugnando, como resulta lógico suponer, la estrategia de desarrollo, la política económica y las estadísticas oficiales cubanas.
— Existencia de un desarrollo social sin base económica, y niegan, incluso, ignorando los hechos, los niveles de desarrollo alcanzados.
— Crítica de los "subsidios" soviéticos y "dependencia" con respecto de la todavía existente URSS y resto del campo socialista.[34]

La desaparición del campo socialista y la creencia de un rápido desplome de la Revolución confirió nuevos matices a las valoraciones sobre la economía cubana a partir de inicios de la década de los años 90. El acento se trasladó entonces, más que al análisis de la economía real, a lo que se requeriría para acelerar su transición a una economía de mercado tras el hipotéticamente inminente desplome de la Revolución, cobrando fuerzas a partir de entonces el tema de *la transición del socialismo al capitalismo en Cuba,* para lo que se crearon programas y proyectos en varias universidades con tal fin.[35]

Según Jorge Hernández: "[...] la discusión sobre la *transición* hacia la *nueva sociedad,* o la llamada *Cuba poscastrista,* se encuentra en el centro de los esfuerzos que se vienen gestando desde comienzos del actual decenio en el terreno de las ciencias sociales. De esta manera, la perspectiva orientada al diagnóstico y caracterización objetiva de los procesos bajo análisis tiende a sustituirse, en los estudios aludidos, por otra, basada más bien en el pronóstico, con una connotación prescriptiva, que pretende fijar las pautas a seguir en el reordenamiento futuro de la sociedad cubana."[36]

Con tal enfoque *prescriptivo,* en forma similar a lo acontecido a inicios de la década de los años 60 en que los estudios sobre Cuba[37] prestaron a la Administración Eisenhower la justificación ideológica de lo que luego fue la invasión por Playa Girón con la teoría de "la revolución traicionada", el acento en la inevitabilidad del retroceso al capita-

[34] José Luis Rodríguez García: *Crítica a nuestros críticos.* Editorial de Ciencias Sociales, La Habana, 1988, p. 15.

[35] El más conocido de estos esfuerzos es el de la Asociación para el estudio de la economía cubana (Association for the Study of the Cuban Economy, ASCE), creada en 1990, y que a través de la publicación, conjuntamente con la Universidad Internacional de la Florida, de *Cuba in Transition,* divulga los artículos y ponencias de sus reuniones anuales. Otro esfuerzo fue el ofrecido por Lisandro Pérez, titulado *Transition in Cuba,* CRI-FIU, 1993.

[36] Jorge Hernández Martínez: ob. cit., p. 50.

[37] En particular los trabajos de Theodore Draper.

lismo en Cuba en los estudios realizados desde inicios de los 90 no ha hecho más que santificar una política gubernamental reflejada desde la Ley Torricelli de 1992, pero que con la Ley Helms-Burton alcanzó más altos vuelos y, derivado de ella, en enero de 1997, el documento titulado "Apoyo para una transición democrática en Cuba", que con apoyo millonario delineó la subversión político-ideológica sobre el país en aras de la estimulación al surgimiento y fortalecimiento de fuerzas contrarrevolucionarias capaces de situarse como alternativas válidas de poder.

Algunos de estos autores no sólo justifican la inevitabilidad del cambio, sino que participan activamente en los intentos de estimulación de las fuerzas que según el *programa de transición* darían al traste con la Revolución, en estrecho contubernio con grupúsculos contrarrevolucionarios internos que, a su vez, actúan bajo la dirección de la Sección de Intereses norteamericanos en el país.

Sirva, a título de ejemplo, el artículo aparecido en el volumen 4 de la Asociación para el Estudio de la Economía Cubana, donde, bajo la firma de Rolando H. Castañeda y el miembro del Comité Ejecutivo de ASCE, George P. Montalbán, se exponían unos *principios,* supuestamente a ellos hechos llegar por representantes de la oposición contrarrevolucionaria interna, y que exponían como necesidades en los sectores vinculados con la inversión extranjera en Cuba para acelerar de esa forma los cambios conducentes al capitalismo.

A pesar de lo anterior, en ocasiones el criterio de los especialistas en asuntos cubanos no marchó tan en consonancia con los intereses marcadamente expresados por el Ejecutivo y el Congreso. Según el artículo de Jorge Hernández ya citado, "[...] los criterios de académicos que han participado en audiencias congresionales, en ocasiones han entrado en conflicto con ese consenso, y en otras se han desestimado", aclarando en nota al pie que Jorge Domínguez y Anthony Maingot en audiencias del Comité Selecto de Inteligencia del Senado, del 29 de julio de 1993 "[...] opinaron que los Estados Unidos no habían aplicado una adecuada política hacia Cuba y propusieron, entre otras cosas, levantar parcialmente determinadas cláusulas del bloqueo. Los dos especialistas convergieron en la necesidad de que el gobierno norteamericano rectificara falsos conceptos sobre el liderazgo cubano y rediseñara su política hacia la Isla".[38]

Según este autor, en la década de los 90 los estudios sobre Cuba en Estados Unidos prestaban mucha atención a los efectos que para la eco-

[38] Jorge Hernández Martínez: ob. cit., p. 52.

nomía cubana traerían consigo la desaparición del campo socialista, de lo que se derivaba la conclusión básica de la inevitabilidad de seguir los mismos pasos que Europa Oriental y la URSS conducentes a restaurar modelos económicos de las sociedades de mercado. Como corolario, se destacaba la obsolescencia del sistema político imperante, y de la conjunción de ambos aspectos supuestamente se imponía la necesidad del retroceso al capitalismo.

Algunas de las tesis que esto fundamentaban, de las que destacaremos sólo las referencias a la necesidad de cambios en la economía, eran:

— Cuba debe iniciar cambios [...] en sus formas de organización económica, con vistas a lograr congruencia con la necesidad de rescatar al país del deterioro paulatino e inexorable en que se encuentra. Ello va aparejado de cambios, en la organización interna, que faciliten el respeto y el apoyo internacional.[39]
— Las perspectivas de recuperar el equilibrio dentro de la lógica continuista de la Revolución no son viables; solo es posible el cambio con una ruptura de los esquemas existentes, tanto en el orden económico como en el político [...].[40]
— Es necesario repensar no solo el nacionalismo, sino la cuestión de la igualdad. La plataforma ideológica de las tres décadas pasadas no servirá para las venideras. Es necesario y fructífero pensar en la posible transición a la economía de mercado en Cuba.[41]
— La política norteamericana hacia Cuba descansa en la premisa de que la actual situación cubana es insostenible a largo plazo. La tarea, entonces, es cómo acelerar los inevitables cambios, a un costo aceptable para dicha política.[42]

[39] Jorge I. Domínguez: "Cuba y el Mundo" (ponencia), XVI Congreso de la Asociación de Estudios del Caribe, La Habana, mayo de 1991. Citado por Jorge Hernández Martínez: ob. cit., p. 54.

[40] Guilliam Gunn: "Will Castro Fall?", *Foreign Policy,* verano, 1990, y "Cuba in Crisis", *Current History,* marzo, 1991. También Juan del Águila: "Why Communism Hangs on in Cuba", *Global Affairs,* Invierno, 1991. Jorge Hernández Martínez: idem.

[41] Marifeli Pérez-Stable: "Towards a Market Economy in Cuba? Social and Political Considerations", en *Cuba in Transition,* volume 1 Papers and Proceedings of the First Annual Meeting of the Association for the Study of the Cuban Economy (ASCE), Florida International University, Miami, agosto, 1991, Florida International University, Miami, 1992. Jorge Hernández Martínez: idem.

[42] Jorge I. Domínguez: "La política de EE.UU. hacia Cuba y las relaciones con América Latina y el Caribe". Seminario Elecciones de 1992 y Relaciones Interamericanas, CEA-Universidad de Columbia, La Habana, 3 al 5 de julio de 1992. Jorge Hernández Martínez: Idem.

La visión en la gran prensa

La problemática económica cubana de la década de los años 90 se reflejaba en forma similar en la gran prensa norteamericana. En un documentado artículo,[43] Alfredo Prieto González abunda al respecto, y nos da la clave para identificar uno de los presupuestos metodológicos que lastraba —y lastra— la objetividad de la información transmitida, contribuyendo de esta forma en la guerra económica contra nuestro país.

Lo primero que se pregunta este autor es: ¿La imagen de Cuba que se ofrece en la prensa norteamericana corresponde a la realidad? Rápidamente se responde: las percepciones de la realidad cubana que se ofrecen o están obstruidas por diversas causas, o convierten en problemas cosas que para los cubanos no lo son.[44]

Otro aspecto que esclarece es que no existe una *prensa norteamericana* homogénea y monolítica, toda vez que en su conjunto responden a diversos sectores de la clase dominante, que no son ni lo uno ni lo otro. Se trata de "[...] un complejo difusivo pensado y articulado en función de la clase política y de los sectores más educados y de mayor nivel de ingreso de la sociedad. Su propósito último es contribuir, en la medida de su alcance, a la reproducción ideocultural del sistema que lo hace posible, así como a la construcción de la hegemonía", destacando la creciente influencia en ella de una "[...] nueva teoría de las relaciones públicas, de ecos casi goebbelianos, (que) sostiene que si se repite una idea con la suficiente convicción y énfasis, será creída independientemente de su grado de veracidad".[45]

Según este autor, el enfoque crítico sobre Cuba que aparece en esta prensa —reflejado sin diferencias sustanciales en otros países, por lo que, de hecho, se convierte en un referente informativo mundial— está históricamente sedimentado desde inicios de la década de los años 60. Si en aquellos momentos los temas eran aspectos tales como "fusilamientos dudosos o excesivos a criminales de guerra", "la revolución traicionada", "cabeza de playa soviética" o "satélite de la URSS", a pesar de los cambios operados en la arena internacional los contenidos transmitidos siguen siendo estereotipos heredados desde entonces.

[43] Alfredo Prieto González: "Cuba en los medios de difusión norteamericanos". Revista *Temas,* Nº 2, La Habana, 1995, pp. 13-21.

[44] Ibid., p. 13. Entre las causas menciona "los estereotipos, las diferencias idiomático-culturales, el etnocentrismo, la Guerra Fría, los medios de difusión y la escasez de contactos directos entre ambos pueblos [...]".

[45] Ibid., pp. 13-14.

Entre los aspectos esenciales de la problemática cubana para la prensa norteamericana a partir de los momentos de crisis de la década de los años 90 —en correspondencia con el acento de la política gubernamental—[46] se encontraban los aspectos referidos a la economía.[47] Con este tema caemos de lleno en los aspectos que nos interesa resaltar, por su directa relación con la guerra económica contra Cuba.

La visión negativa sobre la economía cubana que hasta ese momento se ofrecía, se vio potenciada por el brusco descenso de los índices en la primera mitad de aquella década, inmediatamente después de perder Cuba sus principales socios comerciales y fuentes de financiamiento externo. Esta realidad tenía una explicación objetivamente establecida, que fue silenciada sistemáticamente por la prensa, a tono con la política oficial encaminada a encontrar justificaciones para la estimulación de procesos de cambio político en el país.

Según Alfredo Prieto:

> Sin embargo, en el modelo informativo empleado no se destacan las circunstancias que originan los problemas ni las políticas que los enfrentan.
>
> Informado por supuestos ideológicos, *el discurso masivo enfatiza básicamente los componentes referidos a la caída del intercambio con la URSS. El superobjetivo es obvio: subrayar la idea del subsidio y, por esa vía, el carácter parasitario del sistema socialista cubano,* incapaz según el discurso de asegurar la reproducción simple de los ciudadanos, de modo que la responsabilidad recaiga sobre un régimen político que de antemano se condena (la cursiva del texto citado es nuestra).

Para concluir con un comentario lapidario:

> *El lado oscurecido de la fórmula consiste en el peso específico del bloqueo,* que al margen de las estadísticas, se presenta como una pantalla utilizada por el Gobierno cubano para escamotear sus

[46] "[...] (la objetividad), unida a la necesidad de preservar el acceso y prestigio sociales, conduce a los medios a difundir, y aun a depender, de las percepciones del poder y los comunicados de sus agencias, considerados como fuentes objetivas y dignas de crédito, lo cual permite, de hecho, la socialización de sus presunciones como verdad avalada, y sobre todo la modelación de los parámetros del debate". Ibid., p.17.

[47] Otros aspectos son el sistema político y los derechos humanos.

propios problemas e incapacidades[48] (la cursiva del texto citado es nuestra).

Para los lectores que hasta aquí nos han seguido, una pregunta: ¿Puede alguien que sistemáticamente haya prestado atención a los asuntos políticos y económicos cubanos de los últimos cuarenta años, y su relación con Estados Unidos, obviar de buena fe la pesada carga que representa el bloqueo norteamericano para la economía de la Isla? ¿Podría aducir desconocimiento sobre lo que han representado para la Isla las acciones clandestinas contra su economía? ¿Puede no tenerse en cuenta el resultado final que sobre Cuba ha tenido la interacción entre el bloqueo y esas operaciones encubiertas, que desde junio de 1963 se han estado aplicando *en sistema* contra la Isla?

De esta forma, solo nos queda una alternativa: identificar las acciones propagandísticas que "oscurecen" aspectos importantes de tal problemática no como las de un mal informado observador, sino como las de alguien interesado en que algunos de los componentes de la ecuación se mantengan a oscuras, tipificando de esta manera otro componente de la guerra económica, de carácter propagandístico, y cuya función es la de minimizarla, ocultarla, intentar hacer creer que no existe.

Otra alternativa es la situación en la prensa hispana de la Florida. En sus más importantes representantes, no se trata de pasar por alto una realidad, sino luchar porque se apriete el dogal sobre Cuba. Continuando con Alfredo Prieto:

> Si en los medios del *mainstream* anglo se encuentra un evidente nivel de diversidad en cuanto a las fórmulas y maneras de lidiar con Cuba, en la prensa hispana del Sur de la Florida esa tendencia se minimiza. Este subsistema aparece dominado por grupos de poder que han hecho del anticomunismo una industria cultural de sustantivos dividendos y un modo de vida funcional a los sectores conservadores que dominan los espacios públicos de Miami.

Para luego expresar, refiriéndose en particular a la Sección de Opiniones de *El Nuevo Herald,* suplemento del *Miami Herald:*

> Sus columnistas y emisores tienen a menudo filiación orgánica a organizaciones contrarrevolucionarias, fueron en Cuba "connotados

48 Alfredo Prieto González: "Cuba en los medios de difusión norteamericanos". Revista *Temas,* N° 2, La Habana, 1995, p. 17.

disidentes", escritores que se marcharon del país o intelectuales conservadores que ejercen la docencia [...]. Como norma, la objetividad cede ante un esquema interpretativo que deja escaso lugar a posiciones más moderadas, de modo tal que el empalme con la línea dura de la política comunitaria constituye una recurrencia en esta zona del periódico [...].

y concluir:

> La plataforma más común demanda del gobierno el endurecimiento del bloqueo [...] como instrumento de presión para el logro de cambios políticos en Cuba: el respaldo, en una palabra, a la tensión de la olla de presión, característica de la FNCA y de la derecha congresional de origen cubano [...] se respalda cualquier endurecimiento de la política, incluyendo la reducción del número de vuelo y la supresión de las remesas familiares [...].[49]

¿Embargo o Bloqueo?

En páginas anteriores hablábamos de los malabarismos semánticos utilizados para engañar y confundir con respecto a las verdaderas intenciones perseguidas por el gobierno norteamericano en su relación con la Revolución cubana, como una modalidad subversiva en el campo de las ideas. Posiblemente, uno de los mejores ejemplos sea el relacionado con el escamoteo del vocablo *bloqueo* y su sustitución por el de *embargo* para definir la más importante de las medidas norteamericanas contra la economía cubana.

El presidente de la Asamblea Nacional del Poder Popular describe esto como una "falsificación del lenguaje". Refiriéndose a la guerra económica en su conjunto expresa: "La propaganda oficial se refiere a ella, simplemente, como a un 'embargo', vocablo hipócrita y falso, premeditadamente usado para encubrir la realidad. Es un caso irrefutable de mentira institucionalizada, deliberada y cuidadosamente empleada por un gobierno con el claro propósito de inducir al error y de la que se hacen eco no pocos periodistas, académicos y políticos."[50]

[49] Ibid., p. 19.

[50] Ricardo Alarcón de Quesada: "El embuste: arma inseparable de la agresión imperialista". Intervención realizada en el II Encuentro Mundial de Amistad y Solidaridad con Cuba, 10 de noviembre del 2000. Aparece en Ricardo Alarcón de Quesada y Miguel

Lo cierto es que desde el establecimiento del bloqueo contra Cuba, en los primeros años de la década de los años 60, se dio inicio también a una estratégica operación de desinformación: según el gobierno norteamericano y sus propagandistas, lo que se iniciaba eran restricciones al comercio bilateral en el marco de atribuciones legalmente existentes, en nada opuestas al Derecho Internacional.

La práctica norteamericana sobre ese tema durante cuarenta años ha seguido un patrón del más puro estilo goebbeliano: repetir de forma constante la mentira de que se trata "solo de un embargo", en aras de hacer creer que el bloqueo no existe y, junto con él, tampoco la guerra económica, obteniendo de paso un argumento adicional contra la Revolución: los problemas que pueda presentar la economía cubana obedecen, si acaso, a la ineficiencia del aparato administrativo estatal, y su solución solo puede encontrarse en el retorno al capitalismo.

Este tema ha sido profusamente analizado en nuestro país.

En el artículo "Bloqueo, no embargo",[51] un colectivo de autores del Centro de Estudios sobre Estados Unidos (CESEU) de la Universidad de La Habana lo abordan, expresando: "Una de las razones por las que los representantes norteamericanos no utilizan la denominación de bloqueo para sus acciones, es la consistencia jurídica que le da la concepción de 'embargo', que reduce al plano de diferendo bilateral' el problema."

Estos autores demuestran hasta la saciedad la extraterritorialidad de las medidas norteamericanas y su carácter persecutorio sobre las relaciones económicas, comerciales y financieras cubanas con todo el mundo, lo que rebasa la bilateralidad aducida.[52]

[51] Carlos A. Batista Odio, Graciela Chailloux Laffita, Esteban Morales Domínguez y Jorge Mario Sánchez Egozcue: "Bloqueo, no embargo", en Colectivo de Autores: ob. cit., pp. 38-48.

[52] En la respuesta del Departamento de Estado norteamericano a la presentación por Cuba ante la ONU por vez primera, de la propuesta de Resolución condenando el bloqueo, adujeron que era un embargo porque solo afectaba las relaciones bilaterales, reconociendo que sería bloqueo si Estados Unidos estuviese "llevando a cabo acciones para prevenir el comercio de otros países con Cuba", lo que según ellos "no era el caso". Aquí cabe aquello de que a confesión de parte, relevo de pruebas. Ver Michael Krinsky and David Golove: ob. cit., p. 20. También Carlos A. Batista Odio, Graciela Chailloux Laffita, Esteban Morales Domínguez y Jorge Mario Sánchez Egozcue: ob. cit., p. 42.

Álvarez Sánchez: *Guerra económica de Estados Unidos contra Cuba.* Editora Política, La Habana, pp. 40-65.

Un profundo análisis jurídico sobre este particular fue realizado en la sentencia de la Sala Primera de lo Civil y de lo Administrativo del Tribunal Provincial Popular de Ciudad de La Habana, del 5 de mayo del 2000, concluidas las vistas de la demanda al Gobierno de Estados Unidos por daño económico, demostrando que según la doctrina legal más avanzada la figura del *embargo*[53] no encuentra asidero alguno para ser invocado por Estados Unidos en sus relaciones con Cuba; el decreto presidencial norteamericano de febrero de 1962 no tiene respaldo doctrinal, y no se está en puridad de derecho frente a tal figura, sino a la del *bloqueo,*[54] para obtener un fin político: destruir a la Revolución.

Otra arista de este mismo fenómeno fue revelado durante las sesiones de esa demanda.

Ante el Tribunal Popular Provincial el presidente de la Comisión Permanente de Asuntos Económicos de la Asamblea Nacional del Poder Popular, Dr. Osvaldo Martínez, expresó: "La más reciente acción de la guerra económica ha sido montar una maniobra de propaganda y desinformación, en vista del sólido repudio internacional al bloqueo, para difundir la idea de que éste ha sido suavizado en algún grado, mediante ilusorias promesas para conceder licencias que permitan entablar relaciones comerciales, no con las instituciones que realmente hacen operaciones de compra de alimentos, sino con el sector privado que anhelan desarrollar para intentar utilizarlo como factor interno de desestabilización."[55]

La propaganda y la desinformación son métodos clásicos de la subversión político-ideológica, y se presentan aquí, según la autorizada opinión de Osvaldo Martínez, como una modalidad *sui generis* de guerra económica, encaminada a engañar a la comunidad internacional, opuesta mayoritariamente al bloqueo.[56]

[53] Definido como "concepto jurídico vinculado a la Teoría General del Proceso [...] (y que) [...] constituye una medida cautelar, ya preventiva, ya de ejecución, dispuesta siempre por los órganos jurisdiccionales a instancia de parte, para impedir o poner traba a la libre disposición de los bienes de determinada persona y así garantizar el cumplimiento de una obligación".

[54] Que significa "encerrar, incomunicar, aislar del exterior, asfixiar, enclaustrar, aprisionar, asediar".

[55] Osvaldo Martínez: "El bloqueo económico impuesto a Cuba por el Gobierno de Estados Unidos". Dictamen pericial en la vista pública del Tribunal Provincial de Ciudad de La Habana en las sesiones de la Demanda del pueblo cubano al Gobierno de Estados Unidos por los daños económicos ocasionados a Cuba. Marzo del 2000.

[56] Dentro de las campañas propagandísticas características de la subversión político-ideológica en apoyo a la guerra económica se encuentran aquéllas que intentan hacer

Es interesante en grado sumo el otro aspecto resaltado en esa cita: forma también parte de la guerra económica la estimulación de actores económicos sin vínculos con el Estado con el objetivo de que puedan fortalecerse y luego reclamar espacios de participación política. Es la tozudez imperialista, tratando de organizar fuerzas contrarrevolucionarias en Cuba según el esquema de la erosión del socialismo desde dentro.

La estimulación de la oposición contrarrevolucionaria con fines fundamentalmente terroristas fue realizada secretamente por la CIA hasta inicios de la década de los años 80: a partir de la Administración Reagan comenzó a hacerse de forma abierta y pública.

El financiamiento que antaño provenía de la CIA ahora se ofrece abiertamente por el Fondo Nacional para la Democracia (National Endowment for Democracy, NED) o directamente por el gobierno norteamericano al incluir dentro del presupuesto oficial, como fue el caso del presupuesto para el año 1999, el gasto de no menos de 2 millones de dólares para la subversión en Cuba.

La preminencia conferida a las acciones de subversión e influencia ideológica en las leyes Torricelli y Helms-Burton son en extremo significativas como reconocimiento de la estrecha ligazón entre el garrote y la zanahoria enemiga (por lo demás envenenada): estimular en los cubanos, a través del bloqueo, sentimientos de desaliento y de derrota, para presentar como solución a esos problemas el retorno al capitalismo. Ello se aprecia en el artículo g (Ayuda para el respaldo de la democracia en Cuba) en la sección 1705, "Respaldo al pueblo cubano" de la Ley Torricelli, que sienta las bases del posteriormente conocido como Carril II de esta ley, al exponer que "el Gobierno de los Estados Unidos podrá suministrar ayuda, por medio de organizaciones no gubernamentales apropiadas, para darles respaldo a individuos y organizaciones que promuevan un cambio pacífico hacia la democracia en Cuba". Junto al garrote, la "zanahoria". En la sección 1707, "Política hacia un gobierno de transición en Cuba", esto es, después de la supuesta derrota de la Revolución, en que también hipotéticamente se dispondría de "[...] alimentos, medicinas y suministros médicos para fines humanitarios [...]".

creer que el bloqueo se está debilitando; como una variante de la anterior, que las medicinas se han podido comprar libremente en los últimos años; que la venta de medicinas es uno de los beneficios de la Ley Torricelli; que los problemas de Cuba no obedecen en nada al bloqueo, sino a la mala gestión económica de la Revolución; las que divulgan que Cuba tenía mayor grado de desarrollo económico en 1959 que el real, para hablar entonces de un retroceso en vez de un avance con la Revolución; las que intentan hacer creer que la mayor cantidad de donaciones que se han recibido en el país durante el período especial han venido de Estados Unidos, y otras.

Especialistas participantes en la Mesa Redonda Instructiva sobre la guerra económica, efectuada el 10 de julio del 2000, al hacer referencia a las acciones de subversión político-ideológica realizada contra Cuba por Estados Unidos desde el mismo triunfo de la Revolución, y evaluar el papel representado por la Ley Torricelli, expresaron: "[...] desde el primer día prácticamente ha existido esta política de crear, organizar y financiar una oposición. Y si alguna cosa novedosa pudiésemos encontrar en la Torricelli es que por primera vez, como política de Estado, se expresa esto de manera abierta en una Ley de Estados Unidos".[57]

Una interesante conclusión de carácter metodológico podemos extraer de lo anterior: no existen compartimentos estancos dentro de la actividad anticubana que se gesta y dirige desde Estados Unidos, y sobre todo se manifiesta un nexo de causalidad entre las medidas sobre la economía y los efectos que de ellas se esperan en la estimulación de posiciones contrarrevolucionarias en el seno de la población, para lograr "[...] los objetivos que se tratan en el famoso Carril II: complementar el bloqueo con la subversión".[58]

Existen diferencias en las acciones sobre la base económica y sutilezas que resultan conveniente apreciar para evaluar correctamente las acciones enemigas sobre los sectores económicos en la actualidad. La esencia está en que se trata, por un lado, de una guerra total contra todo lo que implique fortalecimiento de la economía estatal, ya sea en forma de empresa estatal, estatal con esquema privado, o cualquier tipo de colaboración con el capital externo. Pero, por otra parte, implica asimismo aliento y estímulo sobre las personas de ese medio, de forma tal que abjuren de todo intento de respaldar los esquemas de producción socialista y paulatinamente introduzcan los modelos capitalistas de producción, los que a su vez se encargarían de lograr su reflejo en la mente de los que en ello participen.

Como en ningún momento anterior de la historia de las agresiones enemigas, los sectores económicos fueron objeto de un esfuerzo subversivo tan sostenido en el campo de las ideas: tampoco antes existían condiciones para que esas acciones prosperaran.

Es en este contexto que hay que apreciar los intereses externos por estimular y potenciar las ventajas de la pequeña y mediana empresa

[57] Miguel Álvarez: Intervención en la Mesa Redonda Instructiva del 10 de julio del 2000. Tabloide especial Nº 18, p. 15.

[58] Idem. Miguel Álvarez lo fundamenta en declaraciones de Richard Nuccio al *Washington Times* el 30 de julio de 1995, en que expresó que el Carril II no es una alternativa al embargo, sino un complemento para hacerlo más efectivo.

privada; por incrementar la participación individual de nacionales en el sistema empresarial y de esa forma estimular la creación de una burguesía nacional; por intentar influir sobre sectores campesinos y otras acciones semejantes, en lo que algunas organizaciones extranjeras empeñan en manifestar sus intentos de "ayuda" a Cuba para encarar los retos que enfrenta tras la desaparición del campo socialista.

En esta línea de pensamiento hay que entender los fines perseguidos por el gobierno norteamericano en esta esfera. A inicios de 1999, la entonces Secretaria de Estado norteamericana, Madeleine Albright, expresó: "estamos utilizando armas inteligentes apuntadas al blanco que queremos. Deseamos ayudar a crear una economía de mercado independiente y tratar de que continúe expandiéndose y se llegue a separar por completo del Estado".[59]

Estas acciones son rectoreadas estatalmente de acuerdo con la política del Carril II y desarrolladas de forma abierta y pública, poniendo en función de ello recursos oficiales como los de la Agencia de Información de Estados Unidos (USIA) y con recursos financieros otorgados oficialmente a través de la NED, y por esa vía a universidades, organizaciones no gubernamentales y otros destinatarios.

Si sobre lo que recae el bloqueo es, en lo fundamental, la economía, el comercio, las finanzas, sobre lo que intenta recaer esta *sui generis* modalidad de guerra económica es la conciencia del pueblo cubano, en un vano intento, por otros métodos, de que abjure de sus ideas, y propicie, como ya se hizo en otras latitudes, el retroceso al capitalismo.

[59] Citado por Ricardo Alarcón de Quesada, Presidente de la Asamblea Nacional del Poder Popular, en la Clausura de la Sesión Extraordinaria de la V Legislatura de la Asamblea Nacional del Poder Popular, el 16/2/99. Periódico *Granma,* viernes 19 de febrero de 1999, p. 4.

CAPÍTULO VI La batalla en las Naciones Unidas y la guerra económica contra Cuba a la luz de las leyes cubanas

Cuba ha desenmascarado sistemáticamente ante la opinión pública, nacional e internacionalmente, las brutales presiones económicas a que ha sido sometida por parte del gobierno norteamericano, y ha señalado justamente la eliminación del bloqueo y las acciones subversivas contra su economía entre las primeras de las medidas requeridas para lograr la normalización de las relaciones con su poderoso vecino del Norte.

Dos importantes eventos se inscriben dentro de las medidas cubanas en esa dirección, uno de ellos en el marco de las relaciones internacionales y el otro como respuesta jurídica en el marco de sus propias leyes. Nos referimos a la discusión y aprobación por la Asamblea General de las Naciones Unidas, ininterrumpidamente desde el año 1992, de una propuesta de resolución condenatoria del bloqueo económico norteamericano contra Cuba, así como a la demanda interpuesta en el año 2000 por las organizaciones de masas cubanas ante el Tribunal Provincial Popular de Ciudad de La Habana al gobierno norteamericano por su responsabilidad en los daños y perjuicios económicos causados a nuestro pueblo.

La comunidad internacional se opone a la guerra económica de que Cuba es objeto: la batalla en la ONU

La bestial guerra económica de Estados Unidos contra el pueblo cubano descrita en los capítulos anteriores, ha encontrado el rechazo de la comunidad internacional en el órgano más representativo de la Organización de Naciones Unidas: su Asamblea General.

A partir de 1992, en que a instancias de Cuba comenzó a analizarse en ese órgano el tema "Necesidad de poner fin al bloqueo económico, comercial y financiero impuesto por los Estados Unidos de América contra Cuba", el número de votos que han respaldado la resolución correspondiente se incrementó, de 59 a favor, 3 en contra y 71 abstenciones en la votación de 1992 a 173 a favor, 3 en contra y 4 abstenciones en la votación del año 2002. La cifra de votos a favor, en este último año, hubiese sido incluso superior, de no haberse encontrado en mora financiera, y por tanto excluidos de las votaciones, tres Estados que en oportunidades anteriores habían votado junto a Cuba en contra de esa medida estadounidense.

Las Resoluciones mantienen básicamente la misma estructura, lenguaje y alcance.[1] Veamos la primera de ellas, la 47/19 del cuadragésimo séptimo período de sesiones de la Asamblea General, del 24 de noviembre de 1992, cuyo todo contenido se mantiene a partir de entonces. Su preámbulo de cuatro párrafos manifestaba la decisión de fomentar el estricto respeto de los propósitos y principios consagrados en la carta de las Naciones Unidas; reafirmaba, entre otros principios, la igualdad soberana de los Estados, la no intervención y no injerencia en sus asuntos internos y la libertad de comercio y navegación, consagrados en numerosos instrumentos jurídicos internacionales; se preocupaba por la promulgación y aplicación por parte de Estados miembros de leyes y regulaciones cuyos efectos extraterritoriales afectaban la soberanía de otros Estados y los intereses legítimos de entidades o personas bajo su jurisdicción, así como a la libertad de comercio y navegación; y señalaba el conocimiento de la reciente promulgación de medidas de este tipo dirigidas a reforzar y ampliar el bloqueo económico, comercial y financiero contra Cuba.

Su parte resolutiva exhortaba a todos los Estados a que se abstuvieran de promulgar y aplicar leyes y medidas del tipo referidas en el preámbulo, en cumplimiento de sus obligaciones de conformidad con la Carta de las Naciones Unidas y el Derecho Internacional, así como de los compromisos libremente contraídos al suscribir instrumentos jurídicos internacionales que entre otros aspectos consagran la libertad de comercio y de navegación. El segundo instaba a los Estados donde existiese

[1] Estas Resoluciones fueron, a partir de 1992 y hasta el 2002, las 47/19, 48/16, 49/9, 50/10, 51/17, 52/10, 53/4, 54/21, 55/20, 56/9, 57/11. Sitio Web de Naciones Unidas http:www.un.org.

ese tipo de leyes o medidas a que, en el plazo más breve posible y de acuerdo con su ordenamiento jurídico, tomaren las medidas necesarias para eliminarlas o anular su efecto. El tercer punto solicitaba al Secretario General que elaborara un informe sobre el cumplimiento de la Resolución, el que debía presentar a la Asamblea General en su cuadragésimo octavo período de sesiones, correspondiente al año 1993; y el último punto decidía incluir el tema en el programa provisional de ese próximo período de sesiones.

Este formato se ha mantenido a partir de entonces, con ligeras modificaciones que lo actualizan en algunos aspectos. Resoluciones posteriores deploraban ya no sólo la promulgación y aplicación de regulaciones extraterritoriales, sino que puntualizaban que es su *continua* promulgación y aplicación, añadiéndose en 1993 un nuevo párrafo referido a que con posterioridad a la aprobación de la Resolución 47/19 se promulgaron y aplicaron nuevas medidas encaminadas a reforzar y ampliar el bloqueo, con efectos negativos sobre la población cubana (mencionándose expresamente la aprobación de la Ley Helms-Burton, como ejemplo de ello, en todas las resoluciones a partir de 1996). También en la resolución de 1993 comenzó a recordarse que otros foros igualmente llamaban a eliminar la aplicación unilateral por cualquier Estado, con fines políticos, de medidas de carácter económico y comercial contra otros Estados (en particular en las Cumbres Iberoamericanas, a partir de su tercera reunión, celebrada los días 15 y 16 de julio de 1993 en la ciudad de San Salvador, Brasil), y en las reuniones del Consejo del Sistema Económico Latinoamericano (SELA), que también instaba al levantamiento del bloqueo económico, comercial y financiero contra Cuba. Una redacción posterior sobre este último aspecto, generalizaba expresando que se tomaba nota de las declaraciones y resoluciones de distintos foros intergubernamentales, órganos y gobiernos que manifestaban el rechazo de la comunidad internacional y de la opinión pública a la promulgación y aplicación de medidas de este tipo.

El sistema de Naciones Unidas ha dispuesto, desde que se comenzó a analizar este tema por la Asamblea General a partir de 1992, de fuentes inapreciables, por su validez y fiabilidad, para mantenerse al tanto de la guerra económica contra Cuba y sobre esa base condenarla resueltamente: el Informe del Secretario General, que comenzó a elaborarse a partir de 1993 en cumplimiento del punto 3 de la Resolución 47/19, en la elaboración del cual la información aportada por Cuba, por organismos internacionales u otros órganos es abundante en datos acerca de la sistemática profundización del bloqueo en cada año transcurrido; así como la presentación por la delegación cubana de la propuesta de Resolución ante la Asamblea General, previo a la votación. Otros documentos entregados casuísticamente por Cuba, y circulados como documentos oficiales de la Asamblea General, también han contribuido a que internacionalmente se conozca y rechace la genocida política norteamericana.

Una rápida valoración de algunos de los más importantes aspectos recogidos en la respuesta de Cuba para conformar los informes del Secretario General, de la presentación de las resoluciones ante la Asamblea General o en la restante documentación circulada en aquel medio, nos posibilitará aquilatar en su justa medida el correcto aprovechamiento de esta importante tribuna, la más representativa y democrática de todo el sistema de las Naciones Unidas.

Un aspecto recurrente en todos los textos es la denuncia a la sistemática violación por Estados Unidos de las resoluciones aprobadas a partir de 1992. Más que ello, en todos los casos lo que se denuncia es su recrudecimiento, ampliación y profundización con medidas de carácter legal, regulatorias, encubiertas, difamatorias y hasta de presión y chantaje contra terceros, que "[...] no sólo muestra un profundo desprecio hacia los principios y normas universales de convivencia que dice respetar sino atropella también con inhumanidad alevosa la dignidad y los derechos fundamentales del pueblo cubano, tales como la independencia, la soberanía, la autodeterminación, el derecho al desarrollo, la salud, la alimentación, el empleo y la vida misma".[2] Su ilegalidad también ha quedado al desnudo, afirmación que se hace según lo dispuesto en el inciso c) del artículo II de la Convención para la Prevención y la Sanción del Delito de Genocidio, del 9 de diciembre de 1948, pudiéndose tipificar por ello las presiones económicas anticubanas del Gobierno de Estados Unidos como un delito de Derecho Internacional.[3] Se ha evidenciado que Estados Unidos también viola las resoluciones 38/197 de 20 de diciembre de 1983; 39/210 de 18 de diciembre de 1984; 40/185 de 17 de diciembre de 1985; 41/165 de 3 de diciembre de 1986; 42/173 de 11 de diciembre de 1987; 44/215 de 22 de diciembre de 1989 y 46/210 de 20 de diciembre de 1991 del mismo órgano, en las cuales la Asamblea

2 Asamblea General de Naciones Unidas, cuadragésimo noveno período de sesiones: Informe del Secretario General (A/49/398), Sitio Web de Naciones Unidas http:www.un.org. 20 de septiembre de 1994, respuesta del Gobierno de Cuba, párrafo 122.

3 Asamblea General de Naciones Unidas, quincuagésimo séptimo período de sesiones: Informe del Secretario General (A/57/150), Sitio Web de Naciones Unidas http:www.un.org. 26 de julio del 2002, respuesta del Gobierno de Cuba, párrafo 3.

deplora la adopción de medidas económicas para ejercer coacción sobre las decisiones soberanas de los países en desarrollo.[4]

Los objetivos perseguidos por Estados Unidos han sido denunciados con claridad meridiana en el Informe del Secretario General, el cual califica a esas acciones en 1993 como "[...] una agresión por medios económicos que, por la vía de crear dificultades económicas para Cuba y afectar la salud, el bienestar, la paz y la vida de la población, persigue el objetivo declarado de derrocar el sistema político, económico y social que el pueblo cubano libremente se ha dado".[5] Al año siguiente se expresaba que las medidas anticubanas perseguían la creación de "[...] dificultades adicionales que promuevan el descontento entre la población cubana y el rechazo a su Gobierno [...]", y que esas medidas, según palabras de un congresista estadounidense, eran "necesarias", porque facilitaban "[...] un proceso corrosivo desde abajo para hacer que el pueblo se vuelva ingobernable".[6]

En 1995 el Informe del Secretario General destacaba que en la carta del 28 de abril de ese año de Wendy Sherman, Secretaria Asistente para Asuntos Legislativos del Departamento de Estado, a Benjamín Gilman, Presidente del Comité de Relaciones Exteriores de la Cámara, ésta señalaba: "Nosotros [los Estados Unidos] continuaremos con nuestro embargo como palanca para presionar al régimen a que se reforme."[7] En 1996, año en que había sido aprobada en Estados Unidos la Ley Helms-Burton, refiriéndose al bloqueo económico, comercial y financiero, en el Informe se expresaba: "Su efecto [...] es acumulativo y de desgaste y está presente en todas y cada una de las esferas de la vida cubana. Su objetivo sigue siendo el mismo, provocar un colapso económico total del país que genere acciones de la población dirigidas a poner fin al proceso revolucionario."[8] En 1999 se expresaba: "Las intenciones

4 Asamblea General de Naciones Unidas, cuadragésimo octavo período de sesiones: Informe del Secretario General (A/48/448), Sitio Web de Naciones Unidas http:www.un.org. 28 de septiembre de 1993, respuesta del Gobierno de Cuba, párrafo 5.

5 Ibid., párrafo 13.

6 Asamblea General de Naciones Unidas, cuadragésimo noveno período de sesiones: ob. cit., párrafos 28 y 29.

7 Asamblea General de Naciones Unidas, quincuagésimo período de sesiones: Informe del Secretario General (A/50/401), Sitio Web de Naciones Unidas http:www.un.org. 1° de septiembre de 1995, respuesta del Gobierno de Cuba, párrafo 68.

8 Asamblea General de Naciones Unidas, quincuagésimo primer período de sesiones: Informe del Secretario General (A/51/355), Sitio Web de Naciones Unidas http:www.un.org. 13 de septiembre de 1996, respuesta del Gobierno de Cuba, párrafo 73.

son obvias: asfixiar económicamente al país y llevar a la población a una situación de privaciones extremas con la pretensión de que renuncie a su independencia y autodeterminación, y se someta al dictado de la política estadounidense."[9] En el 2002 se acotaba que "La decisión de promover el hambre, las enfermedades y la desesperación del pueblo cubano como herramientas para alcanzar sus fines de dominación política no sólo se han mantenido, sino que se han recrudecido [...]".[10]

Cada nueva escalada ha sido oportunamente denunciada y desenmascarada en las Naciones Unidas. Así sucedió con la Ley Torricelli, en la cual se destacó, entre otros aspectos, cómo el representante que le dio nombre se vanagloriaba de que la misma había significado para Cuba un 15 % de incremento en el costo de sus relaciones económicas externas;[11] se desenmascararon las pretensiones norteamericanas de engañar a la opinión pública internacional al destacar fraudulentamente un supuesto carácter humanitario de esta Ley, aludiendo a la autorización de donaciones de alimentos en una de sus secciones, titulada Ayuda al Pueblo de Cuba, "mientras en la propia Ley se establece la prohibición de otorgar licencias a las empresas subsidiarias en terceros países para comerciar con Cuba",[12] comercio que en los momentos en que esa legislación fue aprobada era mayoritariamente en alimentos y medicinas y se vio en pocos meses reducido a cero; así como ufanarse en presentar una supuesta flexibilidad en las licencias para la exportación a Cuba de medicamentos, en tanto se esfuerzan en impedir la exportación de materias primas y productos intermedios para las industrias farmacéuticas y de equipos médicos cubanas. Las supuestas flexibilidades se circunscribían a productos terminados pero con una cantidad de condicionantes tal, imposibles de cumplir o de aceptar.[13] También se desenmascaraba la extraterritorialidad manifiesta en esta legislación, aunque se hacía cons-

[9] Asamblea General de Naciones Unidas, quincuagésimo cuarto período de sesiones: Informe del Secretario General (A/54/259), Sitio Web de Naciones Unidas http:www.un.org. 18 de agosto de 1999, respuesta del Gobierno de Cuba, párrafo 14.

[10] Asamblea General de Naciones Unidas, quincuagésimo séptimo período de sesiones: ob. cit., párrafo 9.

[11] Asamblea General de Naciones Unidas, cuadragésimo octavo período de sesiones: ob. cit., párrafo 8 del Anexo. Tomado de la revista *Foreign Affairs,* p. 219, del verano de 1993.

[12] Asamblea General de Naciones Unidas, cuadragésimo noveno período de sesiones: ob. cit., párrafos 98 y 99.

[13] Ibid., párrafo 103.

tar que tal extraterritorialidad se venía manifestando desde los primeros años de la década de los 60.[14]

La Asamblea General de Naciones Unidas también ha sido foro adecuado para desenmascarar la Ley Helms-Burton aun desde antes de que fuese aprobada. En el memorándum "La llamada Ley de 1995 para la libertad en Cuba y la solidaridad democrática con Cuba" de mayo de 1995, circulado como documento oficial,[15] Cuba llamaba a la comunidad internacional a fijar la atención en el intento norteamericano de retrotraer a Cuba mediante esa ley a un sistema colonial, así como sobre siete de sus disposiciones esenciales, aquéllas "dirigidas de manera más flagrante contra terceros países y contra los ciudadanos de esos países".[16] Otro documento de la cancillería cubana del siguiente mes, titulado "Los nuevos intentos por fortalecer el bloqueo económico de Estados Unidos contra Cuba y la verdad sobre las nacionalizaciones cubanas",[17] focalizaba su atención en tres aspectos: las causas por las cuales Estados Unidos no podía utilizar el argumento de las nacionalizaciones de las propiedades extranjeras en Cuba para justificar su política de bloqueo; la legitimidad del proceso de nacionalizaciones realizadas por Cuba en fecha tan temprana como 1960, realizado según las normas del Derecho Internacional y justificado por un interés nacional del Estado, que realizaba transformaciones radicales en su sociedad; y, finalmente, la reafirmación cubana de que no puede someterse a ningún Estado a la coerción económica, política o de otro signo por el ejercicio del derecho a la nacionalización de propiedades en su propio territorio, lo que constituye una decisión soberana. El Informe del Secretario Ge-

[14] Asamblea General de Naciones Unidas, cuadragésimo octavo período de sesiones: ob. cit., párrafo 6.

[15] Memorandum del Ministerio de Relaciones Exteriores cubano circulado como documento oficial de la Asamblea General (A/50/172, anexo) el 4 de mayo de 1995.

[16] Los siete puntos del proyecto de ley que se destacaron por su agresión al Derecho Internacional fueron: la exclusión de las importaciones de azúcar procedentes de países que compraren azúcar a Cuba; juicios en tribunales de los Estados Unidos contra nacionales de terceros países por tener relaciones comerciales con Cuba o invertir en ese país; prohibir la concesión de créditos a las empresas de terceros países que tienen relaciones comerciales con Cuba o efectúan inversiones en ese país; medidas adicionales de represalia contra empresas de terceros países por invertir en Cuba o comerciar con ese país; injerencia en la labor de las instituciones financieras internacionales; intento de coacción a los Estados independientes de la ex Unión Soviética y otras medidas de represalia previstas contra terceros países por comerciar con Cuba o invertir en ese país.

[17] Circulado como documento oficial de la Asamblea General (A/50/211, anexo) el 7 de junio de 1995.

neral de ese año destacaba, por su extraterritorialidad, seis aspectos del proyecto de Ley que se discutía a la sazón en el Congreso norteamericano, al que calificaba como "[...] un absurdo desde los puntos de vista jurídico, económico y político".[18]

La más pormenorizada disección de esos absurdos se realizó en el Informe del Secretario General de 1996, año de aprobación de la Helms-Burton.[19] Con respecto al Título I, se destacó la ridiculez de la pretensión norteamericana de internacionalizar el bloqueo como acuerdo del Consejo de Seguridad de Naciores Unidas.[20] Con respecto a la retención de pagos a instituciones financieras internacionales que concedieran créditos a Cuba, se puntualizó que tal política de chantaje financiero viola los artículos 8 y 9 del FMI; los artículos 6 y 10 del Acuerdo del Banco Mundial; el artículo 8 del Acuerdo de la Asociación Internacional de Desarrollo; los artículos 2, 3 y 6 del Acuerdo de la Corporación Financiera Internacional; el artículo 34 de la Convención de Establecimiento de la Agencia de Garantía a la Inversión Multilateral y los artículos 2 y 11 de la Convención de Establecimiento del Banco Interamericano de Desarrollo, todos los que prohíben restricciones, regulaciones, controles o moratorias de cualquier naturaleza contra sus acciones o propiedades.[21] Se destaca que otra violación lo constituye la prohibición a la financiación indirecta en Cuba por entidades norteamericanas y sus subsidiarias, que infringe los principios internacionalmente reconocidos de la libertad al financiamiento y la inversión y la subordinación de compañías subsidiarias a las leyes del país residente.[22]

El Título II se califica como absolutamente extraterritorial, al pretender desde los Estados Unidos de América decidir el futuro político, económico e institucional de Cuba. Se expresa que más allá de ello condiciona el levantamiento del bloqueo y el establecimiento de relaciones de todo tipo con Cuba a un conjunto de requisitos que implicarían transformaciones políticas, el cambio de sistema económico y, particular-

[18] Asamblea General de Naciones Unidas, quincuagésimo período de sesiones: ob. cit., párrafo 67.

[19] Asamblea General de Naciones Unidas, quincuagésimo primer período de sesiones: ob. cit., párrafos 7 al 51.

[20] La lógica de la sin razón se manifiesta en esta legislación hasta límites inverosímiles. Cuando se gestó y aprobó esta ley, era Estados Unidos, y continúa siéndolo cada día con mayor fuerza, el que estaba siendo cuestionado por la Asamblea General por mantener su ilegal bloqueo hacia Cuba.

[21] Asamblea General de Naciones Unidas, quincuagésimo primer período de sesiones: ob. cit., párrafo 17.

[22] Ibidem, párrafo 20.

mente, la devolución incondicional de las propiedades nacionalizadas legítimamente por el gobierno cubano desde el 1º de enero de 1959.[23]

Se destaca que el Título III de esa Ley, con la aparente pretensión de exigir indemnización o permitir reclamaciones sobre propiedades "norteamericanas"[24] nacionalizadas en Cuba, se proyecta en realidad contra la inversión extranjera, estimuladas como vía para enfrentar la pérdida de sus principales socios comerciales con la desaparición de la URSS y la comunidad socialista del este europeo, violando principios y conceptos internacionalmente reconocidos, entre ellos: los que establecen que la solución de reclamaciones internacionales se realiza a través de acuerdos bilaterales entre los países afectados; que el dominio de una propiedad se determina de acuerdo con las leyes del país donde está localizada; que la confiscación de un país a sus nacionales no son violatorias de la ley internacional ni factibles de ser vistas por cortes de otra jurisdicción. El título viola también un principio de Derecho Internacional (Doctrina del Acto de Estado) y con ello desconoce prácticas y decisiones anteriores de las propias cortes norteamericanas.[25]

Al referirse a la denegación de la entrada a Estados Unidos y a la expulsión de ese país para los que "trafiquen" con propiedades nacionalizadas en Cuba, según el Título IV, se destaca sus componentes de intimidación y chantaje lo cual conlleva la violación de principios consagrados en la Carta de las Naciones Unidas; la Declaración de Marrakech y el Acuerdo por el que se estableció la Organización Mundial del Comercio, heredera del Acuerdo General de Aranceles Aduaneros y Comercio (GATT), integrado desde su constitución tanto por Estados Unidos como por Cuba. Se señala que también se viola, entre otros, los capítulos XI, XVI y el artículo 1110 del Tratado de Libre Comercio de América del Norte (TLC), en aspectos referidos a relaciones con Cuba por inversionistas de México y Canadá. Las medidas previstas en este Título, como un efecto demostrativo, comenzaron a aplicarse de inmediato contra las compañías Sherritt Gordon, Domos y Stet, de Canadá, México e Italia, respectivamente.[26]

Si la extraterritorialidad estuvo presente en las acciones económicas contra Cuba desde 1959, la Ley Helms-Burton trajo consigo que este ras-

[23] Ibid., párrafo 23.

[24] Entrecomillamos la palabra dada la exigencia norteamericana de que se reconozcan como nacionales de ese país a personas que en los momentos de la nacionalización eran ciudadanos cubanos.

[25] Asamblea General de Naciones Unidas, quincuagésimo primer período de sesiones: ob. cit., párrafos 24-26.

[26] Ibid., párrafos 28-50.

go alcanzase un estadio superior. El texto circulado por Cuba ante la Asamblea General ese año revelaba el fundamento de esta extraterritorialidad: una "selectiva y discriminatoria interpretación del concepto de la soberanía de los Estados", que desde el siglo XVII se acepta universalmente como "la potestad de un Estado de decidir sobre sus asuntos internos y externos, que conlleva al propio tiempo el respeto a la soberanía de los otros Estados".[27] El hecho de que la Ley Helms-Burton otorgue el supuesto derecho al Gobierno de Estados Unidos de decidir sobre el futuro político del pueblo cubano; que establezca sanciones sobre empresarios de terceros países y sus familiares por mantener relaciones comerciales con Cuba; o que establezca prohibiciones a las filiales de empresas norteamericanas en terceros países, sujetas a las leyes de esos países, son muestra de esa interpretación aberrada de soberanía.

El Informe del Secretario General del año 1998 destacó el gozo del entonces jefe de la Oficina de Asuntos Cubanos del Departamento de Estado, Michael Ranneberg, refiriéndose a la Ley Helms-Burton, porque había logrado "[...] un impacto significativamente importante en la economía cubana", incrementaba "[...] las penalidades para aquellos que quieran violar el embargo", así como porque "[...] el Gobierno cubano ha encontrado mayores dificultades para obtener financiamiento y potenciales inversionistas".[28]

Ese gozo norteamericano no puede calificarse menos que como inhumano e inmoral. Algunos ejemplos del bloqueo sobre la importación de medicamentos, de las materias primas para producirlos, de equipamientos médicos o algunos de sus componentes, o, en general, cualquier insumo relacionado con esta esfera, dados a conocer a la comunidad internacional desde que comenzó a analizarse en la ONU en 1992 el tema referido a la necesidad de poner fin al bloqueo norteamericano contra Cuba, así lo demuestran. A partir de 1996, con la aprobación de la Ley Helms-Burton, esta situación se agudizó.

En los años 1992 y 1993, en cumplimiento de los preceptos de la Ley Torricelli, una constante de la política de hostigamiento de Estados Unidos contra Cuba fue la neutralización de nuevos acuerdos que implicaran el otorgamiento de créditos especiales a Cuba para facilitar

[27] Asamblea General de Naciones Unidas, quincuagésimo séptimo período de sesiones: ob. cit., párrafo 37.

[28] Asamblea General de Naciones Unidas, quincuagésimo tercer período de sesiones: Informe del Secretario General (A/53/320), Sitio Web de Naciones Unidas http:www.un.org. 3 de septiembre de 1998, respuesta del Gobierno de Cuba, párrafos 37 y 38.

sus compras de medicamentos, o la venta por parte de Cuba de productos farmacéuticos y biotecnológicos, con fuerza mayor en países de América Latina, varios de cuyos gobiernos fueron presionados con el objetivo de obstaculizar las ventas de productos médicos por parte de Cuba a estos países. El gobierno norteamericano trató también de impedir la compra por parte de Cuba de medicamentos deficitarios en el país, como plasma, hormona para la glándula tiroide, penicilina, antibióticos, alcaloides y cortisona. El Gobierno de Estados Unidos obstaculizó la venta de válvulas respiratorias, conexiones, cajas de presión, nebulizadores, frascos micronebulizadores y otros componentes, todos ellos piezas de repuesto correspondientes al respirador Bird, el de mayor uso en Cuba en salas de terapia intensiva e intermedia, salas postoperatorias, salas para asmáticos, y en cuerpos de guardia para las atenciones de emergencia. En este período ejecutivos de la firma canadiense productora de medicamentos Eli Lilly Canada Inc., subsidiaria de la firma norteamericana Eli Lilly and Co., principal productora de insulina en el mundo, hicieron saber que como resultado de las leyes norteamericanas estaban imposibilitados de vender sus productos a Cuba, a pesar de que sus exportaciones involucran medicamentos dirigidos a enfermedades tan generalizadas como desórdenes vasculares, pulmonares, cancerígenas y otras.[29]

En 1994 se informaba que para Cuba se habían reducido dramáticamente sus mercados suministradores de marcapasos para personas con afecciones cardíacas, debido a que a la empresa australiana Teleectronics le había sido prohibido venderlos a Cuba por poseer componentes fabricados en Estados Unidos, y poco tiempo después la división de marcapasos de la firma productora Siemens Elema AB Suecia había sido adquirida por una firma norteamericana que cortó de inmediato las ventas, lo que había sucedido por las mismas causas con la firma JBIW, del Reino Unido.[30]

En 1995 se señalaba que la escasez de medios de aseo, higiene y de control de vectores repercutía en el deterioro de las condiciones higiénico-sanitarias en el país, lo que podía provocar el surgimiento y difusión de enfermedades. Se señalaba también que importantes compañías farmacéuticas y suministradoras de equipamiento médico y repuestos de terceros países se veían imposibilitadas de continuar sus históricas rela-

[29] Asamblea General de Naciones Unidas, cuadragésimo octavo período de sesiones: ob. cit., párrafos 29-32.

[30] Asamblea General de Naciones Unidas, cuadragésimo noveno período de sesiones: ob. cit., párrafos 81 y 82.

ciones comerciales con Cuba al serles notificadas prohibiciones por agencias federales norteamericanas, al utilizar sus producciones insumos o licencias tecnológicas de Estados Unidos, citándose dentro de ellas la División Diagnóstico de la firma Wellcome y la firma comercializadora de ventiladores pulmonares y máquinas de anestesia Ohmde, ambas del Reino Unido de Gran Bretaña e Irlanda del Norte, así como la Súber Seals de Dinamarca, especializada en tapones de goma de uso médico. A la firma Hospal, de Alemania, se le solicitaron equipos de diálisis y plasmaféresis, contestando que se veían imposibilitadas de hacerlo debido a regulaciones norteamericanas. En forma similar, la empresa Janssen, de Bélgica, informó que para vender medicamentos a Cuba necesitaban solicitar una licencia de exportación al gobierno norteamericano, con trámites que se extendían a seis meses de duración. También y por causas similares a las expresadas, denegó sus ventas a Cuba la firma Miramed, de Italia, especializada en material médico e instrumental necesario para la atención de pacientes con insuficiencia renal.[31]

En el informe de 1996 se señalaba que a una empresa importadora cubana le había sido denegada la posibilidad de negociar la adquisición de catéteres para diálisis peritoneales, así como otra compañía expresó que, por el "embargo" norteamericano, no podía ofertar bombas y compresores de equipos médicos. Ese año se estimaba en 2 700 000 dólares la diferencia entre los fletes aéreos y marítimos pagados para los suministros al sector de la salud en 1995, comparados con lo que habría que haberse pagado por la transportación de los mismos productos desde Estados Unidos o desde subsidiarias de empresas estadounidenses establecidas en la región. Se señalaba asimismo que en tres oportunidades se interrumpieron las ventas de equipos para la investigación en el campo de la salud, de productos de laboratorio para el sistema inmunológico y de suministros para el servicio de diagnóstico, respectivamente, debido a fusiones o asociaciones de compañías proveedoras de terceros países con firmas norteamericanas.[32]

El informe de 1997 expresaba que dado que las patentes de medicamentos norteamericanos, sus tecnologías y equipamiento tienen vigencia por diecisiete años, para aquella fecha el ciudadano cubano tenía prohibido el acceso a medicamentos patentados a partir de 1979, entre ellos antibióticos de tercera generación y varios productos utilizados en

[31] Asamblea General de Naciones Unidas, quincuagésimo período de sesiones: ob. cit., párrafos 52-53.

[32] Asamblea General de Naciones Unidas, quincuagésimo primer período de sesiones: ob. cit., párrafos 47-57.

el tratamiento del SIDA. Se resaltaba que el indetenible proceso de fusión de empresas, característico de la globalización de la economía, en el que las firmas norteamericanas ocupan un lugar de preferencia, habían traido consigo un incremento en la pérdida de proveedores tradicionales de equipos médicos, medicamentos y sus insumos. Este informe daba fe de la publicación, en marzo de 1997, del reporte de su viaje a Cuba de una prestigiosa organización norteamericana de salud radicada en Washington, la American Association for World Health, con un análisis exhaustivo de los daños ocasionados por el bloqueo en la salud y la alimentación del pueblo cubano.[33] En respuesta a manifestaciones de voceros del gobierno norteamericano de que la exportación de medicinas a Cuba no está prohibida, y que está establecido el mecanismo para el otorgamiento de licencias para su venta, en el Informe del Secretario General de este año se puntualizaba que los propios funcionarios de los Departamentos de Comercio y del Tesoro se negaban, desinformaban o desestimulaban a los proveedores interesados en hacerlo, así como se dilataban sistemáticamente las respuestas. Los condicionamientos para la concesión de esas licencias, entre ellos la inspección *in situ* del lugar de destino de las ventas y otros requisitos, además de inaceptables, se señalaban también como impracticables. Licencias para el suministro de algunos medicamentos a través del Comité Internacional de la Cruz Roja o algunas sedes diplomáticas tuvieron tan complejo y dilatado proceso, con una demora promedio de siete meses, que desestimularon la iniciativa de algunas organizaciones que se proponían hacer donativos a instituciones hospitalarias cubanas.[34]

Entre otros aspectos de interés, el informe del Secretario General de 1998 citaba el estudio de una organización que se dedica a proveer

[33] El informe ejecutivo de esa investigación se circuló en la Asamblea General como documento oficial de Naciones Unidas. Algunos de sus fragmentos expresaban: "El embargo de los Estados Unidos ha aumentado significativamente el sufrimiento en Cuba [...]. Observamos pacientes que no cuentan con medicinas esenciales y conversamos con médicos que se ven obligados a efectuar procedimientos sin equipamiento idóneo [...]. La reducción en la disponibilidad de alimentos, medicinas y suministros médicos básicos [...] está cobrando un alto costo humano [...]. Pocos embargos de la historia reciente han incluido una total prohibición de la venta de alimentos. Pocos otros embargos han restringido tanto el comercio en productos médicos hasta el punto de negar a simples ciudadanos acceso a medicinas para salvar vidas [...]."

[34] Asamblea General de Naciones Unidas, quincuagésimo segundo período de sesiones: Informe del Secretario General (A/52/342), Sitio Web de Naciones Unidas http:www.un.org. 15 de septiembre de 1997, respuesta del Gobierno de Cuba, párrafos 43-52.

información a los congresistas norteamericanos sobre temas específicos, el Congressional Research Service, del 28 de abril de 1998, que demostraba incongruencias e irregularidades en las informaciones ofrecidas por los Departamentos de Estado, del Tesoro y de Comercio de Estados Unidos acerca del supuesto otorgamiento de licencias para las ventas de medicamentos a Cuba, lo que en muchos casos se demostraba como falso. Se hacía nuevamente referencia al estudio de 1997 de la American Association for World Health, que reconocía que los más impactados por el bloqueo económico norteamericano eran las mujeres, los niños y los ancianos, y se expresaba que los niños cubanos con cáncer no pueden ser tratados con determinados medicamentos de factura estadounidense que aumentarían su esperanza de vida, ni tampoco se pueden adquirir catéteres arteriales especiales que ayudarían a evitar sufrimientos innecesarios. Cuba ha recibido como donación unidades de diálisis o respiradores neonatales, para niños de bajo peso o con dificultades al nacer, pero para ellos se ha prohibido la venta de piezas de repuesto.

La extraterritorialidad de la política del bloqueo daña a compañías de terceros países en detrimento del beneficio que podrían obtener de sus relaciones con empresas cubanas y dificulta que el pueblo estadounidense y de otras latitudes accedan a logros científicos cubanos, lo que se demuestra en las limitaciones para que la compañía británica SmithKline Beechman Pharmaceuticals, obtuviese licencia del gobierno de ese país para tratar de probar la efectividad de la vacuna cubana contra la meningitis B en uno de sus laboratorios en Bélgica, subsidiario de una empresa norteamericana. Según las Organizaciones Mundial y Panamericana de la Salud, respectivamente, esa vacuna cubana es la que mejores resultados ha alcanzado en la prevención de esa enfermedad.[35] A pesar de las medidas anunciadas el 28 de marzo de 1998 para la simplificación del otorgamiento de las licencias de exportación de medicamentos, que no llegaron a materializarse, el 28 de abril de 1999 el gobierno norteamericano reformuló una parte de la política de sanciones que utiliza como instrumento de su política exterior, y autorizó a otros países sujetos a sanciones para comprar medicinas y alimentos, excluyendo a Cuba, único país del mundo imposibilitado de hacerlo.[36]

[35] Asamblea General de Naciones Unidas, quincuagésimo tercer período de sesiones: ob. cit., párrafos 26-27; 31-33 y 41-43.

[36] Asamblea General de Naciones Unidas, quincuagésimo cuarto período de sesiones: ob. cit., párrafo 28.

En el Informe del Secretario General en el año 2000 se puntualizaba que las supuestas flexibilizaciones del gobierno norteamericano en el otorgamiento de licencias para la venta de medicamentos y otros productos, iniciadas en marzo de 1998, de por sí inoperantes, obedecían a un intento de silenciar e impedir el fortalecimiento de un movimiento que cobraba fuerzas, contra el uso de las sanciones económicas unilaterales como instrumento de la política exterior. En enero del año 2000 se había realizado la Exhibición de Productos y Equipos Médicos de Compañías Norteamericanas en la capital cubana, no otorgándose la autorización por parte del gobierno a los contratos negociados. Se señalaba asimismo que un estudio internacional sobre el impacto de las sanciones económicas en la salud y el bienestar de las poblaciones que son objeto de ellas corrobora que las políticas de sanciones causan desajustes macroeconómicos y afectaciones económicas y sociales en una escala que no pueden ser mitigadas por la ayuda humanitaria, y sus consecuencias afectan a las poblaciones víctimas de esas políticas más allá de su estado de salud.[37]

El Informe del Secretario General del año 2002 es muy amplio en sus denuncias, las que inicia citando el proceso judicial seguido al ciudadano canadiense James Sabzali y a los estadounidenses Donald E. y Stefan E. Brodie, que podrían enfrentar hasta 205 años de cárcel por el solo delito de haber vendido a Cuba los materiales empleados para purificar el agua potable que se suministra a la población para su consumo directo. Se expresa también que el "catéter balón", utilizado en el procedimiento pediátrico de gran complejidad denominado fetostomía y producido por la firma norteamericana Rashkind, debe ser adquirido en Canadá no al precio original de 110 dólares por unidad sino al de 185, sin contar el costo del transporte. No se pueden adquirir tecnologías de punta controladas por Estados Unidos como la diálisis peritoneal continua ambulatoria; inmunosupresores modernos como el FK506, el Micofenolato Mofetil, y los dializadores con membranas sintéticas, entre otras muchas. El más útil kit para los tipajes HLA (histocompatibility lymphocyte antigen), esenciales para determinar la compatibilidad de un candidato a transplante de riñón con los posibles donantes, no puede ser adquirido por Cuba, al ser norteamericana la compañía One-Lambda que la produce e impedirlo las leyes del bloqueo. Un contrato con la

[37] Asamblea General de Naciones Unidas, quincuagésimo quinto período de sesiones: Informe del Secretario General (A/55/172), Sitio Web de Naciones Unidas http:www.un.org. 24 de julio del 2000, respuesta del Gobierno de Cuba, párrafos 7-11.

División de Vitaminas de la firma Roche tuvo que ser cancelado en abril del 2001 por prohibírselo el gobierno norteamericano, lo que también sucedió con la firma Amaquin, suministradora de pegamentos para las etiquetas de los frascos utilizados en hemoderivados.

Las limitaciones existentes afectaron en los primeros años del nuevo milenio el tratamiento de enfermedades como la hepatitis, las del tracto gastrointestinal y el dengue, rememorando en este último caso la negativa a la venta de productos y equipos que había hecho en 1981 para el enfrentamiento del mosquito *Aedes Aegypti,* con ocasión de la epidemia introducida al país como parte de la guerra biológica de Estados Unidos contra Cuba y que cobró en aquella oportunidad 158 vidas, entre ellas las de 101 niños. Ante las supuestas flexibilizaciones en el otorgamiento de licencias para la exportación de medicamentos, se señalaba que la empresa importadora Medicuba se puso en contacto con 17 firmas y entidades norteamericanas, solicitando medicamentos que se requerían con urgencia para reponer las reservas consumidas durante y tras el paso del huracán Michelle, de las cuales 8 no respondieron, 4 mostraron interés pero no llegaron a ofertar, una señaló que no podía ofertar porque no tenía instrucciones de su gobierno (Pharmacia-Upjohn), y las 4 restantes ofertaron pero las operaciones no se pudieron concluir por causas diversas.[38] En el Informe del 2001, un solo ejemplo basta para resumir todo este drama: hubiesen sido menores los sufrimientos de los padres del niño Johnatan Guerra Blanco, de ocho meses de nacido, si se hubiera tenido la oportunidad de adquirir un dispositivo llamado *stent,* el cual fue negado por la empresa Johnson & Johnson.[39]

Calificábamos anteriormente como inhumano e inmoral el gozo norteamericano por el incremento de las penalidades cubanas derivadas del bloqueo. La denuncia cubana ante la Asamblea General de Naciones Unidas, que hemos antes expuesto, así lo demuestra.

Razones de espacio nos impiden abordar con prolijidad semejante todos y cada uno de los sectores de la vida económica y social cubana que son objeto de esa criminal política, por lo que nos abstendremos de hacerlo, y sólo mencionaremos lo más importante en cada uno de ellos.

[38] Asamblea General de Naciones Unidas, quincuagésimo séptimo período de sesiones: ob. cit., párrafos 55-71.

[39] Asamblea General de Naciones Unidas, quincuagésimo sexto período de sesiones: Informe del Secretario General (A/56/276), Sitio Web de Naciones Unidas http:www.un.org. 2001. Respuesta del Gobierno de Cuba, párrafos 53-62.

Alimentos

Las afectaciones a la alimentación se complementan con las provocadas a la esfera de los medicamentos, que en su interacción persiguen rendir por hambre y enfermedades al pueblo cubano, tipifican claramente el delito de genocidio según la Convención para la Prevención y la Sanción del Delito de Genocidio, de diciembre de 1948, citada en páginas anteriores. Los elementos que dificultan la adquisición de alimentos elaborados, semi-elaborados, o materias primas u otros insumos requeridos, son de diverso carácter. Entre ellos se encuentran las diferencias de costos entre los que se podrían adquirir en territorio norteamericano o a filiales de ese país en nuestro entorno geográfico, así como el encarecimiento de los fletes al requerirse su importación de mercados más lejanos.

Las erogaciones adicionales en la compra de productos principales de importación (trigo, leche en polvo, harina de semillas oleaginosas, maíz), debido a la diferencia de precios entre aquellos contratados en otros mercados y los precios en el mercado estadounidense, se calcularon para el año 1996 en 43,8 millones de dólares estadounidenses;[40] para 1997 en 48 millones;[41] para 1998 en 30 millones (de no haber sido así se hubiera podido adquirir ese año 15 mil toneladas métricas adicionales de leche en polvo);[42] y para el año 2000 de 38 millones adicionales, que hubiesen bastado para adquirir 100 mil toneladas métricas más de harina panificable, 20 mil más de harina de trigo, 40 mil más de arroz, 5 mil más de leche en polvo y 1 000 más de carne de pollo.[43] El cálculo para el año 2001 fue también de un encarecimiento de 38 millones de dólares solo por la diferencia de precios en relación con otros mercados.[44]

El incremento de los gastos por el encarecimiento de los fletes para la transportación de los principales rubros alimentarios también es significativo. Para 1996, y sólo para tres productos (trigo, maíz y harina),

40 Asamblea General de Naciones Unidas, quincuagésimo segundo período de sesiones: ob. cit., párrafo 28.

41 Asamblea General de Naciones Unidas, quincuagésimo tercer período de sesiones: ob. cit., párrafo 21.

42 Asamblea General de Naciones Unidas, quincuagésimo cuarto período de sesiones: ob. cit., párrafo 8.

43 Asamblea General de Naciones Unidas, quincuagésimo sexto período de sesiones: ob. cit., párrafos 40-41.

44 Asamblea General de Naciones Unidas, quincuagésimo séptimo período de sesiones: ob. cit., párrafo 74.

el total de tarifas pagadas por ese concepto fue 13,4 millones de dólares estadounidenses, superior al que se hubiese desembolsado de haberse podido acceder al mercado norteamericano, en nuestro mismo entorno geográfico.[45] Para 1997 ese gasto adicional fue de 21 millones,[46] y para 1998 de 21,5 millones, que por sí solos hubiesen bastado para la adquisición de 130 mil toneladas métricas de trigo.[47] Para el año 2000 se expresaba que los costos de los financiamientos que cubren alrededor del 63 % del total de las importaciones de alimentos significaron erogaciones superiores a los 50 millones de dólares, que hubiesen estado en el entorno de sólo19 millones en condiciones normales.[48]

El informe del año 2002 señalaba que en el 2001 los costos del transporte debido a las enormes distancias eran de 30 millones, señalándose adicionalmente 35 millones por los costos financieros de las operaciones, considerablemente elevados por el bloqueo. El informe de este año introducía elementos novedosos, al haberse realizado en el período determinadas compras puntuales en materia de alimentos, medicinas y materias primas para producirlas bajo licencias,[49] encaminadas a reponer las reservas utilizadas para enfrentar la atención a los damnificados por el huracán Michelle, en gesto calificado como amable por las autoridades cubanas. No obstante, era obligatorio que las operaciones se realizaran en una sola dirección, al continuar prohibidas las ventas de los productos cubanos. Ello provocaba pérdidas sustanciales, al verse imposibilitados los buques de regresar con cargas de exportaciones cubanas a aquel país, lo que hubiese implicado un ahorro de alrededor del 36 % de los costos del transporte en las cargas a granel. Adicionalmente, las licencias emitidas por el Departamento del Tesoro autorizando a los buques de cualquier nacionalidad para transportar los alimentos cuya exportación a Cuba había sido aprobada, impiden explícitamente la carga

[45] Asamblea General de Naciones Unidas, quincuagésimo segundo período de sesiones: ob. cit., párrafo 26.

[46] Asamblea General de Naciones Unidas, quincuagésimo tercer período de sesiones: ob. cit., párrafo 18.

[47] Asamblea General de Naciones Unidas, quincuagésimo cuarto período de sesiones: ob. cit., párrafo 9.

[48] Asamblea General de Naciones Unidas, quincuagésimo sexto período de sesiones: ob. cit., párrafo 42.

[49] Lo que ni remotamente podría interpretarse como la desaparición de las condiciones del bloqueo. El 20 de mayo del 2002 el presidente Bush expresó: "Estados Unidos continuarán haciendo cumplir las sanciones económicas contra Cuba" (Asamblea General de Naciones Unidas, quincuagésimo séptimo período de sesiones: ob. cit., párrafo 5). La práctica subsiguiente lo ha demostrado.

de cualquier producto en puerto cubano, no sólo dirigido al mercado de Estados Unidos, sino cualquiera que sea su destino. Las erogaciones adicionales ocasionadas por el impacto del bloqueo en las importaciones de alimentos fluctúan entre el 20 y el 25 % de su valor, recursos que en otras circunstancias podrían destinarse a la adquisición de mayores volúmenes de esos productos. De poderse desarrollar el comercio con Estados Unidos en condiciones normales (posibilidades de financiamiento, condiciones de transporte, inexistencia del requisito de licencias), podría incrementarse el nivel de compras de alimentos a los agricultores norteamericanos en más de 500 millones de dólares por encima de las compras que pudieron realizarse en ese período bajo las licencias concedidas.[50]

En los momentos que concluimos esta obra, y después de la solicitud cubana de determinadas ventas con carácter excepcional de medicinas y alimentos para reponer las reservas utilizadas por el paso del huracán Michelle, "La más amplia representación de la sociedad civil y reconocidas entidades empresariales se han pronunciado por la eliminación del bloqueo y la normalización de los vínculos económicos con Cuba", así como "Especialmente activos en ese sentido son los agricultores, sus organizaciones y sus principales empresas productoras y exportadoras. Gracias a sus esfuerzos ha sido posible dar algunos pasos que pudieran conducir a cambios significativos en la actual política", como resultado de lo cual "Por primera vez en cuatro décadas fue posible a algunos exportadores estadounidenses vender sus productos a Cuba y concluir las operaciones necesarias pese a los severos obstáculos y las prácticas discriminatorias que tuvieron que enfrentar."[51]

A pesar de ello, el bloqueo se mantiene con toda su fuerza. Los elementos expuestos ante la Asamblea General, sólo un reflejo de la criminal política norteamericana contra Cuba en esta esfera, posibilitaban afirmar que el sector de la producción dirigido al consumo y la exportación de alimentos había sido, con toda seguridad, el que mayor impacto negativo sufrió durante los años 90, la década de las leyes Torricelli y Helms-Burton, no sólo como consecuencia de la desaparición del campo socialista europeo y la URSS, sino, sobre todo, por el

[50] Asamblea General de Naciones Unidas, quincuagésimo séptimo período de sesiones: ob. cit., párrafos 74-80.

[51] Ricardo Alarcón de Quesada: presentación del proyecto de resolución A/57/L.5 ante la Asamblea General de Naciones Unidas, quincuagésimo séptimo período de sesiones, 12 de noviembre del 2002. Sitio Web de Naciones Unidas http:www.un.org.

recrudecimiento del bloqueo y la guerra bacteriológica de Estados Unidos contra Cuba.[52]

Finanzas

La agudización de las dificultades existentes por la privación de fuentes de financiamiento externo fue una constante a partir de inicios de la década de los 90. Las presiones norteamericanas sobre las instituciones financieras evitan que se preste cualquier tipo de asistencia a Cuba, o se le conceda preferencia en el otorgamiento de créditos. Cuba ha tenido que aceptar condiciones de financiamiento menos favorables, ante la urgente necesidad de garantizar los suministros, además de tener que ofrecer descuentos en sus precios de exportación, en términos de recargo por el riesgo en que incurrirían aquéllos que negocian con la Isla pasando por alto las presiones norteamericana,[53] lo que se dio en llamar "riesgo Cuba". En 1998 se calculaba el encarecimiento del valor de las transacciones que realizan las empresas cubanas con el exterior, por tal causa, entre el 3 y el 5 % de su valor total, aunque podía alcanzar niveles superiores.[54]

En el Informe del Secretario General de 1996 se expresaba que la proporción de los altos costos financieros por los créditos recibidos para cubrir las necesidades básicas de importación durante 1995 fueron, como promedio, el 13 % del valor de los créditos, elevándose en oportunidades hasta el 20 %, observándose una tendencia creciente en la medida que durante esa década se fue recrudeciendo el bloqueo. La necesidad de Cuba y sus socios de recurrir al mercado cambiario, dada la imposibilidad cubana de realizar sus transacciones en dólares estadounidenses, origina gastos adicionales por las operaciones bancarias e introduce un elemento adicional de riesgo.[55] En el año 1999, las pérdidas por concepto de variaciones del tipo de cambio fue de 127,3 millones de dóla-

[52] Asamblea General de Naciones Unidas, quincuagésimo sexto período de sesiones: ob. cit., párrafo 49.

[53] Asamblea General de Naciones Unidas, cuadragésimo noveno período de sesiones: ob. cit., párrafos 30 y 32-33.

[54] Asamblea General de Naciones Unidas, quincuagésimo primer período de sesiones: ob. cit., párrafo 14.

[55] Asamblea General de Naciones Unidas, quincuagésimo primer período de sesiones: ob. cit., párrafos 67 y 72.

res.[56] En 1997 las pérdidas en el cobro de las exportaciones se calculaban, por ese concepto, en el 3,5 % del valor a cobrar.[57] Adicionalmente, el que las transferencias originadas en Cuba deban ser realizadas a través de terceros y que en ocasiones involucren a más de tres bancos para alcanzar su destino, trae consigo que los pagos que realiza cualquier entidad cubana tengan fechas-valores que no se corresponden con los de la práctica internacional. La demora excesiva que ello provoca en la recepción de los fondos por el beneficiario final de un pago implica mayores gastos.[58] La prohibición de que Cuba utilice el dólar en las transacciones y transferencias bancarias también impide la utilización de tarjetas de crédito, creando dificultades adicionales al turista y mayores gastos.[59]

En 1997 se expresaba que la Ley Helms-Burton encareció el financiamiento y aplazó el otorgamiento de créditos, interrumpiendo, además, financiamientos vinculados a la zafra azucarera, lo que continuaba limitando el acceso a créditos de mediano plazo, dado que los aseguradores, por el "riesgo Cuba", exigían altas tasas de interés, limitando la posibilidad cubana de asumir esos compromisos. Como consecuencia directa de la aprobación de la Ley Helms-Burton se interrumpieron flujos financieros previstos para la importación de alimentos y combustible, provocando daños adicionales a la economía.[60] A todo lo expresado hay que añadir que además de los créditos que se dejan de recibir por las presiones estadounidenses, los que finalmente se obtienen por las empresas cubanas tienen términos y condiciones mucho más onerosos que los establecidos en la práctica internacional, con períodos de amortización más reducidos y tasas de interés más altas, que pueden llegar a duplicarse.[61]

El Informe del Secretario General del 2001 señalaba un interesante dato: de haber podido Cuba tener acceso a los fondos financieros de

[56] Asamblea General de Naciones Unidas, quincuagésimo quinto período de sesiones: ob. cit., párrafo 30.

[57] Asamblea General de Naciones Unidas, quincuagésimo segundo período de sesiones: ob. cit., párrafo 33.

[58] Asamblea General de Naciones Unidas, quincuagésimo tercer período de sesiones: ob. cit., párrafo 16.

[59] Asamblea General de Naciones Unidas, quincuagésimo sexto período de sesiones: ob. cit., párrafo 96.

[60] Asamblea General de Naciones Unidas, quincuagésimo segundo período de sesiones: ob. cit., párrafos 34-36.

[61] Asamblea General de Naciones Unidas, quincuagésimo tercer período de sesiones: ob. cit., párrafo 17.

instituciones internacionales y regionales que en el período 1997-2000 se destinaron para América Latina y el Caribe, que fueron en su totalidad de 53 000 millones, habría podido disponer de unos 1 200 millones de dólares en esos cuatro años, a tasas de mercado y a plazos largos, que le hubiese posibilitado la construcción de 100 000 viviendas y cuatro hospitales de 600 camas.[62] Sólo para el año 2001, de los 13 256,9 millones de dólares destinados para América Latina por el Banco Mundial y el Banco Interamericano de Desarrollo, Cuba hubiese podido acceder a unos 250 millones.[63] En el año 2002 se decía que por el denominado "riesgo Cuba" los escasos préstamos para el desarrollo se obtienen a tasas que oscilan entre el 11 y el 18 % de interés, lo que implica un encarecimiento significativo en comparación con los créditos que pudieran recibirse de los organismos de desarrollo, de no existir las prohibiciones norteamericanas.[64]

Sector energético

A partir de la pérdida para Cuba de su principal mercado suministrador de petróleo a inicios de la década de los años 90, el Gobierno de Estados Unidos se empleó a fondo para identificar los posibles mercados alternativos que Cuba estuviese explorando para satisfacer sus necesidades más elementales e impedir las ventas. Para ello lanzaron una ofensiva a través de sus embajadas en países productores de petróleo en el Caribe, América Latina, África, Asia y el Oriente Medio. Algunos de esos países recibieron advertencias de que las ventas que realizasen podían incidir negativamente en sus relaciones con Estados Unidos y les podrían potencialmente dificultar el otorgamiento de créditos por parte del Fondo Monetario Internacional y el Banco Mundial. Con un mayor nivel de especificidad, el mensaje a los países africanos puntualizaba que los fondos que peligrarían serían los destinados para los programas existentes para el enfrentamiento a la sequía.

Estas presiones también cobraron fuerza a lo largo de toda la década contra diversas empresas extranjeras que negociaban con Cuba la

[62] Asamblea General de Naciones Unidas, quincuagésimo sexto período de sesiones: ob. cit., párrafo 132; quincuagésimo séptimo período de sesiones: ob. cit., párrafo 136.

[63] Asamblea General de Naciones Unidas, quincuagésimo séptimo período de sesiones: ob. cit., párrafo 137.

[64] Ibid., párrafo 138.

exploración petrolera. Dentro de las primeras firmas que fueron objeto de las presiones norteamericanas se encontraba la compañía francesa Total, a la que los emisarios gubernamentales norteamericanos, a tono con el argumento puesto de moda a inicios de los años 90, les amenazaron con litigios derivados de que las áreas ofertadas por Cuba para prospección y explotación tenían dueños registrados legalmente desde antes de 1959.[65] Entre los años 1996 y 1998 se intentó infructuosamente concertar contratos con compañías europeas para la creación de una asociación económica en la industria petrolera, así como para la perforación a riesgo, lo que no pudo lograrse por las nuevas condiciones derivadas de la promulgación de la Ley Helms-Burton y las presiones norteamericanas para que se retirasen de Cuba.[66]

Sector azucarero

Las medidas norteamericanas contra la producción y las importaciones azucareras cubanas han sido desenmascaradas sistemáticamente ante la Asamblea General. Estados Unidos importaba de Cuba alrededor del 58,2 % del total de sus importaciones de azúcar, las que fueron reducidas a cero en el breve período 1960-1961. Tras las variaciones en el sistema de cuotas establecidas por el Departamento de Agricultura en mayo de 1982, 40 países productores de azúcar se benefician de un mercado que les garantiza precios de alrededor de 21 centavos por libra, cuatro veces más al del mercado mundial, que posee un carácter crecientemente residual y es donde Cuba debe comercializar su producción. La imposibilidad de acceder al mercado norteamericano significó para Cuba, sólo para el año 2001, pérdidas de 177,3 millones de dólares. El bloqueo imposibilita, además, el acceso del azúcar cubano a la Bolsa del Café, Azúcar y Cacao de Nueva York, la cual establece el precio de referencia para las exportaciones de azúcar crudo a escala mundial, lo que se traduce en pérdidas económicas y de competitividad, que provocaron en el período 2001-2002 pérdidas económicas calculadas en 193,9 millones de dólares.[67]

65 Asamblea General de Naciones Unidas, cuadragésimo octavo período de sesiones: ob. cit., párrafos 18-20 .

66 Asamblea General de Naciones Unidas, quincuagésimo sexto período de sesiones: ob. cit., párrafo 122.

67 Ibid., párrafos 100-103.

Otros ejemplos para apreciar la virulencia contra este sector se han ofrecido a la Asamblea General. Tras los dramáticos cambios en la antigua URSS, principal mercado de la producción azucarera cubana, el Gobierno de Estados Unidos se esmeró en procurar fuentes alternas de suministros de azúcar a Estados miembros de la Comunidad de Estados Independientes, sucesores de aquélla, en aras de desplazar las exportaciones de azúcar cubano y de esta forma privar a Cuba de esos ingresos;[68] asimismo, Estados Unidos presionó a la empresa azucarera británica Tate and Lyle para que cortara sus vínculos económicos con Cuba, después que sus representantes participaron en un evento azucarero celebrado en Cuba en mayo de 1992.[69]

Ya desde 1995, las informaciones brindadas a la Asamblea General enfatizaban que en el deterioro progresivo de los cultivos de caña de azúcar incidían de manera significativa la carencia de productos químicos (fertilizantes, pesticidas, herbicidas) que esa cosecha requiere y de combustible para mantener el alto nivel de mecanización que se había alcanzado.[70] Un ejemplo muy ilustrativo de las medidas norteamericanas contra Cuba en esta dirección lo ofrece el que tras la compra a finales de 1997 por el grupo Dow Chemicals de Estados Unidos del total de acciones del grupo Sentrachen de Sudáfrica, al cual pertenecía la empresa Sanachen, se suspendieron por ésta las ventas de plaguicidas a Cuba, que entre 1992 y 1997 le había efectuado compras por un valor de 82 millones de dólares. A pesar de la buena disposición de las autoridades sudafricanas, el Departamento del Tesoro de Estados Unidos no autorizó la continuación de la relación de negocios con la Isla, e incluso negó la concesión de una licencia para cubrir embarques que ya se encontraban en tránsito. Importantes suministros ya contratados no pudieron llegar a su destino, afectando la producción azucarera y alimentaria.[71] En el caso de los fertilizantes, el bloqueo ha obligado al país a pagar hasta 47 dólares adicionales por tonelada métrica por encima de los niveles del mercado, lo que significó en el año 2001 un gasto adicional de 2,3 millones de dólares.[72]

[68] Asamblea General de Naciones Unidas, cuadragésimo octavo período de sesiones: ob.cit., párrafos 24-28.

[69] Ibid., párrafo 32.

[70] Asamblea General de Naciones Unidas, quincuagésimo período de sesiones: ob. cit., párrafo 23.

[71] Asamblea General de Naciones Unidas, quincuagésimo tercer período de sesiones: ob. cit., párrafos 22-25.

[72] Asamblea General de Naciones Unidas, quincuagésimo séptimo período de sesiones: ob. cit., párrafo 106.

Transportaciones marítimas

Afectar la transportación marítima de productos desde y hacia Cuba fue uno de los objetivos esenciales de la Ley Torricelli de 1992, lo que llegó a adquirir ya niveles extremos para 1993 debido a las presiones norteamericanas sobre los armadores de todo el mundo obligándolos, so pena de enfrentar diferentes sanciones, a eliminar los puertos cubanos en sus travesías.[73] Al encarecimiento normal debido a lo extenso de los recorridos en comparación con la cercanía existente entre Cuba y Estados Unidos (la erogación adicional se calculaba en 1995 en 215 800 dólares desde Europa, y 516 700 desde Asia a La Habana), se añade que esa cifra se encarece artificialmente al reclamar muchos transportistas fletes mayores por las enormes presiones que contra ellos ejercen las autoridades norteamericanas. Aunque parezca insólito, en el Estado de Virginia, en la costa este norteamericana, las autoridades incluyeron en la documentación oficial necesaria para las operaciones portuarias de los buques la declaración de no haber tocado puerto cubano en los 180 días anteriores al arribo.[74] Todo lo cual origina una baja disponibilidad de buques para el traslado de cargas a Cuba que encarece y dificulta toda gestión. Para el año 2000 se reportaban pérdidas de 12 millones de dólares en importaciones y de 1,8 millones por exportaciones, solo por el encarecimiento de los fletes.[75]

Turismo. Viajes de norteamericanos a Cuba

La prohibición de los viajes de ciudadanos norteamericanos a Cuba y la existencia de severas sanciones a quienes no cumplen las regulaciones existentes, ha sido sistemáticamente denunciada ante la Asamblea General de Naciones Unidas. Antes de la promulgación del bloqueo, el 80 % de los estadounidenses que viajaban al Caribe visitaban Cuba. Después de establecido, nuestro país se vio excluido de los beneficios derivados de la expansión de este sector. De no haber existido las referidas prohibiciones, no menos de 25 millones de norteamericanos hubie-

[73] Asamblea General de Naciones Unidas, cuadragésimo octavo período de sesiones: ob. cit., párrafo 37.

[74] Asamblea General de Naciones Unidas, quincuagésimo período de sesiones: ob. cit., párrafos 16-18.

[75] Asamblea General de Naciones Unidas, quincuagésimo sexto período de sesiones: ob. cit., párrafo 119.

ran visitado Cuba propiciando ingresos superiores a los 16 mil millones de dólares. Solo para el año 2000 la cifra calculada de turistas norteamericanos que hubiesen visitado Cuba sería de 1,45 millones de personas, con un gasto aproximado entre 800 y 900 millones de dólares. Según el presidente de la American Society of Travel Agents, en declaraciones de abril del 2002, de levantarse las prohibiciones existentes, en el primer año visitarían Cuba un millón de turistas estadounidenses, llegando a 5 millones en el quinto año.

Han sido también significativas las presiones e intimidaciones contra empresarios de otras nacionalidades que se proponían invertir en esta esfera. Ya desde 1994 se habían denunciado las acciones norteamericanas encaminadas a identificar los empresarios mexicanos interesados en invertir en el sector turístico cubano, con el fin de ofrecerles mayores beneficios si lo hacían en Puerto Rico. En aquel año se revelaron conversaciones privadas del Gobernador en ese enclave colonial norteamericano, según las cuales el Gobierno de Estados Unidos estaba especialmente interesado en fortalecer las relaciones económicas de Puerto Rico con México y el Caribe, para contrarrestar la aproximación entre esos países y Cuba.[76] Otros ejemplos a partir del año 2000 se refieren al fracaso de una inversión para construir entre 12 y 14 mil habitaciones en Cayo Coco, provincia de Ciego de Ávila, por una transnacional española; la retirada de otra firma financiera con inversiones previstas en unos 100 millones de dólares para desarrollar integralmente la zona de Cayo Paredón Grande y Cayo Romano; así como la detención del proyecto de construcción de un hotel en Varadero y otro en Cayo Coco por una corporación latinoamericana. Otro ejemplo significativo es: el Hilton International Group, cuya casa matriz está en Inglaterra, tuvo que retirarse de negociaciones ya avanzadas para administrar dos hoteles de la empresa mixta Quinta del Rey S.A. en Cayo Coco y La Habana, toda vez que las operaciones debían realizarse a través de la Hilton International Corporation, subsidiaria de Estados Unidos. Las pérdidas en los próximos 25 años se calculan en 107,2 millones de dólares.

Otra incidencia negativa sobre la economía cubana se deriva de las presiones contra las compañías de cruceros para impedir los beneficios que se derivarían de sus estancias en la Isla. Entre otros valga un ejemplo: el Proyecto Cuba de la compañía de cruceros europea Costa Cruciere, tuvo que abortarse al ser adquirida esa firma por la norteamericana

[76] Asamblea General de Naciones Unidas, cuadragésimo noveno período de sesiones: ob. cit., párrafos 94-96.

Carnival Corporation. Las pérdidas rondan los 62,2 millones de dólares, monto que incluía la remodelación del muelle Sierra Maestra en el puerto habanero.

Ante la Asamblea General de Naciones Unidas se denunciaron el conjunto de acciones terroristas realizadas contra el sector turístico cubano a fines de los años 90, fundamentalmente contra hoteles de la capital y del balneario de Varadero, con el objetivo de atemorizar a los turistas potenciales e impedir que viajasen a Cuba. Sólo en los tres años siguientes a esas acciones las pérdidas se calcularon en 350 millones de dólares.[77] Uno de los golpes más duros a los viajes de norteamericanos a Cuba se produjo cuando el liderazgo republicano y los congresistas cubano-americanos, violentando las normas del proceso legislativo, hicieron caso omiso de la aprobación en el Senado de la enmienda Dorgan-Gorton, el 20 de julio del 2000, la que hubiese permitido a los norteamericanos viajar libremente a Cuba. El engendro resultante, en vez de atenuar, lo que hizo fue endurecer el bloqueo, y por vez primera a partir del 28 de octubre de ese año, la prohibición de viajes a Cuba para los norteamericanos alcanzó la categoría de ley. Sobre esa legislación expresó la congresista cubano-americana Ileana Ros-Lehtinen: "Hemos alcanzado una tremenda victoria al congelar la prohibición que impide a los turistas norteamericanos ir a Cuba."[78] Ello trajo consigo el recrudecimiento de las multas y otras sanciones a quienes desafían la prohibición. Solamente en el año 2001, la División del Departamento del Tesoro que investiga los viajes a Cuba impuso 698 multas por valor de 7 500 dólares cada una a ciudadanos estadounidenses por tal causa, 520 más que en el año 2000.[79]

Transportación aérea

Estrechamente relacionado al sector turístico se encuentra el de la aviación civil. En 1996 se denunciaba ante la Asamblea General que los

[77] Asamblea General de Naciones Unidas, quincuagésimo sexto período de sesiones: ob. cit., párrafos 93-99; quincuagésimo séptimo período de sesiones: ob. cit., párrafos 108-117.

[78] Felipe Pérez Roque: presentación del proyecto de resolución A/55/L.7 ante la Asamblea General de Naciones Unidas, 9 de noviembre del 2000. Sitio web de Naciones Unidas http:www.un.org.

[79] Asamblea General de Naciones Unidas, quincuagésimo séptimo período de sesiones: ob. cit., párrafo 116.

costos de operación de las aeronaves cubana se incrementaban ante la imposibilidad de utilizar los corredores aéreos internacionales sobre territorio de Estados Unidos de América en sus vuelos a Canadá.[80]

Estados Unidos viola el Convenio sobre la Aviación Civil Internacional (Convenio de Chicago), del que ambos países son signatarios. Las regulaciones estadounidenses prohíben los viajes aéreos comerciales de empresas cubanas a aquel país. Las líneas aéreas cubanas no pueden acceder a los servicios de venta de boletos por las agencias de viaje de la Asociación Internacional de Transportistas Aéreos, según lo establecido universalmente por el Bank Settlement Plan, debido a que utiliza en determinados territorios sucursales bancarias norteamericanas. Las líneas aéreas cubanas no pueden utilizar proveedores de combustible de aviación estadounidense en ningún lugar del mundo, lo que impide el tránsito por aeropuertos en que firmas norteamericanas tienen el monopolio de esos servicios. Cuba se ve impedida igualmente de adquirir o arrendar a fabricantes europeos aviones de alta tecnología y eficiencia derivadas de los componentes norteamericanos que puedan poseer, lo que compele a las aerolíneas cubanas a utilizar aviones que consumen más combustible y que disponen de menor capacidad de pasajeros y carga, restándoles competitividad y eficiencia.

Cuba no puede acceder a las nuevas tecnologías desarrolladas por Estados Unidos en materia de comunicaciones, ayuda a la navegación aérea y estaciones de radiolocalización. El hecho de que por acuerdos de la Organización de Aviación Civil Internacional y la Organización Meteorológica Mundial sea Estados Unidos el responsable en la distribución de estos equipos incrementa la marginación de nuestro país en tan importantes actividades. Cuando a través de intermediarios Cuba accede a algunos de estos equipamientos, los costos son particularmente onerosos. La violación por Estados Unidos del Código de Conducta de los Sistemas Computarizados de Reservas Aéreas trae consigo que los sistemas de distribución Sabre, Galileo y Worldspan, radicados en aquel país, no acepten las solicitudes de la Empresa Cubana de Aviación, limitando el acceso a los servicios de esta aerolínea al 65,7 % de los locales de reserva habilitados en el año 2000. En la denuncia cubana ante la Asamblea General de Naciones Unidas en el año 2002, se calculaban las pérdidas en 153,6 millones de dólares.[81]

[80] Asamblea General de Naciones Unidas, quincuagésimo primer período de sesiones: ob. cit., párrafo 69.

[81] Asamblea General de Naciones Unidas, quincuagésimo sexto período de sesiones: ob. cit., párrafos 100-110; quincuagésimo séptimo período de sesiones: ob. cit., párrafos 118-119.

Nuevas legislaciones

El nivel de aberración legislativa anticubana alcanzada en Estados Unidos con las leyes Torricelli y Helms-Burton no cesó tras la aprobación de esta última en 1996. Nuevos y cada vez más absurdos proyectos han sido vistos en el Congreso norteamericano, en flagrante violación de la soberanía cubana y el derecho a la vida de su pueblo, lo que ha sido objeto de las denuncias cubanas ante la Asamblea General de Naciones Unidas.

En abril de 1998, el Congreso aprobó varias enmiendas con el fin de hacer más rigurosa la aplicación del bloqueo y su efecto extraterritorial, en específico en lo referido al cumplimiento de las disposiciones de la Ley Helms-Burton. Es en este contexto que nuevos proyectos, bajo el manto de una supuesta ayuda humanitaria, se declararon encaminados a brindar un apoyo decisivo a la oposición contrarrevolucionaria en el interior del país, con el objetivo de producir cambios sociales y políticos.[82] La Ley Ómnibus de Asignaciones Presupuestarias para el año fiscal 1999 incluyó 12 enmiendas que extienden y endurecen el bloqueo, negociadas en secreto por un reducido grupo de legisladores y funcionarios gubernamentales. Entre ellas (secciones 2225 y 2802): se refuerzan las sanciones impuestas por el Título IV de la Ley Helms-Burton y se extienden al resto del mundo, y se amplía el bloqueo sobre los fondos de instituciones crediticias internacionales para concertar cualquier asistencia o reparaciones a Cuba. Su Sección 211[83] prohibió la realización de transacciones o pagos en Estados Unidos relacionados con una marca o nombre comercial confiscado, a menos que el propietario original de la marca o nombre comercial, o el sucesor en interés, hubiese dado su consentimiento, lo que resultaba también válido para la prohibición del reconocimiento y la validación de estas marcas o nombres comerciales por parte de tribunales de Estados Unidos, violando artículos del Acuerdo sobre los Aspectos de la Propiedad Intelectual relacionados con el Comercio (ADPIC) en la Organización Mundial del Comercio. Esta sección sirvió de fundamento para el fallo

[82] Asamblea General de Naciones Unidas, quincuagésimo tercer período de sesiones: ob. cit., párrafos 49-50.

[83] Circunscrita a la aplicación de la parte 515 del título 31 del Código de las Reglamentaciones Federales, vigentes el 9 de septiembre de 1998, aplicadas por el Departamento del Tesoro respecto a Cuba a través de la Oficina para el Control de Bienes Extranjeros.

por un tribunal de Nueva York, el 24 de abril de 1999, en detrimento de los intereses comunes de las empresas Havana Club Holding, S.A. (empresa mixta formada por la empresa francesa Pernod Ricard y una compañía cubana) y Habana Club International, S.A. (sociedad por acciones constituida y domiciliada en Cuba), despojándolas de sus derechos para registrar y potencialmente comercializar el ron cubano Habana Club en Estados Unidos, beneficiando ilegalmente a la firma Bacardí.[84]

La denuncia cubana de tales artimañas, sin precedentes en la historia del derecho de propiedad intelectual, ha desenmascarado las verdaderas intenciones de los legisladores: crear obstáculos al desarrollo de las inversiones extranjeras en Cuba que estén asociadas a la comercialización internacional de productos cubanos de reconocido prestigio. En enero del 2002, el Órgano de Apelaciones de la Organización Mundial del Comercio (OMC) reconoció que la Sección 211 viola los principios básicos de la OMC como son el trato nacional y el trato de nación más favorecida, por lo que debe ser modificada o derogada.[85]

Otro endurecimiento de la política del bloqueo, en el año 2000, dio al traste con las propuestas para favorecer la venta de alimentos y medicinas (Enmienda Ashcroft, aprobada por consenso en el Comité de Relaciones Exteriores del Senado el 23 de marzo; Enmienda Nethercut, en el Comité de Asignaciones de la Cámara el 10 de mayo; Enmienda Dorgan-Corton, en el Senado, el 20 de julio) y las visitas de norteamericanos libremente a Cuba (Enmienda Stanford, aprobada en la Cámara el 20 de julio). El liderazgo republicano y los congresistas cubano-americanos, violentando las normas del proceso, impusieron otras enmiendas, aprobadas por el presidente Bush el 28 de octubre del 2000. Al respecto expresó el congresista cubano-americano Lincoln Díaz-Balart: "Es la más importante victoria desde la Ley Helms-Burton. No comercio 'barter', no otorgamiento de créditos, no importaciones desde Cuba, no financiamiento público ni privado. La negativa de créditos y turismo a Cuba constituye una extraordinaria e importante victoria."[86] Una nueva

[84] Asamblea General de Naciones Unidas, quincuagésimo cuarto período de sesiones: ob. cit., párrafos 20-24; quincuagésimo quinto período de sesiones: ob. cit., párrafo 18.

[85] Asamblea General de Naciones Unidas, quincuagésimo séptimo período de sesiones: ob. cit., párrafo 127.

[86] Felipe Pérez Roque: presentación del proyecto de resolución A/55/L.7 ante la Asamblea General de Naciones Unidas, 9 de noviembre del 2000. Sitio web de Naciones Unidas http:www.un.org.

escalada también se produjo con la aprobación el mismo día 28 de octubre del 2000 de la ley de protección de las víctimas del tráfico y la violencia, que autoriza al gobierno norteamericano a apropiarse de fondos de empresas y bancos cubanos congelados en bancos norteamericanos, ascendentes a 161 millones de dólares.[87]

La demanda de responsabilidad civil al Gobierno de Estados Unidos por daños y perjuicios económicos causados al pueblo de Cuba

En la presentación del proyecto de resolución votado en la Asamblea General de Naciones Unidas el 9 de noviembre de 1999, el Presidente de la Asamblea Nacional de Poder Popular, Ricardo Alarcón de Quesada, anunció formalmente que Cuba presentaría una demanda de indemnización por más de 100 mil millones de dólares contra el Gobierno de Estados Unidos por los enormes daños ocasionados al pueblo de Cuba por el bloqueo.

Esta demanda de responsabilidad civil al Gobierno de Estados Unidos por daños y perjuicios económicos causados al pueblo de Cuba fue presentada por las organizaciones sociales y de masas de Cuba al Tribunal Popular Provincial de Ciudad de La Habana, y fue tramitada judicialmente a través del Expediente Civil número 1 del año 2000 de la radicación de la Sala Primera de lo Civil y lo Administrativo de aquel Tribunal.[88]

En una pormenorizada apreciación de las distintas facetas que componen el criminal andamiaje de la guerra económica, peritos y testigos expusieron durante las prácticas de pruebas, del 28 de febrero al 10 de marzo de aquel año, alegatos contundentes que mostraban la culpabilidad del gobierno norteamericano en genocidas acciones económicas contra Cuba en aras de una finalidad política.[89]

[87] Idem.

[88] Demanda del pueblo cubano al Gobierno de Estados Unidos por los daños económicos ocasionados a Cuba, presentada al Tribunal Provincial Popular de Ciudad de La Habana el 3 de enero del 2000. Oficina de Publicaciones del Consejo de Estado, La Habana, 2000.

[89] Un resumen de lo tratado en las sesiones de práctica de pruebas se ofrecieron por la prensa nacional. Ver artículos de María Julia Mayoral, Alexis Schlachter, Sara Más, Susana Lee: en periódico *Granma,* La Habana, 29 de febrero al 11 de marzo del 2000.

Los peritos participantes se encuentran dentro de los especialistas mejor preparados en el país en cada una de las esferas sobre las que se les solicitó dictaminaran. Los testigos, a su vez, emergieron de un proceso de búsqueda de aquellos ciudadanos, de disímiles categorías ocupacionales, con mayores vivencias del impacto del bloqueo y, en general, de la actividad subversiva dirigida y organizada por el Gobierno de Estados Unidos en las ramas y sectores de la vida económica y social en que se han desenvuelto.

Los dictámenes periciales se refirieron a aspectos globales del bloqueo y de las agresiones económicas norteamericanas o a su incidencia en sectores específicos.[90] Dentro de los primeros se encontraron el de la destacada jurista Olga Miranda, que sostuvo la ilegalidad del bloqueo económico desde el punto de vista del Derecho Internacional y demostró el derecho moral que le asiste a Cuba para reclamar la reparación del daño causado; el del presidente de la Comisión de Asuntos Económicos de la Asamblea Nacional del Poder Popular, Osvaldo Martínez, que demostró que el bloqueo se trata en realidad de un acto de genocidio, y destruyó los argumentos norteamericanos sobre las razones para imponer a Cuba el denominado "embargo"; el del representante del Ministerio del Interior, coronel José M. Pérez Fernández, que presentó múltiples pruebas sobre las acciones subversivas realizadas contra la economía cubana como parte de la política hostil de Estados Unidos contra Cuba; el del especialista en temas migratorios, Jesús Arboleya Cervera, que se refirió a la función contrarrevolucionaria concedida por el gobierno norteamericano a la emigración cubana a Estados Unidos; así como el de la Ministra de Ciencia, Tecnología y Medio Ambiente, Rosa Elena Simeón, que ofreció una rica información referida a los altos costos de la guerra biológica contra Cuba.

Los peritos que testimoniaron sobre sectores específicos lo hicieron sobre la esfera del comercio exterior, la importación de alimentos; la comercialización del níquel; las exportaciones del sector tabacalero; la industria azucarera; la esfera monetario-financiera; la inversión extranjera; el turismo internacional; la aviación civil; la industria básica; el sistema nacional de educación; el de la Educación Superior; en los ámbitos de la cultura; la industria alimentaria; la industria ligera; el transporte marítimo y terrestre; las comunicaciones; la industria pesquera; sobre las plagas exóticas nocivas a los cultivos de importancia económica; sobre los daños

[90] En la bibliografía ofrecemos los títulos de los dictámenes y sus ejecutores. La fecha que allí se consigna es la de la presentación ante el tribunal.

causados a la población de animales productivos por enfermedades introducidas por acción enemiga; sobre la enfermedad ulcerativa de la trucha; la agroindustria azucarera; la agricultura; el sistema nacional de salud y los gastos ocasionados por la defensa del país.

Sobre cada una de estas esferas se presentó el testimonio de numerosos testigos, que contribuyeron con sus exposiciones en la ampliación, profundización y esclarecimiento de los aspectos presentados en la demanda, tanto referidos al bloqueo como a los sabotajes, la guerra biológica y otras agresiones. Algunos de esos testigos pudieron ofrecer un testimonio excepcional: el derivado de sus vínculos, como agentes de los Órganos de la Seguridad del Estado, con las organizaciones terroristas anticubanas que abundan en Estados Unidos, y como resultado de lo cual pudieron conocer de la gestación y realización de sabotajes y otros hechos contra la economía cubana, bajo la dirección o complicidad de las autoridades norteamericanas.

En la jornada final de práctica de pruebas, el investigador titular y jefe del Departamento del sector externo en el Instituto Nacional de Investigaciones Económicas, José Alejandro Aguilar Trujillo, presentó un pormenorizado informe pericial,[91] sobre un tema de importancia excepcional: el costo para el pueblo cubano del bloqueo y de las agresiones económicas. En la elaboración del estudio del que resultó este dictamen participaron centenares de especialistas de todos los organismos e instituciones del país, y en él se evalúan los daños y perjuicios del bloqueo económico, comercial y financiero en distintas esferas de actividad, y las agresiones en objetivos económicos y sociales. De acuerdo con la evaluación realizada, la conciliación con estimaciones de carácter global efectuadas y la depuración de posibles duplicaciones, el perito informó que los daños y perjuicios causados por el bloqueo ascendían en aquella fecha a 67 093,2 millones de dólares. Para el 2003 ya supera los 72 mil millones.

Para la cuantificación de las agresiones se utilizó similar procedimiento, participando en esta labor no solamente los organismos estatales sino también las Administraciones provinciales del Poder Popular. Se concluyó que la evaluación de estos daños y perjuicios, incluidos los gastos en que ha tenido que incurrir el país para garantizar la seguridad

[91] José Alejandro Aguilar Trujillo: *Informe pericial sobre los daños económicos ocasionados a la nación cubana por el bloqueo económico, comercial y financiero impuesto por los Estados Unidos de América y por las agresiones perpetradas por ese país contra objetivos económicos, sociales, culturales de Cuba y sus nacionales.* Marzo del 2000.

y protección de la población y los bienes de la nación, se elevaban a 54 mil millones de dólares.

Esa cantidad, sumada a la del bloqueo, arroja la cuantía total de 121 000 millones de dólares estadounidenses. En respuesta a preguntas de los letrados, el perito explicó que la magnitud de tales daños y perjuicios equivalen a 15 veces el nivel de importaciones que realizó el país en 1989, que fue el año de mayor volumen. Como mínimo, el bloqueo ha cercenado quince años de desarrollo de Cuba. De no haber existido esta guerra económica, si bien no podría calcular en cuánto más hubiera crecido la economía cubana (entre 1959 y 1989 lo hizo a un promedio del 4,6 % anual) de lo que sí estaba seguro era de que ese ritmo de crecimiento habría sido más dinámico y acelerado.

El 5 de mayo del año 2000, la Sala Primera de lo Civil y lo Administrativo del Tribunal Provincial Popular dictó la sentencia número cuarenta y siete, correspondiente al Expediente Civil número 1 del año 2000.[92] En esta sentencia se realizó un profundo análisis doctrinal y se explica el examen realizado a las pruebas practicadas y los resultados de los dictámenes de los peritos actuantes, como resultado de todo lo cual falló con lugar la demanda interpuesta contra el Gobierno de Estados Unidos, condenándolo por los actos ilícitos cometidos, a reparar e indemnizar al pueblo cubano en la cuantía de 121 mil millones de dólares estadounidenses, de los cuales, 6 405 millones corresponden a daños y 114 595 millones con los de perjuicios.

¿Cuáles son las medidas que debe adoptar el Gobierno de Estados Unidos para hacer cesar la guerra económica contra Cuba?

En la presentación del proyecto de resolución condenando el bloqueo norteamericano contra Cuba ante la Asamblea General de Naciones Unidas, el 27 de noviembre del 2001,[93] el Ministro de Relaciones

[92] Suplemento Especial del periódico *Granma*: *Sentencia culpable*. 6 de mayo del 2000. El Presidente del Tribunal y ponente lo fue el maestro en Derecho, Rafael Enrique Dujarric Hart, fungieron como Jueces Profesionales las licenciadas Ana María Alejo Alayón e Ismary Castañeda Lima, y como Jueces Legos, Matilde Ramírez Richard y Altagracia Ramos Aguilera. Fue Secretaria de la Sala, Olivia Peña Figueredo.

[93] Felipe Pérez Roque: presentación del proyecto de resolución A/56/L.9 del tema 34 del programa del quincuagésimo sexto período de sesiones de la Asamblea General de Naciones Unidas. 27 de noviembre del 2001. Sitio Web de Naciones Unidas http:www.un.org.

56/9, 27 de noviembre del 2001; 57/11, 12 de noviembre del 2002. Sitio Web http:www.un.org.

Informes del Secretario General acerca de la Resolución de la Asamblea General de Naciones Unidas titulada "Necesidad de poner fin al bloqueo económico, comercial y financiero impuesto por los Estados Unidos de América contra Cuba": Asamblea General de Naciones Unidas: Informe del Secretario General, respuesta del Gobierno de Cuba (A/48/488), 28 de septiembre de 1993; A/49/398, 20 de septiembre de 1994; A/50/401, 1º de septiembre de 1995; A/51/355, 13 de septiembre de 1996; A/52/342, 15 de septiembre de 1997; A/53/320, 3 de septiembre de 1998; A/54/259, 18 de agosto de 1999; A/55/172, 24 de julio del 2000; A/56/276, 2001; A/57/150, 26 de julio del 2002. Sitio Web http:www.un.org.

Presentación ante la Asamblea General de Naciones Unidas de los Proyectos de Resolución "Necesidad de poner fin al bloqueo económico, comercial y financiero impuesto por los Estados Unidos de América contra Cuba": Fernando Remírez de Estenoz Barciela, presentación del Proyecto de Resolución A/48/L. 14/Rev.1, 3 de noviembre de 1993; Fernando Remírez de Estenoz Barciela, Proyecto de Resolución A/49/L.9, 26 de octubre de 1994; Bruno Rodríguez Parrilla, Proyecto de Resolución A/50/L.10, 2 de noviembre de 1995; Carlos Lage Dávila, Proyecto de Resolución A/51/L.15, 12 de noviembre de 1996; Roberto Robaina González, Proyecto de Resolución A/53/L.6, 14 de octubre de 1998; Ricardo Alarcón de Quesada, Proyecto de Resolución A/54/L.11, 9 de noviembre de 1999; Felipe Pérez Roque, Proyecto de Resolución A/55/L.7, 9 de noviembre del 2000; Felipe Pérez Roque, Proyecto de Resolución A/56/L.9, 27 de noviembre del 2001; Ricardo Alarcón de Quesada, Proyecto de Resolución A/57/L.5, 12 de noviembre del 2002. Sitio Web http:www.un.org.

Otros documentos presentados por el gobierno cubano y circulados como documentos oficiales de la Asamblea General de Naciones Unidas: "El ilegal bloqueo económico de los Estados Unidos contra Cuba y las nacionalizaciones cubanas: la verdad histórica". A/48/258 y anexo, 12 de julio de 1993.

"La llamada Ley de 1995 para la Libertad en Cuba y la Solidaridad Democrática con Cuba. Análisis jurídico y político acerca de las implicaciones de la Ley para la Libertad y la Solidaridad Democrática con Cuba." A/50/172, 4 de mayo de 1995.

Exteriores de Cuba, Felipe Pérez Roque, al referirse a la autorización dada por el Gobierno de Estados Unidos, de manera excepcional, para la venta a empresas públicas cubanas de algunas cantidades de alimentos, medicinas y materias primas para producirlas, después del huracán Michelle, se preguntaba: "¿Significa esto acaso el fin del bloqueo?" El Ministro cubano rápidamente respondió: "No." Puntualizó que sería un error entender esa excepción como una regla, y se refirió en extenso a las decisiones que se requeriría adoptara el Gobierno de Estados Unidos para lograr el levantamiento del bloqueo y el cese de la guerra económica contra Cuba. Estas decisiones son:

1. Derogar la Ley Helms-Burton.
2. Derogar la Ley Torricelli.
3. Eliminar la prohibición de que los artículos que Estados Unidos importe de cualquier país contengan materias primas cubanas.
4. Cesar la persecución a escala planetaria por las embajadas y agencias norteamericanas contra toda gestión de negocios de Cuba.
5. Permitir el acceso de Cuba al sistema financiero norteamericano e internacional.
6. Permitir a Cuba emplear el dólar estadounidense para sus transacciones externas.
7. Autorizar a Cuba a comprar libremente, como cualquier otro país, en el mercado norteamericano.
8. Autorizar a Cuba a exportar libremente, como cualquier otro país, al mercado norteamericano.
9. Permitir a los ciudadanos norteamericanos viajar libremente como turistas a Cuba.
10. Devolver los activos cubanos congelados en bancos norteamericanos, una parte de los cuales ha sido arbitrariamente robada.
11. Autorizar a las compañías norteamericanas a invertir en Cuba.
12. Establecer regulaciones para la protección de marcas y patentes cubanas en Estados Unidos, en correspondencia con la legislación internacional sobre propiedad intelectual.
13. Eliminar las medidas discriminatorias que impiden hoy a los cubanos que viven en Estados Unidos viajar libremente a Cuba y ayudar económicamente a sus familias en la Isla.
14. Negociar con Cuba un arreglo justo y honorable para la compensación de las casi 6 mil empresas y ciudadanos de Estados Unidos cuyas propiedades fueron nacionalizadas en los primeros años

de la Revolución en Cuba, tomando en cuenta también las gravísimas afectaciones económicas y humanas inflingidas a Cuba por el bloqueo.

A lo anterior el Ministro cubano añadió que si de lo que se tratare fuera del cese de toda la política de agresiones contra Cuba, se requeriría:

1. La derogación de la Ley de Ajuste Cubano.
2. Cooperación con Cuba en la lucha contra el tráfico de drogas.
3. Cese de las transmisiones ilegales de televisión y radio hacia Cuba.
4. Cese de la arbitraria inclusión de Cuba en la lista de Estados que patrocinan el terrorismo que elabora el Departamento de Estado.
5. Cese de los intentos de subversión dentro de Cuba, con el empleo de cuantiosas sumas del presupuesto federal. Cese de las campañas difamatorias y de la presión contra nuestro país en los organismos internacionales. Cese de la impunidad para los grupos terroristas que han actuado contra Cuba desde Miami.
6. Renuncia a continuar ocupando, en contra de la voluntad soberana del pueblo cubano, el territorio de la Base Naval de Guantánamo.

En estas palabras, los cubanos vemos presente el Juramento de Baraguá, aprobado multitudinariamente en los Mangos de Baraguá, rincón sagrado de la Patria, el 19 de febrero del 2000.

Bibliografía

I. DOCUMENTOS OFICIALES

Alarcón de Quesada, Ricardo. Clausura de la Sesión Extraordina[illegible] la V Legislatura de la Asamblea Nacional del Poder Popular, [illegible] de febrero de 1999. Periódico *Granma,* 19 de febrero de 1999.

Constitución de la República de Cuba, Ministerio de Justicia, La Ha[illegible]na, 1999.

Juramento de Baraguá. Mangos de Baraguá, Santiago de Cuba, 19 [illegible] febrero del 2000. Editora Política, La Habana, 2000.

Ley 80, Ley de Reafirmación de la Dignidad y la Soberanía Cubanas. 2[illegible] de diciembre de 1996.

Ley 88, Ley de Protección de la Independencia Nacional y la Economía de Cuba. 16 de febrero de 1999.

Proclama de la Asamblea Nacional del Poder Popular de la República de Cuba, 13 de septiembre de 1999, en periódico *Granma,* martes 14 de septiembre de 1999, tercera edición.

Resoluciones de la Asamblea General de Naciones Unidas tituladas "Necesidad de poner fin al bloqueo económico, comercial y financiero impuesto por los Estados Unidos de América contra Cuba": Asamblea General de Naciones: Resolución 47/19, 24 de noviembre de 1992; 48/16, 3 de noviembre de 1993; 49/9, 26 de octubre de 1994; 50/10, 2 de noviembre de 1995; 51/17, 12 de noviembre de 1996; 52/10, 5 de noviembre de 1997; 53/4, 14 de octubre de 1998; 54/21, 9 de noviembre de 1999; 55/20, 9 de noviembre del 2000;

"Los nuevos intentos por fortalecer el bloqueo económico de los Estados Unidos contra Cuba y la verdad sobre las nacionalizaciones cubanas." A/50/211, 7 de junio de 1995.
"Denuncia de las nuevas acciones contra Cuba en el Congreso de los Estados Unidos." A/52/162, 30 de mayo de 1997.

II. PROCESOS JUDICIALES

Aguilar Trujillo, José Alejandro: Informe pericial sobre los daños económicos ocasionados a la nación cubana por el bloqueo económico, comercial y financiero impuesto por los Estados Unidos de América y por las agresiones perpetradas por ese país contra objetivos económicos, sociales, culturales de Cuba y sus nacionales. Marzo del 2000.
Amador Pérez, Leonel C.: Informe pericial con los elementos probatorios de los daños y perjuicios económicos sufridos en el sistema del Ministerio de la Industria Ligera. Marzo del 2000.
Arboleya Cervera, Jesús: Dictamen acerca del uso ilegal de la política migratoria de Estados Unidos contra Cuba. Marzo del 2000.
Chao Trujillo, Eduardo; Gonzalo Fernández Reyes y Orlando Jordán Martínez: Informe pericial del Ministerio de la Agricultura. Marzo del 2000.
Dotres Martínez, Carlos: Dictamen pericial sobre las consecuencias económicas de la política del Gobierno de Estados Unidos contra el Sistema Nacional de Salud. Marzo del 2000.
Gómez Gutiérrez, Luis Ignacio; Francisco Fereira Báez y Jorge Hidalgo Prado: Dictamen de daños y perjuicios ocasionados al Sistema Nacional de Educación por la política hostil del Gobierno de Estados Unidos. Marzo del 2000.
González Febles, Gonzalo; Marino Murillo Jorge y Miguel A. Castillo Domínguez: Informe pericial sobre daños y perjuicios provocados a la Industria Alimentaria producto del bloqueo impuesto y por las agresiones del Gobierno de los Estados Unidos a Cuba. Marzo del 2000.
González Rodríguez, María del Pilar: Informe pericial acerca de los perjuicios causados por el bloqueo en el comercio del níquel. Marzo del 2000.
Hernández Guillén, Orlando; María de la Luz B'Hamel Ramírez y Daniel Hung González: Informe pericial sobre las afectaciones provo-

cadas por el bloqueo económico, comercial y financiero del Gobierno de los Estados Unidos contra Cuba en la esfera del comercio exterior. Marzo del 2000.

López, Ana: Declaración de perjuicios ocasionados por el bloqueo económico de Estados Unidos a Cuba en las exportaciones del sector tabacalero. Informe pericial. Marzo del 2000.

Lorenzo Piloto, Tomás: Informe pericial sobre los efectos del bloqueo impuesto por los Estados Unidos de América a Cuba en la esfera monetario-financiera. Marzo del 2000.

Martínez Albuerne, Carlos; Filiberto Au Kim y Onelio Alfonso Pérez: Hechos que afectaron en la rama de las comunicaciones. Marzo del 2000.

Martínez Martínez, Osvaldo: El bloqueo económico impuesto a Cuba por el Gobierno de Estados Unidos. Dictamen pericial. Marzo del 2000.

Martínez Samalea, Marta: Daños y perjuicios económicos causados al Ministerio de la Industria Pesquera. Marzo del 2000.

Miranda Bravo, Olga: Aspectos jurídicos del bloqueo y las agresiones. Dictamen pericial. Marzo del 2000.

Nocedo de León, Iris; Lázaro Núñez Montero y Ofelia Perera Ibáñez: Informe pericial sobre los perjuicios ocasionados por el bloqueo de EE. UU. a Cuba en las exportaciones de azúcar. Marzo del 2000.

Oficina de Publicaciones del Consejo de Estado: *Demanda del pueblo cubano al Gobierno de Estados Unidos por los daños económicos ocasionados a Cuba,* presentada al Tribunal Provincial Popular de Ciudad de La Habana el 3 de enero del 2000, La Habana, 2000.

Ojeda Vives, Argimiro; Nelson Viñas Valdés y Francisco José Corveas Ibarra: Informe pericial sobre daños y perjuicios producidos por el bloqueo económico y agresiones a la aviación civil de Cuba (1960-1998). Marzo del 2000.

Ovies, Jorge; Máximo Martínez y Luis Pérez: Informe pericial sobre las plagas exóticas nocivas a los cultivos de importancia económica incluidas en el capítulo 21 de la Demanda del Pueblo Cubano al Gobierno de Estados Unidos por los daños económicos ocasionados en Cuba. Marzo del 2000.

Pérez Fernández, José: Informe pericial sobre cuarenta años de agresiones contra Cuba. Marzo del 2000.

Portal León, Marcos; Vicente Llano Ross y Tomás Benítez Hernández: Informe pericial sobre los daños y perjuicios ocasionados al Ministerio de la Industria Básica por el bloqueo impuesto por los Estados

Bibliografía

I. DOCUMENTOS OFICIALES

Alarcón de Quesada, Ricardo. Clausura de la Sesión Extraordinaria de la V Legislatura de la Asamblea Nacional del Poder Popular, el 16 de febrero de 1999. Periódico *Granma,* 19 de febrero de 1999.

Constitución de la República de Cuba, Ministerio de Justicia, La Habana, 1999.

Juramento de Baraguá. Mangos de Baraguá, Santiago de Cuba, 19 de febrero del 2000. Editora Política, La Habana, 2000.

Ley 80, Ley de Reafirmación de la Dignidad y la Soberanía Cubanas. 24 de diciembre de 1996.

Ley 88, Ley de Protección de la Independencia Nacional y la Economía de Cuba. 16 de febrero de 1999.

Proclama de la Asamblea Nacional del Poder Popular de la República de Cuba, 13 de septiembre de 1999, en periódico *Granma,* martes 14 de septiembre de 1999, tercera edición.

Resoluciones de la Asamblea General de Naciones Unidas tituladas "Necesidad de poner fin al bloqueo económico, comercial y financiero impuesto por los Estados Unidos de América contra Cuba": Asamblea General de Naciones: Resolución 47/19, 24 de noviembre de 1992; 48/16, 3 de noviembre de 1993; 49/9, 26 de octubre de 1994; 50/10, 2 de noviembre de 1995; 51/17, 12 de noviembre de 1996; 52/10, 5 de noviembre de 1997; 53/4, 14 de octubre de 1998; 54/21, 9 de noviembre de 1999; 55/20, 9 de noviembre del 2000;

56/9, 27 de noviembre del 2001; 57/11, 12 de noviembre del 2002. Sitio Web http:www.un.org.

Informes del Secretario General acerca de la Resolución de la Asamblea General de Naciones Unidas titulada "Necesidad de poner fin al bloqueo económico, comercial y financiero impuesto por los Estados Unidos de América contra Cuba": Asamblea General de Naciones Unidas: Informe del Secretario General, respuesta del Gobierno de Cuba (A/48/488), 28 de septiembre de 1993; A/49/398, 20 de septiembre de 1994; A/50/401, 1º de septiembre de 1995; A/51/355, 13 de septiembre de 1996; A/52/342, 15 de septiembre de 1997; A/53/320, 3 de septiembre de 1998; A/54/259, 18 de agosto de 1999; A/55/172, 24 de julio del 2000; A/56/276, 2001; A/57/150, 26 de julio del 2002. Sitio Web http:www.un.org.

Presentación ante la Asamblea General de Naciones Unidas de los Proyectos de Resolución "Necesidad de poner fin al bloqueo económico, comercial y financiero impuesto por los Estados Unidos de América contra Cuba": Fernando Remírez de Estenoz Barciela, presentación del Proyecto de Resolución A/48/L. 14/Rev.1, 3 de noviembre de 1993; Fernando Remírez de Estenoz Barciela, Proyecto de Resolución A/49/L.9, 26 de octubre de 1994; Bruno Rodríguez Parrilla, Proyecto de Resolución A/50/L.10, 2 de noviembre de 1995; Carlos Lage Dávila, Proyecto de Resolución A/51/L.15, 12 de noviembre de 1996; Roberto Robaina González, Proyecto de Resolución A/53/L.6, 14 de octubre de 1998; Ricardo Alarcón de Quesada, Proyecto de Resolución A/54/L.11, 9 de noviembre de 1999; Felipe Pérez Roque, Proyecto de Resolución A/55/L.7, 9 de noviembre del 2000; Felipe Pérez Roque, Proyecto de Resolución A/56/L.9, 27 de noviembre del 2001; Ricardo Alarcón de Quesada, Proyecto de Resolución A/57/L.5, 12 de noviembre del 2002. Sitio Web http:www.un.org.

Otros documentos presentados por el gobierno cubano y circulados como documentos oficiales de la Asamblea General de Naciones Unidas: "El ilegal bloqueo económico de los Estados Unidos contra Cuba y las nacionalizaciones cubanas: la verdad histórica". A/48/258 y anexo, 12 de julio de 1993.

"La llamada Ley de 1995 para la Libertad en Cuba y la Solidaridad Democrática con Cuba. Análisis jurídico y político acerca de las implicaciones de la Ley para la Libertad y la Solidaridad Democrática con Cuba." A/50/172, 4 de mayo de 1995.

de la Revolución en Cuba, tomando en cuenta también las gravísimas afectaciones económicas y humanas inflingidas a Cuba por el bloqueo.

A lo anterior el Ministro cubano añadió que si de lo que se tratare fuera del cese de toda la política de agresiones contra Cuba, se requeriría:

1. La derogación de la Ley de Ajuste Cubano.
2. Cooperación con Cuba en la lucha contra el tráfico de drogas.
3. Cese de las transmisiones ilegales de televisión y radio hacia Cuba.
4. Cese de la arbitraria inclusión de Cuba en la lista de Estados que patrocinan el terrorismo que elabora el Departamento de Estado.
5. Cese de los intentos de subversión dentro de Cuba, con el empleo de cuantiosas sumas del presupuesto federal. Cese de las campañas difamatorias y de la presión contra nuestro país en los organismos internacionales. Cese de la impunidad para los grupos terroristas que han actuado contra Cuba desde Miami.
6. Renuncia a continuar ocupando, en contra de la voluntad soberana del pueblo cubano, el territorio de la Base Naval de Guantánamo.

En estas palabras, los cubanos vemos presente el Juramento de Baraguá, aprobado multitudinariamente en los Mangos de Baraguá, rincón sagrado de la Patria, el 19 de febrero del 2000.

Exteriores de Cuba, Felipe Pérez Roque, al referirse a la autorización dada por el Gobierno de Estados Unidos, de manera excepcional, para la venta a empresas públicas cubanas de algunas cantidades de alimentos, medicinas y materias primas para producirlas, después del huracán Michelle, se preguntaba: "¿Significa esto acaso el fin del bloqueo?" El Ministro cubano rápidamente respondió: "No." Puntualizó que sería un error entender esa excepción como una regla, y se refirió en extenso a las decisiones que se requeriría adoptara el Gobierno de Estados Unidos para lograr el levantamiento del bloqueo y el cese de la guerra económica contra Cuba. Estas decisiones son:

1. Derogar la Ley Helms-Burton.
2. Derogar la Ley Torricelli.
3. Eliminar la prohibición de que los artículos que Estados Unidos importe de cualquier país contengan materias primas cubanas.
4. Cesar la persecución a escala planetaria por las embajadas y agencias norteamericanas contra toda gestión de negocios de Cuba.
5. Permitir el acceso de Cuba al sistema financiero norteamericano e internacional.
6. Permitir a Cuba emplear el dólar estadounidense para sus transacciones externas.
7. Autorizar a Cuba a comprar libremente, como cualquier otro país, en el mercado norteamericano.
8. Autorizar a Cuba a exportar libremente, como cualquier otro país, al mercado norteamericano.
9. Permitir a los ciudadanos norteamericanos viajar libremente como turistas a Cuba.
10. Devolver los activos cubanos congelados en bancos norteamericanos, una parte de los cuales ha sido arbitrariamente robada.
11. Autorizar a las compañías norteamericanas a invertir en Cuba.
12. Establecer regulaciones para la protección de marcas y patentes cubanas en Estados Unidos, en correspondencia con la legislación internacional sobre propiedad intelectual.
13. Eliminar las medidas discriminatorias que impiden hoy a los cubanos que viven en Estados Unidos viajar libremente a Cuba y ayudar económicamente a sus familias en la Isla.
14. Negociar con Cuba un arreglo justo y honorable para la compensación de las casi 6 mil empresas y ciudadanos de Estados Unidos cuyas propiedades fueron nacionalizadas en los primeros años

cadas por el bloqueo económico, comercial y financiero del Gobierno de los Estados Unidos contra Cuba en la esfera del comercio exterior. Marzo del 2000.
López, Ana: Declaración de perjuicios ocasionados por el bloqueo económico de Estados Unidos a Cuba en las exportaciones del sector tabacalero. Informe pericial. Marzo del 2000.
Lorenzo Piloto, Tomás: Informe pericial sobre los efectos del bloqueo impuesto por los Estados Unidos de América a Cuba en la esfera monetario-financiera. Marzo del 2000.
Martínez Albuerne, Carlos; Filiberto Au Kim y Onelio Alfonso Pérez: Hechos que afectaron en la rama de las comunicaciones. Marzo del 2000.
Martínez Martínez, Osvaldo: El bloqueo económico impuesto a Cuba por el Gobierno de Estados Unidos. Dictamen pericial. Marzo del 2000.
Martínez Samalea, Marta: Daños y perjuicios económicos causados al Ministerio de la Industria Pesquera. Marzo del 2000.
Miranda Bravo, Olga: Aspectos jurídicos del bloqueo y las agresiones. Dictamen pericial. Marzo del 2000.
Nocedo de León, Iris; Lázaro Núñez Montero y Ofelia Perera Ibáñez: Informe pericial sobre los perjuicios ocasionados por el bloqueo de EE. UU. a Cuba en las exportaciones de azúcar. Marzo del 2000.
Oficina de Publicaciones del Consejo de Estado: *Demanda del pueblo cubano al Gobierno de Estados Unidos por los daños económicos ocasionados a Cuba,* presentada al Tribunal Provincial Popular de Ciudad de La Habana el 3 de enero del 2000, La Habana, 2000.
Ojeda Vives, Argimiro; Nelson Viñas Valdés y Francisco José Corveas Ibarra: Informe pericial sobre daños y perjuicios producidos por el bloqueo económico y agresiones a la aviación civil de Cuba (1960-1998). Marzo del 2000.
Ovies, Jorge; Máximo Martínez y Luis Pérez: Informe pericial sobre las plagas exóticas nocivas a los cultivos de importancia económica incluidas en el capítulo 21 de la Demanda del Pueblo Cubano al Gobierno de Estados Unidos por los daños económicos ocasionados en Cuba. Marzo del 2000.
Pérez Fernández, José: Informe pericial sobre cuarenta años de agresiones contra Cuba. Marzo del 2000.
Portal León, Marcos; Vicente Llano Ross y Tomás Benítez Hernández: Informe pericial sobre los daños y perjuicios ocasionados al Ministerio de la Industria Básica por el bloqueo impuesto por los Estados

"Los nuevos intentos por fortalecer el bloqueo económico de los Estados Unidos contra Cuba y la verdad sobre las nacionalizaciones cubanas." A/50/211, 7 de junio de 1995.
"Denuncia de las nuevas acciones contra Cuba en el Congreso de los Estados Unidos." A/52/162, 30 de mayo de 1997.

II. PROCESOS JUDICIALES

Aguilar Trujillo, José Alejandro: Informe pericial sobre los daños económicos ocasionados a la nación cubana por el bloqueo económico, comercial y financiero impuesto por los Estados Unidos de América y por las agresiones perpetradas por ese país contra objetivos económicos, sociales, culturales de Cuba y sus nacionales. Marzo del 2000.
Amador Pérez, Leonel C.: Informe pericial con los elementos probatorios de los daños y perjuicios económicos sufridos en el sistema del Ministerio de la Industria Ligera. Marzo del 2000.
Arboleya Cervera, Jesús: Dictamen acerca del uso ilegal de la política migratoria de Estados Unidos contra Cuba. Marzo del 2000.
Chao Trujillo, Eduardo; Gonzalo Fernández Reyes y Orlando Jordán Martínez: Informe pericial del Ministerio de la Agricultura. Marzo del 2000.
Dotres Martínez, Carlos: Dictamen pericial sobre las consecuencias económicas de la política del Gobierno de Estados Unidos contra el Sistema Nacional de Salud. Marzo del 2000.
Gómez Gutiérrez, Luis Ignacio; Francisco Fereira Báez y Jorge Hidalgo Prado: Dictamen de daños y perjuicios ocasionados al Sistema Nacional de Educación por la política hostil del Gobierno de Estados Unidos. Marzo del 2000.
González Febles, Gonzalo; Marino Murillo Jorge y Miguel A. Castillo Domínguez: Informe pericial sobre daños y perjuicios provocados a la Industria Alimentaria producto del bloqueo impuesto y por las agresiones del Gobierno de los Estados Unidos a Cuba. Marzo del 2000.
González Rodríguez, María del Pilar: Informe pericial acerca de los perjuicios causados por el bloqueo en el comercio del níquel. Marzo del 2000.
Hernández Guillén, Orlando; María de la Luz B'Hamel Ramírez y Daniel Hung González: Informe pericial sobre las afectaciones provo-

Unidos de América y las agresiones directas a sus instalaciones. Marzo del 2000.

Prieto Trujillo, Adela; Raquel Silveira Coffigny y María del Carmen Rodríguez: Informe pericial referido a la enfermedad ulcerativa de la trucha. Marzo del 2000.

Rodríguez de la Vega, Eduardo: Informe pericial sobre daños y perjuicios al sector del turismo internacional en Cuba derivados del bloqueo impuesto por los Estados Unidos. Marzo del 2000.

Sarasola González, Andrés; Gerson Fernández Vega y Juan A. Godefoy García: Informe pericial sobre daños y perjuicios ocasionados a la Agroindustria Azucarera con motivo de las agresiones y el bloqueo de Estados Unidos de América. Marzo del 2000.

Sentencia N° 47 Expediente Civil N° 1 del 2000, Sala Primera de lo Civil y de lo Administrativo, Tribunal Provincial Popular de Ciudad de La Habana. 5 de mayo del 2000.

Serrano Ramírez, Emerio; Manuel Toledo Portela y Carlos Delgado Ortega: Informe pericial sobre los daños causados a la población de animales productivos de nuestro país por enfermedades introducidas por acción enemiga en el período comprendido entre el mes de noviembre de 1962 y abril de 1996. Marzo del 2000.

Simeón, Rosa Elena: Informe pericial sobre las agresiones biológicas a Cuba. Marzo del 2000.

Sosa Brizuela, Jorge; Eduardo Santos Canalejo y Yamel Ruiz Barranco: Informe pericial presentado por el Ministerio para la Inversión Extranjera y la Colaboración Económica sobre los daños y perjuicios ocasionados a la economía cubana, como resultado del bloqueo impuesto por el Gobierno de los Estados Unidos de Norteamérica y la aplicación de la Helms-Burton en la esfera de la inversión extranjera. Marzo del 2000.

Taboada González, Tatiana: Informe pericial con la evaluación de los perjuicios económicos causados por el bloqueo en el sector de la importación de alimentos. Marzo del 2000.

Valle Álvarez, Rubén del; Orlando Vistel Columbié y Benigno Iglesias Tovar: Informe pericial del Ministerio de Cultura. Marzo del 2000.

Valle Portilla, Amador del: Dictamen sobre el impacto económico resultante del bloqueo impuesto por el Gobierno de Estados Unidos, así como por múltiples agresiones efectuadas por sus agentes contra la República de Cuba en la esfera del transporte marítimo y terrestre. Marzo del 2000.

Vecino Alegret, Fernando; Eduardo Cruz González y Obverto Santín Cáceres: Informe pericial sobre los efectos de las agresiones del bloqueo económico de los Estados Unidos de América contra Cuba que han afectado el Sistema de Educación Superior. Marzo del 2000.

III. ARTÍCULOS Y DOCUMENTOS APARECIDOS EN LA PRENSA PERIÓDICA

D'Stéfano Pisani, Miguel A.; Luis Sola Vila y Abel Sola López: "Nuestra protección de la independencia y la economía", en periódico *Granma,* La Habana, 21 de abril de 1999.
Información del Ministerio del Interior, en periódico *Granma,* La Habana, 29 de octubre de 1998.
Informe del relator especial sobre mercenarismo de la Comisión de Derechos Humanos de Naciones Unidas que visitó Cuba del 12 al 17 de septiembre de 1999", en suplemento especial del periódico *Granma,* 8 de abril del 2000.
Molina, Gabriel: "El Ángel Mateo", en periódico *Granma,* La Habana, 9 de julio de 1987, p. 3.
—————: "Nuestro hombre en la CIA", en periódico *Granma,* La Habana, 11 de julio de 1987.
Pereira, Casilda: "Curiosos en acecho", en revista *Moncada,* La Habana, 1987.
Rodríguez Calderón, Mirta: "Serviré a la misma causa", crónica sobre la penetración realizada a la CIA por el agente de la Seguridad cubana y ciudadano italiano, Mauro Casagrandi, en periódico *Granma,* La Habana, 29 de julio de 1987, p.3.
Tabloide Especial Nº 18 *¡Abajo el bloqueo!,* contentivo del texto íntegro de las siete mesas redondas instructivas realizadas entre el 5 y el 13 de julio del 2000 (versiones taquigráficas del Consejo de Estado), editado por el periódico *Juventud Rebelde,* agosto del 2000.

IV. DOCUMENTOS DEL GOBIERNO DE ESTADOS UNIDOS

Acta de la democracia para Cuba de 1992 (Ley Torricelli).
Central Intelligence Agency: Directorate of Intelligence: *The Cuban Economy: A Statistical Review.*

Decreto presidencial nº 3447, febrero 6, 1962, 27 resolución federal nº 1085, embargo sobre el comercio con Cuba.

Department of State: *Foreign Relations of United States,* 1958-1960, Cuba, United States government printing office, Washington, 1991, vol. VI (1991), X (1997), XI (1996).

Ley para la Libertad y la Solidaridad Democrática Cubanas (Ley Libertad, conocida como Ley Helms-Burton), 1996.

The Bay of Pigs: New Evidence from Documents and Testimony of the Kennedy Administration, the Anti-Castro Resistance, and Brigade 2506. Conference of Musgrove Plantation, St. Simons Island, Georgia, 31 May-June 1996.

The National Security Act of 1947, Public Law 253, July 26, 1947.

V. BIBLIOGRAFÍA GENERAL

Abdo Cuza, Michelle: "Impacto de la Ley Helms-Burton en las relaciones jurídicas y financieras y comerciales internacionales. Medios para enfrentarlo". Tesis de maestría. Universidad Nacional Autónoma de México, Facultad de Derecho, División de Estudios de Post-Grado, Enero de 1997.

Agee, Phillip: *Inside the Company: CIA Diary.* Penguin Books,1975. También se consultó la versión española: *Diario de la CIA.* Editorial Laia, Barcelona, 1978.

Agencia de Información Nacional (AIN): *La Guerra de la CIA contra Cuba.* La Habana, 1988.

Alarcón de Quesada, Ricardo: "El embuste: arma inseparable de la agresión imperialista". Intervención realizada en el II Encuentro Mundial de Amistad y Solidaridad con Cuba, 10 de noviembre del 2000.

Alarcón de Quesada, Ricardo y Miguel Álvarez Sánchez: *Guerra económica de Estados Unidos contra Cuba.* Editora Política, La Habana, 2001.

Alzugaray, Carlos: *Crónica de un fracaso imperial.* Editorial de Ciencias Sociales, La Habana, 2000.

Alvarado, Percy: *Confesiones de Fraile. Una historia real de terrorismo.* Editorial Capitán San Luis, La Habana, 2002.

Arboleya, Jesús: *La contrarrevolución cubana.* Editorial de Ciencias Sociales, La Habana, 2000.

Barquín, Ramón C.: *Cuba: The Cybernetic Era.* Cuban Studies/Estudios Cubanos, vol. 5, nº 2, julio de 1975.

Breckinridge, Scott D.: *The CIA and the U.S. Intelligence System.* Westview Press/Boulder and London, 1986.

Castañeda, Rolando H. y George P. Montalbán: "Principios Arcos", *Cuba in Transition,* Association for the Study of the Cuban Economy, vol. 4, agosto, 1994.

Diakov, V.; y S. Kovalov: *Historia de la antigüedad. Roma.* Instituto Cubano del Libro, La Habana, 1966.

Diez Acosta, Tomás: *La guerra encubierta.* Editora Política, La Habana, 1997.

Documentos de política exterior de la URSS, 1917-1967. Editorial Progreso, Moscú.

Escalante Font, Fabián: *La guerra secreta.* Editorial de Ciencias Sociales, La Habana, 2002.

Ferrera Herrera, Alberto: *Yo fui Regina para la CIA.* Editorial Capitán San Luis, La Habana, 1997.

Gaddis, John Lewis: *Estrategias de contención.* Grupo Editor Latinoamericano, Colección Estudios Internacionales, Buenos Aires, 1989.

Gordon, David L. and Royden Dangerfield: *The Hidden Weapon. The Story of Economic Warfare.* Harper & Brothers Publishers, New York, 1947.

Kent, Sherman: *Inteligencia estratégica para la política mundial norteamericana.* Segunda edición. Princenton University Press, Ciencias Políticas y Sociales, 1950.

Krinsky, Michael and David Golove: *United States Economic Measures Against Cuba. Proceedings in the United Nations and International Law Issues.* Aletheia Press, Northamptom, Massachusets, 1993.

León Cotayo, Nicanor: *El Bloqueo a Cuba.* Editorial de Ciencias Sociales, La Habana, 1983.

——————: *Sitiada la esperanza. Bloqueo económico de EE.UU. a Cuba.* Editora Política, La Habana, 1992.

Martínez Parada, Alfonso: "Agresiones económicas del imperialismo yanqui contra Cuba", en Colectivo de Autores: *Agresiones de Estados Unidos a Cuba revolucionaria.* Sociedad Cubana de Derecho Internacional, Editorial de Ciencias Sociales, La Habana, 1989.

Méndez Méndez, José Luis: *Salvar al mundo del terrorismo.* Editora Política, La Habana, 2003.

Miranda Bravo, Olga: "La legislación norteamericana como instrumento de agresión imperialista contra Cuba", y "Las nacionalizaciones cubanas. Los tribunales norteamericanos y la Enmienda

Hickenlooper", en Colectivo de Autores: *Agresiones de Estados Unidos a Cuba revolucionaria.* Sociedad Cubana de Derecho Internacional, Editorial de Ciencias Sociales, La Habana, 1989.

Pérez Fernández, José: *Historia para no olvidar. Cronología de agresiones del Gobierno de los Estados Unidos contra Cuba (1959-1999).* Centro de Investigaciones Históricas de la Seguridad del Estado, 2000.

Pichardo, Hortensia: *Documentos para la historia de Cuba,* tomo I. Instituto Cubano del Libro, Editorial de Ciencias Sociales, La Habana, 1971.

Puzo, Aida del: "Agresiones de Estados Unidos a la economía de Cuba", en Colectivo de Autores: *Agresiones de Estados Unidos a Cuba revolucionaria.* Sociedad Cubana de Derecho Internacional, Editorial de Ciencias Sociales, La Habana, 1989.

Quintana, Dorys: "Respuesta jurídica cubana a la Ley Helms-Burton". Ponencia presentada en el evento científico "40 años de agresiones de Estados Unidos a Cuba", 17-5-2000.

Rodríguez García, José Luis: *Crítica a nuestros críticos.* Editorial de Ciencias Sociales, La Habana, 1988.

Rodríguez, Juan Carlos: *La batalla inevitable.* Editoral Capitán San Luis, La Habana, 1996.

Ronfeld, David. *Ciberspace and cyberology: political effect of the information revolution.* Rand corporation, 1991.

Valdés-Dapena Vivanco, Jacinto: *La CIA contra Cuba. La actividad subversiva de la CIA y la contrarrevolución, 1961-1968.* Editorial Capitán San Luis, La Habana, 2002.

——————: *Operación Mangosta: preludio de la invasión directa a Cuba.* Editorial Capitán San Luis, La Habana, 2002.

Yaklovev, Nikolai: *La CIA contra la URSS.* Editorial Progreso, Moscú, 1983.

Zhukov, Gueorgui: *Memorias y reflexiones.* Editorial Progreso, Moscú, 1990.